WOMEN IN LOVE

世/界/经/典/名/著

恋爱中的女人

［英］劳伦斯（Lawrence.D.H.）◎著　花土◎译

下

新疆美术摄影出版社
新疆电子音像出版社

第十九章 月光

　　伯金在病好了之后，到法国的南部住了一段时间。他没有给人写过信，谁也不知道他的消息。厄秀拉，只剩下了她一个人，感觉到好像是一切都毁灭了，好像世界上已经不存在任何希望了，一个人就像是一块石头，存在于虚无的浪潮中，随着波浪而不断地升高。她自己是真实的，只有她自己——就像凶猛的洪水中的一块石头，剩下的一切都是空白。她过得很苦、很冷漠、很孤独。

　　但是对此她不知道做什么好，只有轻视、不声不响地进行抗争。整个世界都堕入了无聊的灰色激流中，她与外界的一切没有任何联系。她轻蔑和厌恶所有的一切。从她的心底，从她的灵魂深处，她轻视和厌恶人，特别是成年人。她喜欢的只是小孩和动物。她非常有激情地爱着小孩，但有时又很冷淡。

　　她想去拥抱他们、保护他们，给他们以生命。但是这种爱是以怜悯和绝望为基础的，这种爱对于她，只是一种束缚和痛苦。她最爱的还是动物，动物们都是单独行动，没有社会性，就像她一样。她喜欢那些田野里的马和牛，它们个个都是单独的，属于自己的，很有魔力。对于动物来说，并没有什么可恶的社会原则，它们不会充满热情，也不会感到很悲惨，而人有时充满激情，有时又感到很悲惨，这是最令她深恶痛绝的。

　　她能够对别人表现出非常高兴，讨人喜欢的样子，有时几乎显得很恭顺。但是没有人被她骗住。任何人都可以直接感觉到在她的内心的深处对人类所持的蔑视和嘲笑的态度。她深深地怨恨人类。"人"这个词所代表的意思使她感到很讨厌。

　　她的这种潜意识，这种蔑视和嘲笑的潜意识把她的心灵关闭到里面了。她觉得她有一颗爱心，她觉得她心中充满了爱。这就是她对自己的看法。但她那副精神焕发的样子，她神态中闪烁着的直觉活力却把她对自己的看法给否定了。

　　但是，有时，她也变得屈服和软弱下来，她需要完完全全的爱情，只需要完完全全的爱情。她也经常不相信自己，精神上被扭曲了，感到非常的痛苦。对完完全全的爱的剧烈渴望又一次征服了她。

有一天晚上，她走了出去，持续的严重的痛苦使她人都麻木了。这个注定要被毁灭的人现在一定是要死了。这种感受最终达到了极点，她再也不能感受到更多的了。最终她又轻松下来。如果命运要把那些命中注定要死亡的人带人死亡与陷落中，那为什么她还要烦恼、为什么还要进一步自我批判呢？她感到非常的轻松，她能够在其它地方找一个新的同盟。

她向威利·格林的磨房走去。她来到了威利湖畔，在前一次把湖水放得几乎快干之后，湖水又快注满了。接着她转身走向林子。夜晚已经来到，四周漆黑一片。但她却忘了什么叫害怕，其实她是个十分胆小的人。这丛林的附近没有人家，这里有一种充满魔力的平静。一个人越是能够找到纯粹的孤独，找到那种没有人感染的孤独，她的感觉就越好。在现实的生活中，她害怕人，非常的害怕。

她感到一惊，发现她右边的树枝间好像有一个巨大的幽灵在看着她，对着她躲躲闪闪的。她感到非常的震惊，其实它只是月亮，从丛林中升起的明月。但是它看上去却非常的神秘，露着苍白、死一般的狞笑。她不可能躲避这个。不管白天还是黑夜，任何人都无法躲避这张险恶的脸，它得意洋洋的，向外射着光芒，很高傲地笑着。她对这个星体惨白的脸感到非常的害怕，她匆匆忙忙地向前走。她要在回家之前，看一下磨房边的水池。

她不想穿过那个院子，因为院子里有条狗，她转身走上了山坡，然后又从高处走下来。月亮在空旷的天际更加明亮，她就完全暴露在月光下，所以她感到有些痛苦。这里不时地有兔子出现在地面上，在月光下闪晃着。夜像水晶一样明亮，很宁静。就连远处一只羊儿的叹息她也听到了。

她转身走到了池塘上陡峭的、被树木遮掩住了的堤岸，这里桤木树根连着根交错在一起。走进了没有月光的阴影中她感到非常的高兴。她站在倾斜的堤岸上，一只手扶住粗糙的树干，在那里看着湖水，平静的湖水显得很美丽，水中浮着一轮明月。但不知是什么原因，这样的景色她感到讨厌。她从中没有取得什么东西。她听着水闸里咆哮的水声。她希望从这夜晚里还能取得一些其它的什么东西，她想要的是另外一种夜色，而不是月光明亮的夜晚。她可以感到她的灵魂在内心里呼叫，声音很悲哀、很荒凉。

她看到一个人影在水边走动，那一定是伯金。那时他已经不知不觉地回来了。她看到了他，但没有说什么话，好像没有事一样。她坐在桤木的树根上，阴影在四周包围着她，她听着水闸放水的声音在夜空中回响。岛屿在黑暗中若隐若现，芦苇丛里也是一片黑暗，还有一些苇子在微微地反射着月光。一条鱼偷偷地跳出了水面，在池塘里反射出一道光线。寒冷的夜晚，湖水的光芒不断地把纯粹地黑暗划破，这使她感到非常的不舒服。

她希望这是一个完美的黑夜，非常的完美，没有声音，也没有任何动静。伯金，又小又黑，他的头发染沾了一点儿月光，他闲逛着越来越近了。他已经非常的近了，但他仍未引起她的注意。他不知道她在这儿。如果他想做什么事，他并不想让别人看见他做，他认为自己做得十分保密。但是，这有什么关系呢？他那小小的隐私里有什么呢？他所做的事情，怎样就成了重要的事情呢？我们怎么会有什么秘密呢，我们都是同样的人啊？什么地方能够产生秘密，当我们知道了所有的一切的时候？

他边走边随便地抚摸着那些已经干枯了的花朵，语无伦次地喃喃自语着。

"你不可以离开，"他说，"这里没有出路。你只有依靠你自己了。"

他把一朵干枯了的花朵扔进水中。

"这是一首轮流吟唱的歌——他们说谎话，你就歌唱回答他们。这儿不需要任何真理，如果这儿没有任何谎言的话。这样的话，一个人就不必去维护一些东西了。"

他静静地站在那里，看着水面，又把几朵花扔到了水面上。

"自然女神，去死吧！这个该死的女神！难道有人妒忌她吗？这儿还有其它的什么吗——？"

厄秀拉想大声、歇斯底里地笑起来，听着从他嘴里传出孤独的声音，觉得非常的可笑。

他站在那里静静地盯着湖水。接着他弯下腰拾起了一块石头，他用力把它扔进了湖里。厄秀拉看到湖中明亮的月亮跳跃着、摇摆着，在她的眼睛里，月亮变形了，看上去它像乌贼鱼一样伸出了拿着火焰的手，又像一只明亮的珊瑚虫在她眼前有力地跳动着。

他的身影在池塘边，盯着水面看了几分钟，然后，他弯下腰，在地面上摸索着。接着又突然响起了声音，水面上迸发出明亮的光芒，月亮在水中爆炸了，像雪白、可怕的火一样向四周射去。这火一样的光芒迅速地掠过水面，就像白色的鸟儿一样，同时发出混乱巨大的嘈杂声，与挡在它们向外传播的路上的浪头撞击着。远处浪顶的光芒消失了，好像在大喊大叫中猛烈地撞着堤岸寻找出去的路径，接着又把沉重的黑浪压了过来，直接涌向水面的中心。

在水面的中心，仍有一轮鲜明的、明亮的、颤抖的白月亮没有被摧毁。这带着火光的白色躯体翻腾着、挣扎着，不过到目前为止还没有破碎。好像它在毫无目的地用着全身的力气来缩紧自己的身体。它越来越亮了，又一次向外展示了自己的权威，说明它是个神圣不可侵犯的月亮。明亮的光线又一次地聚在月亮的周围，在水面上颤抖着，好像是取得了什么胜利。

伯金站在那里，一动不动地看着水面，直到水面几乎完全平静为止，月亮也平静了下来。他从中得到了满足，他又去寻找着更多的石块。厄秀拉感觉到了他那看不见的坚韧。过了一会儿，炸开的光线又在水面上爆发开来，使她眼花缭乱。他立即又投了第二块石头。月亮在白色的光线中跳到了空中。白色的光芒分开了向四周射去，黑暗又回到了水面的中心。

这里没有了月亮，水面成了四射的光线与阴影的战场，它们缠在一起。阴影，显得黑暗而沉重，它一次又一次地袭击着月亮所在的地方，把月亮湮没了。白色的断断续续的破碎月光上下跳动着，它们不能找到出路，它们分开又很灿烂地落到了水面上，就像是玫瑰的花瓣被风吹得远远的，散落得到处都是。

但是这些光线仍然一路闪烁着回到了中心，摸索着寻找着道路。所有的一切都又平静了下来，伯金和厄秀拉都看着水面。岸边的水"哗哗"地响着。他看到月光无声无息地又聚集了起来，他看到了玫瑰花的中心强有力、盲目地交织着，把那细碎的光点召了回来，让它们跳动着回来，聚集到一起。

但是他仍不满足，他像一个疯子一样，继续这样干着。他拿起大石头，一块接着一块向那白色的中心投去，直到那里什么也没有了，只有空荡荡的响声，只见那一个水浪涌起来，就把月亮给淹没了，只有几片破裂的光处于混乱状态，并在黑暗中闪烁着，没有任何目的，也没有任何意义，陷入一片混乱之中，就像一个黑白万花筒被随便地投掷着。

空荡荡的夜晚带着杂声摇摆着，冲撞着，水闸那边有节奏的刺耳水声也传了过来。远处的某一奇怪的地方，光的碎片到处都是，在阴影之间痛苦地闪烁着，小岛的垂柳在阴影中也闪烁着点点星星的光。伯金站在那儿，听着这一片水声，他感到满足了。

厄秀拉感到眩昏，脑子里什么也没有了。她觉得她已经倒在了地上，像水一样被泼了出去。她一动也不动筋疲力尽地阴郁地坐在那里。就是在这样的情况下，她仍然感觉到——但没有看到——光影在黑暗中到处乱动着，舞动着，慢慢地聚在一起，又稳定了下来。它们又重新聚成一个中心，又一次获得了生命。

慢慢地，到处乱散的光影又聚到了一起，喘息着，跳动着，摇摆着，向后退着，好像有些惊慌失措，接着又鼓足勇气向目标行进，在每一次要前进的时候，它都佯装着后退一下。它们闪着光亮慢慢地聚在了一起，光束在不知不觉中变大了，变得更亮了，紧接着，又一道又一道地聚上来，直到最后形成了一朵不规则的玫瑰花。扭曲的、磨损的月亮又在水面上颤抖起来，它想停止颤抖，征服自身的畸形与骚动，使自己完整和镇静下来。

白金迷迷糊糊地在水边闲荡着。厄秀拉怕他再用石头砸那个水中的月亮。她从自己坐的地方滑下去，对他说：

"不要再扔石头了，可以吗？"

"你在这儿呆多久了？"

"我一直都在这儿。不要再扔石头了，可以吗？"

"我想知道是否能把月亮赶出池塘。"他说。

"是的，它太可怕了，这是真的。为什么你不喜欢月亮呢？它对你没有什么害处呀，对不对？"

"那是憎恨吗？"他说。

他们沉默了好几分钟。

"你什么时候回来的？"她问道。

"今天。"

"为什么你从不写信？"

"我没有什么说的。"

"为什么没有什么说的？"

"我不知道。怎么这儿现在没有雏菊了？"

"没有。"

他们又沉默了一会儿。厄秀拉看看水中的月亮，它又聚到了一起，又轻轻地颤抖着。

"孤孤单单一个人，这样对你有好处吗？"她问。

"或许有吧。当然我懂得并不多。但是我得到了很多。你做过什么重要的事吗？"

"没有。我看着英格兰，我想从此与它之间完了。"

"为什么是英格兰呢？"他惊奇地问道。

"我不知道，感觉是这样的。"

"它不是一个民族的问题，"他说，"法兰西更糟。"

"是啊，我知道。我感觉到我与这所有的一切都没关系。"

他们走了一会儿，在阴影中树根上坐下来。在安静的环境中，他想起她那美丽的眼睛，那双眼睛有时很明亮，像泉水一样，里面充满了美好的希望。于是他慢慢地、有些困难地对她说：

"你身上闪着金光，我想让你把这金光给我。"好像他已经对这个问题考虑了很长时间了。

她感到了震惊，好像要跳开，远离他。但是她还是很高兴。

"什么样的光？"她问。

他害羞了，再也没有说什么，时间就在沉默中过去了。她慢慢地感到有些悲哀了。

"我活得并不充实。"她说。

"嗯，"他简短地回答了一下，他不想听到这样的话。

"我感觉没有人会真的爱我。"她说。

但是他没有回答。

"你想我需要的只是肉体上的东西，是不是？不，不是那样的，在精神上你要对我好。"她慢慢地说道。

"这个是我所知道的，我知道你并不只想要肉体上的东西。但是我想让你给我——把你的精神——那个金色的光芒给予我，那个金色光环就是你，这个你并不懂，把它给我吧。"

沉默了一会她回答道：

"但我怎么能这样呢？你不爱我呀！你只想着自己的目标。你没有想着为我尽义务，但你想着让我给你做事。这只对你有利！"

他做出了很大的努力来维持这样的对话，并迫切要求他想从她那里得到的东西，让她在精神上屈服。

"那是不同的，"他说，"两种义务是不同的。我以另一种方式为你服务，不是通过你，而是通过其它的什么东西。但我想我们要不互相打扰地结合在一起——因为我们在一起所以我们才真正地在一起，好像它是一种现象，而不是我们必须要用我们自身的努力去维持的东西。"

"不，"她沉思着说，"你是个以自己为中心的人。你从来就没有热情，你从来没有向谁放出火花。你只想你自己，真的，你只想你自己的事。你需要我，仅仅是为了这个，让我服务于你。"

但她说的话只能让他对她关上心扉。

"噢，"他说，"说什么都没有关系。终究，我们之间存在不存在那种东西呢？"

"你从来就没有爱过我。"她叫道。

"我是爱你的，"他生气地说，"但是我想——"他的大脑又一次看到她眼中那可爱的金色的光芒，眼睛里就像充满了泉水，那光芒好像是从一些奇妙的窗口射了过来。在这个谁也不关心谁的世界上，他想让她和他在一起。但是，告诉她在这个冷漠的世界，他想要她这个伙伴，但这有什么用处呢？终究，现在应该与她谈些什么呢？这种想法是不可能用语言表达出来的。如果非要让她发誓的话只能招来灾难性的结果。这种想法是一只天堂之鸟，它永远也不可能进窝，它必须自己飞到对方的心中。

"我一直认为会有人爱我的，但是我失望了。你不爱我，你知道这个。你不想为我尽义务。你只是想着你自己。"

听到那句被重复的话"你不想为我尽义务"，他生气极了，血管里充满了怒火。那些天堂鸟从他心中消失了。

"不，"他恼怒地说道，"我不想为你尽义务，是因为你没有什么需要我去做。你想让我给你做些什么，什么也没有，甚至你自己也不需要我为你尽义务，这就是你的女性特点。为了你的女性的自负我什么也不会做的，这些仅仅是破布做成的布娃娃而已。"

"哈！"她用嘲笑的口气说道，"在你的想象中我就是那样的人，对吗？你还厚颜无耻地说你爱我！"

她生气地站了起来，回家去了。

"你想要的是天堂似的未知世界。"她转过身，对着他静坐在那里的模糊身影说，"我理解你说的是什么意思，谢谢你。你想让我成为你的某一样东西，从不对你提出疑问，也从不为我自己说些什么。你让我是纯粹属于你的某一样东西！不可能，谢谢你！如果你想那样的话，这里有很多的女人能够满足你。这里有很多的女人会躺在地上让你从她们的身上走过——你去找她们吧，如果你想这样的话，请去找她们吧。"

"不是的，"他生气地脱口而出，"我希望你把你过分自信的意志抛弃，把你的可怕的固执性格抛弃，这就是我所需要的。我想让你含蓄地相信你自己，这样你就可以让自己得以解脱。"

"让我自己解脱？"她嘲笑着说，"我完全可以轻易地解脱我自己，而你不能解脱自己，你固守着自我，好像它是你的唯一财富。你，你是主日学校的教师，你，一个牧师。"

她这话中所包含的真理使他感到木然和迷惑。

"我的意思并不是让你以狄奥尼索斯狂热的方式解脱自己，"他说，"我知道你能够那样做。但是我不喜欢狂热，无论是狄奥尼索斯式的还是其它形式的。那好像是在一个松鼠笼里打圈子。我希望你不要太在意你自己，不要太在意你自己，也不要太固执了，要高兴起来，对自己自信一些，对一些事也不要太关注了。"

"谁固执了？"她讽刺道，"谁做事的时候一直都很固执？那不是我！"

他听出了她话语中的挖苦与刻薄，他安静了一会儿。

"我知道，"他说，"我们两个在对方面前都很固执，我们都错了。但是我们之间还没有达到一致。"

他们静静地坐在岸边的树影下。他们周围是淡淡的夜色，他们故意处于黑暗之中。

他们慢慢地都平静了。她试着把自己的手放在他的手上。他们轻轻地、默默地把手握在一起，都没有说话。

"你真的爱我吗？"她问。

他笑了起来。

"我把那句话称为你的口号。"他开玩笑地说。

"真的吗！"她十分高兴和惊奇地叫了起来。

"你的顽固——你的口号——'一个布朗温，一个布朗温'——一个古老的战斗口号。你的口号是'你爱我吗？流氓，要么屈服，要么去死。'"

"不嘛，"她用恳求的语气说道，"不是那样子的。不是那样的。但是我必须知道你是否爱我，是不是？"

"那么，去了解它，否则算了。"

"但是你真的爱吗？"

"对，我爱。我爱你，而且我知道这是永恒的。是永恒的，还要说些其他的什么呢？"

她沉默了一会儿，又高兴又怀疑。

"你敢确信吗？"她说着高兴地靠近了他。

"非常的确信，那么现在就做吧，接受这爱吧。结束它。"

她离他更近了。

"把什么结束了？"她高兴地咕哝着说。

"把烦恼结束了。"他说。

她紧紧地贴着他。他则紧紧地抱着她，轻轻地温柔地吻着她。多么的安静和自由啊，仅仅是拥抱着她、轻轻地亲着她，没有其他的任何思想，也没有其他的任何欲望，也没有其他的任何意志，仅仅是与她安静地在一起，在一片宁静的气氛中，不入睡，但是从心里得到满足。满足于愉悦，没有了欲望，没有了固执，这就是天堂：同处于幸福的安静之中。

她长时间地依偎在他的怀中，他轻轻地吻着她，吻着她的头发，她的脸，她的耳朵，温柔，轻巧地，像露珠坠落下来。但热乎乎的呼气响在她的耳边，使她再次感到不安，把旧的毁灭火焰点燃了。她紧挨着他，他能够感觉到自己的血液像水银一样在变动着。

"但我们能平静下来，是不是？"他说。

"是的，"她说，好像很顺从。

然后她继续躺在他的怀里。

但过了一会儿,她抽出了身子,看着他。

"我现在必须回家了。"她说。

"必须走吗?太令人伤心了。"他说。

她向他倾着身子,让他吻她的嘴。

"你真的伤心吗?"她笑着小声说道。

"是的,"他说,"我希望我们能永远像刚才那样。"

"永远!真的吗?"在他亲她的时候她小声说着。然后她用尽全身的力量低声说道:"吻我!吻我吧!"说着她又紧紧地靠近了他。他亲了她许多次。但是他仍有他的思想和意志。他现在需求的只是温柔的交流,没有别的什么,也没有激情。于是她很快就抽出自己的身体,戴上帽子,回家去了。

但是第二天,他感到了渴望和向往。他觉得也许是昨天错了。或许他带着需求什么的思想去接近她是错误的。那仅仅是一种想法吗?或者说它能解释为一种有深刻含义的向往吗?如果是后者的话,他怎样去解释他那经常提到的肉欲满足?这两者并不相互溶合。

突然他发现自己面对着这样简单的一种现状,太简单。一方面,他明白他并不想要更进一步的肉体经历——一些更深的、更黑暗的生活比普通的生活更能提供的。他想起了经常在海里戴家看到的非洲人的雕塑。

那是一个大约两英尺高的小雕像,高高的、纤细的、端庄的外形,从西非来的。是用黑木雕成的,既光滑又温和。这是一个女人的雕像,头发做得非常高,好像一座圆圆的屋顶。他十分生动地记得她,她是他的灵魂深处的一个模仿者。她的身体修长、文雅,她的脸很小就好像一个甲壳虫,上衣的领口镶着一圈圈的圆边,像是铁圈叠成的圆柱堆在脖子下面。

他记得她:她的高雅显示出她有惊人的修养,她那好像甲壳虫一般的面孔,令人惊奇的长长的端庄的身体,下面是短短的非常难看的腿,以及如此突起的臀部,在她长长的纤细的腰下面是如此的沉重和意料不到。她明白他自己所不明白的事物。她有几千年纯粹的肉欲,完全非精神的知识。一定经过了成千上万年的时间,自从她的那个种族神秘地去世以后:那也就是说,自从感觉和坦率真言的精神之间的关系破裂以后,留下的只是一种神秘的肉体经历。

几千年以前,对他自己来说即将到来的事情一定已经在这些非洲人身上出现过了:仁慈、神圣、创造和生产幸福的渴望一定流失了,只留下一种单一的对学问的推动——通过感官追求的盲目,发展的知识,这知识被安排和结束在感觉上,这种神秘的学问存在于瓦解和解散中,这是和甲壳虫拥有的同样的知识，它们完全生活在一个腐败和冷淡的解散中。这就是为什么她的脸看起来像一个甲壳虫：这就是为什么埃及人崇拜金甲虫——由于这是腐败和解散的知识原则。

在死亡之后，当精神打破强烈的受难，冲破它有机的控制以后就好像一片树叶从树上落下来一样，还有长长的路可走。我们脱离了生活和希望之间的关系，我们背离了那种纯洁的完整的生命，背离了创造性和自由，我们掉入了非洲人那长长的纯粹的肉欲的理解中，那是一种神秘的解散的学问。

现在他意识到这是一个长长的过程——从创造性的精神去世以后到现在为止已经花去了好几千年的时间了。他觉悟到，这儿将有巨大的秘密被开启，无意识和可怕的神秘比生殖器的崇拜更加难以开启。在他们倒退的文化中，这些西非人何以能够超出对生殖器的认识呢？非常非常遥远。伯金又一次回忆起了那个女性的外形：长长的身体，奇怪的、想不到的重重的臀部，长长的、被包起来的脖子以及好像甲壳虫一般微小的面孔。这些都大大超过了一切和生殖器有关的学问，微妙的肉欲也远远超出了这些生殖器知识所研究的范围。

在那儿这种方式保持着，这种可憎的非洲人的过程将要去实践。它将会被白人以不同的方法去实践。白色人种，有北极在他们身后以及巨大的冰和雪的提取，将会实践神秘的冰的破坏性的知识和雪的提取的歼灭，但是，西部非洲人，被撒哈拉燃烧着的死亡概念控制着，在太阳的毁灭和神秘的阳光腐败中实现了计划。

这就是全部被保留下来的东西吗？难道除了打碎愉快的、有创造性的存在物体以外就没有留下其他东西吗？是不是我们具有创造性生活的日子已经结束了？是不是留给我们的只有非洲人那陌生的、恐怖的死亡知识？但是我们是不同的，因为我们是从北方来的有着金色的头发和蓝眼睛的人。

伯金想起了杰拉德。他就是来自北方的奇特的残忍的魔鬼之一，他在那个霜一般寒冷的神话中得到了实践。他是不是受命运的支配也要经过这种知识，这种霜一般寒冷的知识，在寒冷的世界中死去呢？他是否是一个把宇宙溶入到白人世界的报信者呢？

想到这里，伯金感到很恐惧。当他达到那种沉思的程度的时候。突然他奇怪的、紧张的注意力消失了，他再也不能沉湎于这些神话了，这儿有另一条道路，那就是自由的路。那儿有一个进入纯洁的、单一的个体入口，在那里个别的精神是在爱、联合的渴望之上的，它比任何一种剧痛的感情都要强烈得多，这是一种自由的、自豪的、单一的可爱的状态，它接受与别人长久相联系的责任，受爱情的束缚和控制，但是从来不会失去它自己骄傲的个性，即使在它爱和屈从的时候。

那儿还有另外一条路，一条保留着的路。他走这条路。他想起了厄秀拉，她是那么的灵敏和微妙啊，她的皮肤太美好了，好像是一种正被需要的皮肤。她真的是如此的温和和灵敏。他为什么会忘记它呢？他要立即去她那儿，他必须求她嫁给他。他们一定得立刻结婚，以便建立一个确切的保证，进入一种明确的感情交流。他一定得立刻出发去恳求她，这个时刻，没有一点时间可以花费了。

他飞快地向贝多弗跑去，他自己的行为中只有半分意识。他看到山坡上的小镇，并没有向四周蔓延，但是好像被矿工住宅区边上的街道围了起来，形成了一个巨大的正方形区域，这看起来就好像他想像中的耶路撒冷。整个世界都是奇怪的、出众的。

罗瑟琳给他打开了门，她像小姑娘一样惊诧了一下，接着她说：

"噢，我去给爸爸说一下。"

说着她消失了。留下伯金在大厅里，他站在大厅中看着一些毕加索的复制品，那是戈珍刚刚临摹来的。他非常赞赏她对给人美感的土地魔力的理解。正在这时，威尔·布朗温出现了，他正放下衣袖。

"嗯，"布朗温说，"我去穿件大衣。"接着他也消失了一会儿。然后他回来了，他打开客厅的门说：

"你一定要原谅我，我刚才正在小屋里做一小点活。请进来吧。"

伯金进了屋子并坐下了。他看着布朗温先生明亮的、略带红色的面孔，看着他窄窄的眉毛和非常明亮的眼睛，又看了看稠密的胡子下面相当宽广的厚嘴唇。这是多么令人惊奇啊，这竟然是一个人！布朗温对他自己的想法，非常的没有意义，与他的事实形成了对比。

伯金只能看见这位年近五十岁、身体瘦削、眼睛明亮的人是热情、欲望、抑制、传统和机械观念奇怪、无法说明、几乎不成形的集合体，这所有的事物一点都不混乱地集中到他的身上。他仍像他二十岁时那样没有主张、没有创造性。他怎么会是厄秀拉的爸爸呢？当他还不能创造他自己的时候。他并不是一个爸爸。只有一点肉体是从他那儿传给了儿女，但是那些精神并不是来自任何一位祖先。它们来自一个不为人所知的地方。一个孩子就是神话的后代，否则他就是未出生的婴儿。

"今天的天气不像以往的天气那样坏，"布朗温等了一会儿后说。这两个男人之间一点联系也没有。

"是啊！两天前还是满月呢？"

"噢，你认为是月亮影响了天气吗？"

"不，我不认为我是这样想的。我对这个真的懂得不多。"

"你明白他们都说些什么吗？他们说月亮和天气可能是一起变化的，但是月亮的变化不会改变天气。"

"是吗？"伯金说，"我还没有听到这些。"

接着停顿了一下，然后伯金说：

"我打扰你了吗。我其实是来拜访厄秀拉的。她在家里吗？"

"我不相信她在家。我相信她一定是去图书馆了。我可以去看一下。"

伯金能听见他在餐厅里询问。

"不在家，"他回来说，"但是她不会在那儿呆很长时间的。你想和她说话吗？"

伯金用令人惊奇的镇静和明亮的眼神看着布朗温说：

"实际上，我是来恳求她和我结婚的。"

一丝亮光在老人金黄色的眼睛里闪了一下：

"啊？"他看看伯金，接着在镇静地、稳定地注视着另外一个人之前垂下眼皮说："她是不是在期待你呢？"

"不清楚。"伯金说。

"不清楚？我对这种事的发生一点儿都不了解——"布朗温笨拙地笑着。

伯金又回过头看着布朗温，自语道："我不知道为什么叫'发生'呢！"接着他又大声说：

"不，可能这是相当的突然。"这时，想了想他和厄秀拉的关系，他又加了一句说："但是我不清楚——"

"非常突然，是不是？唉！"布朗温说，他相当地为难和苦恼。

"一个方面是这样的，"伯金说，"但是从另外一个方面说就不是了。"

又停顿了片刻，然后布朗温说：

"嗯，她自己高兴就行了——"

"噢，是！"伯金平静地说。

一种振动从布朗温强烈的声音中传了出来，当他回答的时候。

"虽然我并不想要她这么着急地结婚，但是也不能左顾右寻拖得太久。"

"噢，这不需要拖太久的。"伯金说"不会太久的。"

"你的意思是什么？"

"若是一个人后悔结婚的话，这个婚姻就到尽头了。"伯金说。

"你是这样想的吗？"

"是的。"

"噢，这可能就是你看待它的方式吧。"

伯金沉默了，他心里想："可能就是这样。至于你威廉·布朗温看待这件事的方式，这就需要一点解释了。"

"我想，"布朗温说，"你了解我们家里人是哪一种类型的人吗？你了解她有哪种教养吗？"

"她，"伯金想起他孩童时期所受的管教，自己心里想，"是猫的母亲。"

"你是问我了解不了解她的教养吗？"他大声说。他好像故意想要惹恼布朗温。

"嗯，"他说，"她拥有一个女孩子应该有的一切——尽可能，我们会尽我们的所能去给予她。"

"我确信她有的，"伯金说，这话引起了一阵危险的停顿。那位父亲变得激怒了。伯金身上有什么东西让他发怒，仅仅他的存在就自然地让他觉得不愉快。

"但是我不想看着她违背这一切。"他用一种叮当响的声音说。

"为什么？"伯金问。

布朗温的大脑受到了一声爆炸的震动。

"为什么！我不信任你们那种新发明的方法，不信任你们那新发明的想法，出出进进好像药罐子中的青蛙一般。我永远也不会为我那样做的。"

伯金毫无情感地注视着他。那种激进的气氛开始在两个男人之间上升。

"是，但是我的方法和主意是新发明的吗？"伯金问。

"是不是？"布朗温急忙说："我不是单单在说你，"他说，"我说的意思是我的孩子们是根据我自己的信仰和想法来抚养的，我不想看着他们背离它。"

又有了一个非常危险的停顿，伯金问："除此以外呢？"

父亲踌躇了，他感到很难受。

"嗯？你这是什么意思？我所有想说的是我的女儿——"他感到无法表达自己，陷入了沉默。他明白在某些地方他偏离了主题。

"当然了，"伯金说，"我也不想去伤害某些人或者是影响某些人。厄秀拉做的正是她高兴做的。"

又出现了一种彻底的沉默，因为为相互理解的完全失败。伯金觉得非常无趣。厄秀拉的父亲不是一个一致的人，他的话全是老生常谈。年轻人的眼睛停留在老人的脸上。布朗温抬起头来，看见伯金正在注视着他，他的脸马上被一种无言的愤怒、羞辱和力量上的自卑感给覆盖了。

"至于信仰，那是一回事，"他说，"可是，我宁愿让我的女儿们明天就死去也不愿看到第一个来到她们身边的男人对她们呼来唤去。"

一丝奇怪的痛苦的光芒出现在伯金的眼睛里。

"关于那个，"他说，"我仅仅明白女人对我呼来唤去比我对她们呼来唤去得要多一些。"

又是一阵停顿，布朗温稍稍有一点不知所措。

"我明白的，"他说，"她会让她自己高兴的，她总是这样做。我对她们已经竭尽全力了，但是这一点关系都没有。她们应该自己快乐，她们不用取悦任何人除了她们自己。但是她还应该为她母亲还有我考虑一下。"

布朗温正在考虑自己的事情。

"我跟你这样说吧，我宁愿把她们埋葬，也不愿看着她们过放荡的生活，和你现在处处都能看到的事情一样。我宁愿埋葬她们，也——"

"是的，但是你看，"伯金慢慢说，他对这新的一轮谈话感到无聊和讨厌，"她们不会给你或者我任何机会埋葬她们的，因为她们是不可能被埋葬的。"

布朗温看着他，带着一种突然而来的虚弱的愤怒。

"现在，伯金先生，"他说，"我不明白您来这儿有什么事，我也不明白您在要求些什么。可是我的女儿就是我的女儿，当我还能够做的时候，照顾她们是我的职责。"

伯金蹙紧了眉毛，他的眼睛发出嘲笑的光芒。但是他还保持着完美的呆板和镇静，又有了一阵停顿。

"我一点也不反对你娶厄秀拉，"布朗温终于说，"这和我一点关系都没有，我同意或者不同意，她可以做她喜欢做的事情。"

伯金扭过脸去看着窗外，任凭他的意识随意游走。毕竟，这样子有什么好处呢？再这样子继续下去是没有希望的，他准备一直坐到厄秀拉回家来，然后他跟她说，接着就离开。他不想从她父亲手里接受麻烦。没有必要，他自己也没有必要去惹这些麻烦。

这两个男人沉默地坐着，伯金差不多忘记了自己所在的地方。他是来求她嫁给他的，嗯，然后，他打算一直等着她，询问她。至于她要说的话，不管接受或者是不接受，对这件事他是不会再考虑了。他准备说他要说的话，那是他能意识到的所有东西。他接受了这个对他来说完全没有意义的房子，但是现在，所有事物好像都是受命运的支配。他只能看见前面的一件事情，没有比这更多的了，现在他已经被时间这个生物体给完全解除了，这不得不留给命运和机会去解决这些问题。

他们终于听到了大门的响声。他们看到她胳膊下夹着一捆书上了台阶。她的脸还是和平时一样的明亮和出神,一副心不在焉的表情,她的注意力好像并不在那儿,对现实并不在意。这使她的父亲太愤怒了。她有一种发狂地表现她自己的不逊的光采的能力,在那里面她看起来象在阳光下一样容光焕发,但是她好像把现实排除在外了。

他们听到她走进了起居室,接着把那一捆书放在了桌子上。

"你给我带回《姑娘自己的书》了吗?"罗瑟琳大叫道。

"是的,我带回来了。但是我忘记哪一本是你想要的了。"

"你应该记住的。"罗瑟琳愤怒地大叫道,"怎么会忘了呢?"

接着他们又听到她用一种很低的音调在说某些事情。

"在哪里?"厄秀拉大叫道。

她妹妹的声音又压低了。

布朗温打开门,用他洪亮的声音大叫道:

"厄秀拉。"

她立刻就出现了,戴着她的帽子。

"噢,你好吗!"当她看到伯金的时候,她惊奇得眼都花了,大声叫起来。他惊奇地看着她,当他知道她已经意识到他的存在的时候。她喘不过气来,好像被这个真实的世界给迷惑了。这使她自己那个明亮的世界变的不真实了。

"我打断一次谈话了吗?"她问。

"不,仅仅是一种完全的沉默。"伯金说。

"哦,"厄秀拉模糊地、神不守舍地说。他们的出现对她来说并不重要,她并不在意,她并没有把他们放到心里。用这种微小的侮辱来激怒她的父亲是从来没有失败过。

"伯金先生是来和你说话的,而不是来和我说话的。"她的父亲说。

"噢,是吗!"她模糊地大声叫着,好像这一点都不关她的事。接着她又想起了什么,她神采飞扬地转向他,但是仍然十分浅薄地对他说:"是不是有什么特殊事情?"

"我希望是这样的。"他讽刺地说。

"准备向你求婚。"她的父亲说。

"噢!"厄秀拉说。

"噢,"她的父亲模仿她说:"你没什么可说了吗?"

她好像被冒犯了一样退缩着。

"你真的是过来向我求婚的吗?"她问伯金,好像这是一个笑话。

"是的,"他说,"我想我是来求婚的。"说最后一句话的时候他好像觉得有点害羞。

"你是吗？"她似信非信地大叫道。他现在无论说什么，她好像都非常愉快。

"是的，"他回答说，"我想，我希望你同意和我结婚。"

她注视着他，他的眼睛中闪烁着复杂的光芒，想要她的某些东西，但是又不那么明确。她向后退了一点，好像她展现在他的眼睛中，好像这令她痛苦。她的脸沉了下来，她的灵魂被乌云覆盖了，她转向了一边。她被他从她自己的发光的单一的世界中弄了出来。但是她惧怕和他联系，这显得很不自然。

"是的，"她含糊地说，用一种不相信的、心不在焉的声音。

伯金的心在一种突然而来的辛酸的火焰下很快地缩紧了。这所有的一切对她来说都无所谓。他再一次犯了一个错误。她在自己自我满足的世界里面，他和他的希望对她来说都是一种意外的事情，是对她的侵犯。这也让她的父亲气得快要发疯了。他不得不把他生命中从她那儿得到的愤恨放在一边。

"嗯，你要说些什么！"他大叫道。

她向后退着，好像有点害怕。接着她扫了她父亲一眼说：

"我什么都没有说，是不是？"她好像害怕自己许诺了什么似的。

"是，"她的父亲生气地说，"但是你看起来不像一个白痴。你已经得到了你的智慧，不是吗？"

她带着无声的敌意向后退着，

"我已经得到了智慧，这意味着什么？"她用愠怒的、对抗的声音重复说。

"你听到问你的话了，是不是？"她的父亲愤怒地大叫道。

"当然，我听到了。"

"嗯，那么，难道你不能回答吗？"父亲大吼道。

"为什么我应该？"

听到这鲁莽的反驳，他气得身体都僵硬了，但是他一句话也没有说。

"不，"伯金说，他想要改善这种场面，"没有必要立刻回答。你喜欢的时候你再说。"

她的眼睛中闪现一丝强烈的光芒。

"我为什么应该说些什么呢？"她大叫说，"你做这些是你自己的事，和我没有一点关系。为什么你们两个人都想威胁我？"

"威胁你！威胁你！"她的父亲辛酸、气愤地大叫道。"威胁你！为什么，这真是个憾事，你不会被威胁得有少许一些理解力和庄重。威胁你！你会看到那些的，你这个自我意志这么强的人！"

她缓缓地站在这个屋子的中间，她的脸上发着危险的微光。她对自己的挑战十分满意。伯金注视着她，他太愤怒了。

"但是没有一个人威胁你呀。"他说，用一种非常柔和的危险的声音。

"噢，是，但是你们两个人都想迫使我做某些事情。"

"那是你的幻想。"他讽刺地说。

"幻想！"父亲大叫道，"一个固执己见的白痴，那就是她。"

伯金站起来说：

"无论如何，我们将会给你留下时间的。"

接着他一句话也没有再说，就从房间里走了出去。

"你这白痴！你这白痴！"她父亲辛酸地对她大喊着。她离开了房间，唱着歌儿上楼去了。但是她觉得十分烦扰，好像经过了一场可怕的战争。从她的窗口里，她看到伯金走到了路上。他在如此的愤恨的情绪中走着，她琢磨着。他是一个可笑的人，但是她却非常害怕他，她好像从一些危险的地方逃出来一样。

她父亲无力地坐在楼下，深感羞辱和委屈。好像在和厄秀拉发生过这些不可计数的冲突之后，他被魔鬼缠住了。他恨她把她恨到了最后的程度。他的心变成了一座地狱。但是他要逃脱他自己。他明白他一定会绝望，让步，屈服于绝望，并且已经做过了。

厄秀拉的脸绷得紧紧的，她让自己反对他们所有的人。在和她自己讲和以后，她变得坚硬，自我完善，好像宝石一样，她是明亮的，不会受伤害的。她非常自由、快乐，在她自己的所有物上完美地解放自己。她的父亲不得不学会去了解她这种愉快的忘却的样子，不然的话这会使他变疯的。她总是容光焕发的，但是在她自己的领地却有很彻底的敌意。

她这个样子持续了好多天，好像这纯粹是一种自然冲动，除了她自己对什么都不在意，但是对她自己感兴趣的事情做起来是如此的情愿和敏捷。男人要接近她真是一件辛酸的事情。她的父亲都在诅咒他的父亲身份，但是他一定得学会没有看见她，没有了解她。

她处在这种抵制的状态时是十分稳定的，如此的聪明、容光焕发和迷人。如此的纯洁，每一个人都不相信，没有一个人喜欢她这个样子。正是她的声音，特别清晰又令人反感的声音把她给泄露了。只有戈珍和她站在一起。正是在这种时刻，姐妹两个才非常的亲密，好像她们的智慧变成一个人的了。

她们觉得有一条强大的、明亮的、超越一切事物的理解的纽带在她们两个之间存在着。在这些日子当中，面对两个盲目聪明的、亲密的女儿，父亲就好像闻到了死亡的空气，好像他自己给毁灭了一样。他愤怒得要发疯了，他不能保持这种状态了，他的女儿们好像要毁灭他。但是他是不善于表达的、没用的。他被迫呼吸自己死亡的空气。他在自己的灵魂中诅咒着她们，惟一想做的一件事就是让她们远离他。

她们仍旧容光焕发，显出她们超然样子，看起来确实非常漂亮。她们相互信任，她们最大程度的模仿她们的新发现，彼此给予对方每一个秘密。她们之间一点事情都不隐瞒，她们讨论每一件事情，一直到她们在不幸的边缘。她们用学问武装自己，在知识的果实上汲取着最精细的养分。令人惊奇的是，她们的知识是怎样补充的，一个人补充另外一个人的。

厄秀拉把追求她的男人当作是她的儿子，可怜他们的向往，钦佩他们的精神，想了解他们就像一个母亲想要了解她的孩子一样，对他们的新花样感到高兴。但是对戈珍来说，他们是对立的阵营。她害怕他们，轻视他们，但是对他们的行为又极为尊重。

"当然了，"她不费力地说，"伯金身上有一种十分不平凡的生活本质。在他的身上有一种不平凡的丰富的春天的气息，他献身于某些事情的方式真的很令人惊奇。但是生活中有如此多的事情他是一点也不明白的。他或者对它们的存在一点也没有意识到，或者对它们忽略不计，但是这些事情对其他的人来讲却是至关重要的。总之他不够机灵，他在小细节上过度的紧张。"

"是，"厄秀拉大叫道，"他更像一个传教士。他真的是一个牧师。"

"非常正确！他听不进别的话，他只是不想听。他自己的声音是如此的高。"

"是这样的。他会把你的声音压下去。"

"他大喊着把你的声音给压下去，"戈珍重复说，"并且仅仅用暴力强迫你，这当然没用。没有一个人会由于暴力就相信他的。这使人们和他交谈是没有可能的，和他生活在一起，我认为这就更不可能了。"

"你认为别人无法和他生活在一起吗？"厄秀拉问。

"我认为那太令人烦恼了，太耗费精力了。他每时每刻都会对着你大吼大叫，让你没有任何选择地冲到他的路上。他要完全地支配你。他不允许那里存在着超出他自己意见的思想。然后头脑中最笨拙的一点是他自我批评精神的缺乏。不，我认为这将是难以忍受的。"

"是啊，"厄秀拉模模糊糊地说。她只是有一半同意戈珍的说法。"讨厌的事情是，"她说，"一个人会发现几乎任何一个男人都是令人难以忍受的，当你和他在一块了两个星期以后。"

"这太可怕了，"戈珍说。"但是伯金他太绝对了。若是你有自己独立的精神，他是不能忍受的。对他来说这话十分正确。"

"是，"厄秀拉说。"你必须得追随他的灵魂。"

"正是这样！你还能构思出更令人恐惧的事情吗？"这些都是如此的正确 厄秀拉灵魂的最底端有一种厌恶。

她接着说，有一种不和谐的东西从她心里经过，她感到最深层次的痛苦。

接着，戈珍的情绪又起了变化。她把生活抛弃得太彻底，她把事情看得太丑恶、太难以救药。实际上，虽然正如戈珍关于伯金所评论的是正确的 对其他的事物的意见也是正确的。但是她要在他的面前摆上两条线，然后像结帐时那样把他解决掉。他就是那样，汇总，付款，解决，被弄走了。但是这简直是一个笑话。戈珍这种一句话打发人或事的做法简直是一个笑话。厄秀拉开始反对她的妹妹。

有一天当她们沿着小路走的时候，她们看见一只知更鸟站在一个矮树丛上面，大声地唱着歌。姐妹两人站在那儿看着它。讽刺的微笑闪现在戈珍的脸上。

"它是否认为自己很重要？"戈珍笑着说。

"是那样的！"厄秀拉大声说，带着一个讽刺的鬼脸说。"它是不是有一点象骄傲的劳埃德·乔治！"

"是的！就是一个小劳埃德·乔治！这正好是他们那样的，"戈珍高兴地喊着。接下来的日子里，厄秀拉就认为这些固执的、爱炫耀的鸟儿就像一些结实的、矮矮的政客，在月台上提高声音大喊着，这些小矮人们不惜任何花费也必须得使他们的声音让大家都能听得到。

但是即使这样，那些反对的声音还是来了。一些金翼啄木鸟会猛然沿着道路跑到她的前面来。在她看来，它们是如此的离奇和野蛮，就好像发光的黄色鱼钩带着某种不可思议的生存的使命射向天空。她对自己说："毕竟，称呼它们为小劳埃德·乔治是太草率了。它们对我们来说真的是不为人所知的，它们都是一些不为人所知的势力。把它们看作同样人的东西是草率的。它们来自另一个地球。神、人同形同性论是多么的麻木啊！戈珍真是轻率、无礼，她竟然把她自己弄成衡量所有事物的标准，要使一切都与人类的标准一致。卢伯特说的对。人类是令人讨厌的，他们只是用他们自己的想象来描绘这个宇宙。但是，谢谢天神，这个宇宙是非人类的。"她好像感到把那些小鸟儿当作小劳埃德·乔治是不恭敬的，是对所有正确的生活一种毁灭。这对知更鸟是莫大的羞辱。然而她自己却已经这样做了。但是她是在戈珍的感化下才这样做的，因此她证明她自己是无罪的。

因此她从戈珍的身边撤退了，离开了戈珍所坚持的东西，她转过来再一次在灵魂上向着伯金了。自从他上次求婚失败，到现在为止她还没有看见过他呢。她不想见他，因为她不想让那个她是否接受的问题再一次刺向她。她明白当伯金恳求她和他结婚的时候意味着什么，模模糊糊地，不用把它变成一篇演讲稿，她明白。她懂得他需要哪一种爱、什么样的屈从。她还不能完全确定这就是她自己想要的那种爱情。

　　她并不完全确定那就是她想要的那种若即若离的结果。她想要那种说不出口的亲密。她想要拥有他，完全地，全部地拥有他，使他变成她一个人的，啊，如此无法用言语说出口的亲密。把他喝下去，就好像喝下生活的气流。她用最伟大的诗句向自己宣布，这是她的意愿，用她的胸膛温暖他的脚底，在令人作呕的梅雷迪思的诗句流行之后。但是只有他在那种状态下，她的情人，必须得绝对爱她，把一切都抛弃。但是她敏感地意识到他永远也不会抛弃他自己而最后把自己交给她，他一点不相信那种全部的自我抛弃。

　　他公开这样说过，这就是他的挑战，她已经做好了准备要为此和他进行战斗，因为她相信应该有一种对爱情的绝对奉献。她认为，爱情是远远超出个人的。但是他却说，个人是超出爱情的，并且比一切关系都更重要。对他来说，那些聪明的单一的灵魂接受爱情应该把它当作它的环境之一，一个它自己拥有的平衡环境。但是她相信爱情就是一切。男人一定要为她放弃一切，他必须得一口气喝干所有她的渣滓。让他完全地成为她的男人，反过来她就会成为微贱的奴隶——不管她愿不愿意。

第二十章　格斗

求婚失败之后，伯金盲目地在激怒的旋转中急急忙忙从贝多弗逃了出来。他觉得他自己是个十足的白痴，整个场景就是一场闹剧。但是这些并没有完全地令他烦恼。他深感愤怒的是厄秀拉一直坚持不懈地大声喊叫着："你为什么想要威胁我？"并且老是用她那种傲慢的、聪明的、一点也不在意的口气。

他直接向肖特兰兹走去。发现杰拉德正背对着壁炉站在书房里，那个一动也不动的男人，就好像一个内心十分空虚的人一样躁动不安。他已做了他想要做的所有工作，现在一点事情也没有了。他可以坐着汽车出去，还可以跑到小镇上去。但是他不想坐着汽车出去，也不想跑到小镇上去，他不想去拜访席尔比家。他现在静止、无措的，有很大的痛苦，就好像一台没有力量的机器一样。

这对杰拉德来说是非常辛酸的，他以前一直是没完没了地忙于事务，从来不知道烦恼是什么，现在，逐渐地，每一件事情好像都在他的面前停住了。他不想再做任何一件事情，他心里某些已经死去的东西拒绝对任何一个暗示作出回答。他在脑子里反复想着可能做哪些事情才能把自己从那种空虚的烦恼中解救出来，怎样减轻这种空虚的压力。

现在只有三件事能把他唤醒，让他生机勃勃起来。第一件事是吸印度大麻制成的香烟，另外一件事是得到伯金的安慰，第三件事就是女人。这个时候没人和他一块吸麻醉品，这里也没有女人，并且他知道伯金也出去了。所以没有一件事情可以做，除非一个人忍受空虚的压力。

当他看到伯金的时候，他的脸上突然露出了一个意外的、令人愉快的笑容。

"我的天啊，卢伯特，"他说，"我刚才得出一个结论，世界上没有一件事情是麻烦的，除非某人把一个人从孤独的边缘给解救出来，你就恰好是那个人。"

当他看着另外一个人的时候，他眼中的微笑是令人惊奇的，这是一种纯粹减轻压力的光芒。他的脸色暗淡，甚至是形容枯槁。

"我想你的意思是指女人吧?"伯金怀有恨意地说。

"当然，应该挑选一下，在那方面失败了，一个令人愉快的男人也可以。"

当他说的时候笑了起来。伯金挨着壁炉坐了下来。

"你刚刚正在做什么?"

"我，一点事情也没有。我刚才还在一种很坏的情形中。每一件事情都在边缘，我既不能工作又无法玩乐。我不明白这是不是一种衰老的征兆，我确信。"

"你的意思是说你也觉得烦恼了?"

"烦恼，我不清楚。我不能适应我自己。我觉得那些魔鬼要么就出现在我的心中，要么就是死了。"

伯金匆匆地看了他一眼，接着又注视着他的眼睛说：

"你应该尝试着专心致志。"

杰拉德微笑了。

"可能吧，"他说，"只要有某些东西值得我去这样做。"

"非常对!"伯金用他温柔的声音说。出现了长时间的中断，在这个过程中一个人总能感觉到另外一个人的存在。

"一个人不得不等待。"伯金说。

"上帝啊! 等待! 我们正在等些什么呢?"

"有的老家伙说有三种办法对付厌倦：睡觉，酗酒和旅行。"伯金说。

"所有的都是冷鸡蛋，"杰拉德说，"睡觉的时候你会做梦，酗酒后你就会诅咒别人，旅行时你又会对着脚夫吼。不，工作和爱情是两个路径。当你不工作的时候，你就应该在恋爱中。"

"随它去吧。"伯金说。

"给我一个对象吧，"杰拉德说："爱的可能性可以把它自己弄得精疲力尽。"

"它是这样吗? 接着又会是什么呢?"

"接着你就要死去。"杰拉德说。

"你才应该是如此。"伯金说。

"我还没有看出来，"杰拉德回答说，手从裤兜里伸出来，去拿一支香烟。他十分紧张、不安。他在油灯上燃着了香烟，来来回回地走着，稳定地迈着步子。虽然他是单独一个人，他还是如平常一样为晚上的晚餐穿好了衣服。

"在你的那两个方法之外，还有第三种办法，"伯金说，"工作，爱情和打斗。你忘记了打斗。"

"我猜我没忘,"杰拉德说,"你练过拳击吗?"

"不,我想我没有练过。"伯金说。

"嗨——"杰拉德抬起头,慢慢地向空气中吐着烟圈。

"为什么?"伯金问。

"没事儿,我想我们应该有一场比赛。这也许是正确的,我想要有一些物体供我打。这是一个提议。"

"因此你认为你可以打我一顿,是吗?"伯金问。

"你?嗯!可能吧!当然得用一种十分友好的方式。"

"好啊!"伯金尖刻地说。

杰拉德站在那儿背斜倚着壁炉架。他向下看着伯金,他那像牡马一样的眼睛由于过度的劳累而布满血丝,闪现着一种令人恐怖的光芒,然后又用一种呆板恐怖的目光向后看着。

"我感到我不能管好我自己了,我发现我自己会做出一些愚事。"杰拉德说。

"能不做傻事吗?"伯金冷淡地问。

杰拉德非常急躁地听着。他不停地看着伯金,好像要从另外一个人身上发现什么东西似的。

"我过去学过日本式的摔跤,"伯金说,"在海德堡时我和一个日本人住在同一间房子里,他也教过我一点。但是我在这上面是从来都不擅长的。"

"你学过!"杰拉德惊叫道,"这是我从来都没有看见别人做过的事情之一。你的意思是你学过柔道,我猜对了吗?"

"是,但是我在这些事情上都不擅长,它引不起我的兴趣。"

"它不行?它可以引起我的兴趣。怎么开始?"

"若是你喜欢的话,我就把我所能做的给你展示一下。"伯金说。

"你愿意吗?"一个奇怪的微笑立刻就堆到杰拉德的脸上,这时他说,"嗯,我非常喜欢它。"

"那么我们就试试柔道吧。但是你穿着硬挺的衬衣是做不了太多动作的。"

"那么就脱掉衣服,完全地做一下。等会儿——"他按了一下铃,等着那个男仆。

"拿来一对三明治和一个吸管,"他对那个男仆人说,"接着今天晚上就别来烦我了,也要给其他的人说一下。"

那个男人离开了。杰拉德明亮的眼神转向伯金问:

"你过去常和日本人摔跤吗？你脱去衣服吗？"

"有时这样。"

"你真的那样做？他是个摔跤选手吗？"

"是吧。我相信，但是我不能判断。他是十分迅速的、光滑的，全身充满着像电火一样的力气。这是一件不平凡的事情，他们的身体就好像有一种流动着的力量，那些人不象人类，就好像一个息肉。"

杰拉德点了点头。

"我可以想象出来，"他说，"但是，看着他们，他们会让我相当的不愉快。"

"厌恶和迷人，两者都有。当他们冷淡的时候他们是非常令人厌恶的，并且他们看起来好像是灰白的。但是当他们热情并且振奋的时候，他们身上有一种非常具有吸引力的东西，一种奇怪的导电液体，就好像蛇形鱼类一样。"

"嗯，是。大概是的。"

男仆拿来了盘子把它放了下来。

"不要再进来了。"杰拉德说。

那扇门被关上了。

"嗯，那好吧，我们可以脱掉衣服，开始吗？你要先喝一点东西吗？"

"不，我什么都不想喝。"

"我也一样。"

杰拉德把门关得紧紧的，把房间里的家具推到了一边。这个房间非常大，这里有足够的空间，地上铺着厚厚的地毯。接着杰拉德很快地脱掉衣服，等着伯金。白白的、瘦瘦的伯金走到了他的面前。他比一个看得见的物体更像一个到场者。杰拉德绝对能意识到他的存在，但是在视觉上却真的不能看见他。然而杰拉德自己却是个有形的可以看得见的一个实体。

"现在，"伯金说，"我准备向你展示一下我学到的东西，我所记住的东西。来，你让我这样抓住你——"然后他的手抓住了另外一个人赤裸裸的身体，片刻间，他已经轻轻地把杰拉德弄倒在地上，用膝盖顶住他，他的头一直向下。放开他以后，杰拉德的眼睛闪闪发光地站了起来。

"太厉害了，"他说，"现在让我们再试一次吧。"

这样，这两个男人开始扭打起来。他们两人是非常不同的。伯金高高的、瘦瘦的，他的骨骼非常纤细非常美。杰拉德则是更壮一些更有形一些。他的骨骼壮壮的、圆圆的，四肢非常发达，他的轮廓是美丽的、健壮的。他好像带着适当的、充足的重量站在地球的表面上，然而伯金好像腰部蕴藏着吸引力。

杰拉德则有种丰富的摩擦力，相当的呆板，但是他的力量很是猛烈，不可战胜。但是伯金则是深奥的，差不多是难以明了的。他无形地撞在另一个人的身上，就象一件外衣好像没有触摸到杰拉德，接着又突然地来一个紧张美好的抓手动作，好像猛一下正击中杰拉德的致命处。

　　他们停了下来，他们讨论方法，他们练习紧握和投掷，他们变得习惯彼此，习惯彼此的节奏、他们得到了一种相互体力上的理解。接着他们又有了一次真正的斗争。他们好像都在努力越来越深地嵌进对方白色的肉体中去，好像他们就要变成一个统一体似的。伯金拥有一种巨大的非常微妙的能量，就好像一种离奇的力量压在另外一个人的身上，又好像一句咒语放在他的身上一样。松开手后，杰拉德长出一口气，觉得头晕眼花，喘息着。

　　这样，这两个男人扭斗着，彼此缠在一起，挨得越来越近。这两个人都是白皙、清洁的。但是杰拉德身上被触摸的地方开始变红，然而伯金还是非常紧张，他的身体还是白皙的。他好像想要刺入杰拉德壮实宽阔的身体中更深一些更广一些，把他的身体混入到另外一个人的身体里面去。伯金好像借着一些妖术般的预知很快地抓住了另外一个肉体的每一个动作，这从而扭转它，抵消它，把它带进一种微妙的征服中去，象强风一样动摇着杰拉德的四肢和躯干。

　　好像伯金那充满智慧的肉体渗透到了杰拉德的身体里面，好像他纤细的、升华的能量进入到了那个强壮的人的肉体中，就像某些力量通过肌肉在杰拉德身体深处投下了一张精美的网，筑起了一座监狱。

　　他们就这样很快地、兴高采烈地斗争着，最后他们都全神贯注、专心起来，两个白皙的身体在斗争中越来越紧地变成一个统一体，在柔和的灯光里他们的四肢就好像章鱼一样奇怪地扭动着、闪动着；一会儿在墙边装满褐色的旧书的书柜中间有一堆白皙的、紧张的肉体沉默地扭在一块。一次又一次地传来刺耳的气喘吁吁的呼吸声。或者厚厚的地毯上响起很快的脚步声，忽而又传来一个肉体从另一个肉体逃脱时发出的奇怪声音。

　　这一个静静摇摆着的、交缠着的、白色的强烈斗争的生命体中，看不见他们的头，只能看见迅速的绷紧的四肢和结实的白色的背，两具身体变成一个统一体了。当挣扎改变的时候，就会出现杰拉德那毛发零乱闪光的头，接着下一刻另外一个人那长着微褐色头发的有点像影子的头颅就会抬起来，那双眼是大大的，令人可怕的。

　　最后杰拉德直挺挺地仰躺在地毯上，他的胸部随着他的喘息上下起伏着，这时伯金跪在他的身边，差不多不省人事。伯金耗费的体力更多一些，他进行一种小小的、短短的呼吸，他几乎不能再呼吸了。地球好像在倾斜、在摇摆,头脑中一片黑暗。他不明白发生的事情。他无意识地向杰拉德靠过去,但是杰拉德却没有注意。接着他有半分意识了,他只是意识到地球在奇异地倾斜着、变化着。整个地球在滑动着,所有的事物都滑进了黑暗里。并且他也正在滑动着,没完没了地、没完没了地滑动着。

他再一次得到了意识,他听到外面有重重的敲门声。发生什么事情了?这到底是什么,这个巨大的锤子敲打的声音已经使所有的屋子都动摇了。他不明白。接着他终于知道了,这是他自己的心在跳动。但是这好像是不可能的,这噪音是从外面来的啊。不,这是他自己内部的声音,这是他自己的心脏。这种心跳是非常疼痛的,如此的紧张,如此的超载。他不知道杰拉德是不是也听到了。他不清楚他是正站着或者是躺着还是倒在地上了。

当他意识到他是筋疲力尽地俯卧在杰拉德的身上时,他感到十分惊奇。然后他坐了起来,用双手撑地稳住身体,他等着自己的心慢慢地平静下来,疼痛慢慢地减轻一些。他的心伤得太厉害了,几乎把他的意识都带走了。

可是杰拉德比伯金更加的没意识。他们朦胧地等待着,在一种好像不再存在的状态中持续了好长时间。

"当然,"杰拉德气喘吁吁地说,"我没必要那么粗暴地对你,我可以收敛我的力量。"

伯金听着这个声音,好像他自己的灵魂站在他的前面,他听着杰拉德说话。他的身体已经疲惫得恍惚了,杰拉德的声音听起来十分的细弱,他的身体一点反应也没有,他仅仅明白的一件事情是他的心变得越来越安静了。他的精神和他已经完全地分开了,他的精神站在他的体外。他明白他的身体有一股突进的、无意识的血液在奔腾着。

"我原来想用力把你扔到一边,"杰拉德气喘吁吁地说。"但是你把我打得太狠了。"

"是啊,"伯金清了清喉咙,不安地说道,"你比我结实多了,你能打败我,非常容易的。"

接着他再一次地放松了,心还在可怕地跳着,血还在猛烈地奔腾着。

"使我惊奇的是,"杰拉德气喘吁吁地说,"你得到了什么力量,简直是不可思议的。"

"只是那几分钟的时间。"伯金说。

他仍能听得见说话的声音,好像那正是他自己的无实质的实体精神在听着,它好像站在离他不远的地方倾听。但是他的灵魂离他越来越近了。在他的胸膛里激烈流动着的血液已慢慢地变得安静了,允许他的思想回到他的身边。他意识到他的所有体重都倒在另外一个人柔软的身体上。他吓了一跳,因为他原以为他早就撤退了。他重新获得精力坐了起来。但是他仍然处于那种模模糊糊的什么都确认不了的状态。

他伸出手支撑着身体稳定下来,他的手触摸到了杰拉德放在地板上的手,杰拉德非常温暖的手很意外地紧紧地握住了伯金的手,他们俩保持着这种状态,疲惫得几乎不能呼吸,一个人的手紧紧地抓住另外一个人的手。伯金的手马上就有了回应,坚固地、紧紧地抓紧了另外一个人的手。杰拉德的紧握是很突然的。

那种正常的意识慢慢地返了回来。伯金几乎能再一次自然地呼吸了。杰拉德的手慢慢地撤了回去。伯金慢慢地迷惑地站起来向桌子走过去,他倒了一杯威士忌苏打水。杰拉德也走过来找饮料喝。

"这是一场真正的斗争,是不是?"伯金用他黑黑的眼睛注视着他说。

"上帝,是啊,"杰拉德说,他看着另外一个人病弱的身体,接着又说:"这对于你来讲还不是很过分吧,是吗?"

"不。一个人摔跤和争斗,应该全部凭借体力。那样会使一个人变得更健全些。"

"你这样认为吗?"

"我是这样认为的,你不是吗?"

"我也是,"杰拉德说。

很长时间两人都未说话。一场摔跤对他们来讲有一些很深远的意义,一种未完成的意义。

"我们在智力上和精神上都非常相似,所以,我们也应该或多或少在身体上模仿,这样才更像一个整体。"

"当然是这样的,"杰拉德说,接着他愉快地大笑起来,然后又加了一句:"这对我来说是很美。"说着他帅气地伸出胳膊。

"对,"伯金说。"我不知道一个人为什么应该公正地评价自己。"

"对。"

两个男人开始穿上衣服。

"我认为你是非常英俊的,"伯金对杰拉德说,"这也是令人愉快的。一个人应该懂得享受被给予的东西。"

"你认为我英俊,你的意思是什么,是我的体格吗?"杰拉德的眼睛闪着光说。

"是的。你有一种北方人的美,就好像从白雪上反射出来的光,并且,你有一个英俊的具有可塑性的体形。对,这也是我们可以享受的地方。我们应该享受所有的事情。"

杰拉德的喉咙里发出了一阵笑声道：

"当然这是一种看法。我能这样说，我认为更好一些。这对我确实有非常大的帮助。这就是你想要的那种'血谊兄弟'吗？"

"可能是吧。你认为这已经说明一切了，是不是？"

"我不明白。"杰拉德笑着说。

"无论如何，一个人应该觉得更自由、更开放了，那就是我们想要的。"

"当然，"杰拉德说。

说着他们拿着长颈水瓶，玻璃茶杯和食物慢慢地向壁炉走近。

"在我睡觉之前我总是要吃一些东西的。"杰拉德说，"我会睡得更好一些。"

"我不会睡得那样好。"伯金说。

"不吗？你看那一点，我们是不相像的。我换件睡衣。"他离开了，伯金独自一人留在那里。他注视着壁炉。他的精神开始向厄秀拉转移了，她好像又返回到了他的知觉中。杰拉德身穿宽条长袍从楼上下来了，他的睡袍是丝绸的，黑绿条子相间，颜色灿烂耀眼。

"你是太帅了，"伯金看着他完美的长长的礼服说。

"这是布哈拉式睡袍，"杰拉德说，"我十分喜欢它。"

"我也喜欢它。"

伯金沉默了，他正想着杰拉德的衣着是多么的精细，又是多么的贵重。他穿着丝绸做的短袜，纽扣的做工也非常精良，还有丝绸的贴身衣裤和丝绸的背带。太令人惊奇了！这是他们之间又一个不同之处。伯金是粗心的，对他自己的形象没有一点的想像力。

"你确实是，"杰拉德说着，他好像考虑着什么，"你确实有一些令人惊奇，你出人意料的结实，一个人是不会想到这些的，这相当的令人吃惊。"

伯金笑了。他注视着另外一个人英俊的外形，身着富贵的长袍，白皙的皮肤，碧眼金发，人显得很清秀。他有一半的思想都在考虑他自己和杰拉德不同的地方，如此的不同。当然，也许，这与男人和女人之间的区别是分开的，而且是在另外一个方向。但是恰恰是厄秀拉，正是这个女人在这个时刻从伯金那里取得了优势。杰拉德再一次地变得暗淡了，消失了。

"你知道吗，"他突然说，"我今天晚上去向厄秀拉·布朗温求婚了，我求她和我结婚。"

他看到茫然，惊奇的表情笼罩了杰拉德的脸。

"你这样做了吗？"

"是的。差不多是正式——我先和她父亲说了，就如应该做的那样，虽然这是一个意外事情，或者说是一个恶作剧吧。"

杰拉德只是迷惑地看着他，好像他还没有领会他的意思。

"你的意思不是说你非常认真地要求她的父亲让他同意你娶他的女儿吧？"

"是的，我是这样做的。"伯金说。

"那么，你以前跟她说过这件事吗？"

"不，一个字都没有说过。我突然想着我应该去那儿求她，刚好她的父亲在家，因此我就先跟他说了。"

"你是不是问他你是不是能拥有她？"

"是——的，我是那样说的。"

"然后你没有和她说吗？"

"是的。然后她进来了。所以我就跟她也说了。"

"真的！她接着又说什么了？你们已经订过婚了？"

"不，她仅仅说她不想被威胁着给出答案。"

"她说了些什么？"

"说她不想被威胁着给出答案。"

"'说她不想被威胁着给出答案！'为什么，她这样说是什么意思？"

伯金耸耸肩膀说："我也说不上来，我猜她可能恰好在那时不想被打扰吧。"

"真的如此吗？那么接着你又做了些什么？"

"我从房间里走出来就到这儿来了。"

"你是直接走过来的吗？"

"是的。"

杰拉德既惊奇又可笑地凝视着他。他无法相信。

"但是这真的是事实吗？就像你现在所说的那样。"

"千真万确。"

"真的是这样？"

他倚在椅子上，心中充满了快乐和令人高兴的事情。

"嗯，很好，"他说，"因此你就来这儿和你最好的天使摔跤？是不是？"

"是吗？"伯金说。

"嗯，看上去好像是这样的，这不是你所做的事情吗？"

现在伯金已经跟不上杰拉德的思维了。

"接着又会发生什么事呢？"杰拉德说，"你准备公开求婚。可以这样说吗?"

"我认为我会这样的。我对我自己发誓要坚持到底。但是我想我立刻就会再次求她的。只有一会儿的时间。"

杰拉德紧紧地注视着他。

"那么这就是说你爱她了?"他问道。

"我认为,我是爱她的。"伯金说,脸色变得非常的安静、非常的固执。

一时间,杰拉德脸上闪着快乐的光芒,好像这些事情是特别为使他高兴而做的。接着他的神情又严肃起来,他慢慢地点头说:

"你明白,我总是相信爱情——确实的爱情。但是现在一个人到哪儿去寻找它呢?"

"我不明白。"伯金说。

"几乎是非常少的,"杰拉德说。接着,停顿了一下后他又说:"我自己从来没有感觉到过,我不明白那是不是应该称为爱情。我追求过女人,对一些人也有兴趣。但是我从来没有感觉到爱。我不认为我会像爱你那样爱一个女人——不是爱。你懂得我的意思吗?"

"是的,我确信你从来没有爱过女人。"

"你觉察到了,是不是?你认为我将来会那样吗?你理解我的意思吗?"说着他把手放在胸膛上,紧紧地握成一团,好像他要把某些东西拿出来一样。"我的意思是,我不能表达出来这是什么,但是我知道。"

"那么,它是什么呢?"伯金问。

"你瞧,我不能把它变成文字。我的意思是,无论如何,一些事情是可以持久的,一些事情是不能改变的。"

他的眼神是明亮的,困惑的。

"现在你认为我会对一个女人产生那种感情吗?"他忧虑地问。

伯金注视着他,摇了摇头。

"我不清楚,我不能说。"

杰拉德一直处在那种状态中,就像在等待自己的命运一样。现在他坐回到椅子中去。

"不,"他说,"我不会那样的,我不会那样的。"

"我们是有区别的,你和我,"伯金说,"我不能告诉你的生命。"

"不,"杰拉德说,"我也不会。但是,我告诉你,我开始对它有疑问了。"

"关于你是不是会爱上一个女人?"

"嗯,是的,那就是你称之为爱情的东西。"

"你有疑问吗?"

"是,我已经开始有疑问了。"

出现了一阵长长的停顿。

"生活中有各种各样的事情,"伯金说,"那儿不仅仅只有一条道路。"

"是,我也相信那些,我信任它并且在意你。但是我不关心它是怎样和我在一起的——我不关心它是怎样的,我只是没有觉察到——"他停住了,脸上露出茫然的神色。"只要我觉得我仍然活着,不知何故,我不在意它是怎样的,但是我真的想要觉察到——"

"满足。"伯金说。

"是——是的,或许已经满足了。我不能和你用一样的词语。"

"它是同样的。"

第二十一章 开端

在伦敦，戈珍和她的一个朋友一起开办了一个小画展，一有机会戈珍就打算回贝多弗。无论发生了什么事情，她都会在很短的时间里，变得快乐起来，那天她收到一封温妮弗莱德·克里奇寄来的信，信中配有图画：

"父亲也已经去伦敦了，请医生给他检查一下身体。他觉得很累。他们说，他应该好好休息，因此他大部分时间都在床上躺着。他给我带来一只可爱的上彩釉的热带麻雀，是德累斯顿的瓷器。还有一个耕作的男人，和两只爬杆的小老鼠，也都上了彩釉。小老鼠是哥本哈根的瓷器。它们是最好的，只不过小老鼠看起来不是太光亮，不然的话，它们将会更好，它们的尾巴细长。它们都亮得差不多跟玻璃一样。当然这是釉料的光，不过我不喜欢。杰拉德最喜欢那个正在耕作的男人，他的裤子烂了，他正在用牛耕作，我猜他是一位德国农民。他穿着白衬衣和灰裤子，而且非常亮，还非常干净。伯金先生最喜欢那个女孩子，她在山楂花的下面，和一只小羊呆在一起，裙子上有水仙花图案，这些瓷器在客厅放着。不过我认为这件瓷器看起来有点呆，因为那只小羊不是一只真羊，那个女孩子也有点像。

"亲爱的布朗温女士，你很快就回来吗？我们非常想念你。我把一张画儿放入了信封，画的是父亲在床上坐着的情景。他说，他不希望你抛弃我们，哦，亲爱的布朗温小姐，我相信你不会抛弃我们的。回来画雪貂吧，它们是世界上最有趣的，最高贵的宝贝。我们还有可能把它们刻在冬青树上，以绿色的树叶为背景。哦，让我们就这样做吧，因为它们太漂亮了。

"父亲说我们可能会有一间画室。杰拉德说，我们可以不费力气地有一个漂亮的地方、在马厩上就可以，只需要在倾斜的屋顶上造一扇窗户，这是一件很简单的事情。这样的话，你就可以整天呆在这儿工作了，我们可以像两个真正的画家一样，住在画室里，跟大厅里的画中人一样，用图画桂满所有的墙壁。我渴望自由,过一种画家的自由生活。恰好杰拉德告诉父亲,只有画家是自由的,因为画家生活在他自己创造性的世界里——"

通过这封信,戈珍意识到了克里奇家人的目的。杰拉德希望她附属于他们家,他只是拿温妮弗莱德作个掩护。做父亲的只是想到了他自己的孩子,认为戈珍可以保护温妮。并且因为他的敏锐,戈珍还很钦佩他。此外,温妮也确实是一个不平凡的孩子,戈珍对她非常满意。既然有了画室,戈珍就十分愿意去,并在那里度过她的每一天。她已经不喜欢那个小学校了,她渴望自由,倘若有一间画室,她就可以随心所欲地继续干她的工作,她也可以完全平静地,等待着事情出现转机。并且她确实是对温妮弗莱德感兴趣,她十分乐意去了解温妮。

因此,在戈珍回到肖特兰兹的那一天,温妮显得喜气洋洋的。

"布朗温小姐到的时候,你应该献给她一束鲜花。"杰拉德微笑着对妹妹说。

"哦,不,"温妮弗莱德大喊道:"这样做太无聊了。"

"一点也不无聊。这样做很迷人,还很平常。"

"哦,这样做是很无聊的,"温妮弗莱德羞涩地为自己辩解。然而这个想法很合她的心意,她也非常愿意这样做。她在温室里跑来跑去,寻找着鲜花,希望能扎一束。并且她越看就越想有一束鲜花,也就变得越来越着迷,想到献花的仪式,她也就变得格外的害羞和胆怯,直到她一点儿也不知道自己该怎么办。她不能从脑子里丢开这个想法。这就好像有些不易忘怀的东西在向她挑战,而她却没有足够的勇气,去接受这个挑战。因此,她再一次溜进温室,看看花盆里讨人喜欢的玫瑰、洁白无瑕的仙客来和神秘的蔓草上一束束的白花儿。这美景,哦,这些花儿的美丽,哦这天堂一般的幸福,如果她能扎一束美丽的鲜花,明天送给戈珍,这该有多好呀。她的激情和犹豫,差不多使她生病了。

最后,她溜到她父亲身旁。

"爸爸——"她说。

"什么事儿,我的宝贝儿?"

然而她却向后退了一步,眼泪几乎都要流出来了,她正处于敏感的混乱中。父亲看着她,心中流过一股热情的暖流,一种令人感到痛苦的爱。

"你有什么话要跟我说,我的宝贝儿?"

"爸爸!"她的眼中流露出一丝微笑,说:"如果布朗温小姐到达时,我送给她一束花儿,这样做是不是太无聊了?"

生病的父亲，看着自己女儿明亮的、聪颖的眼睛，心中充满了爱。

"不，亲爱的，那一点儿也不无聊。只有女王才值得我们这样做呢。"

温妮弗莱德觉得这些话不是太可靠。她半信半疑，女王她们自己有时候就很傻。然而她又非常希望有一个浪漫的场合。

"那我就送给她一束花儿？"她问道。

"送给布朗温小姐鲜花吗？送吧，小鸟儿。告诉威尔逊，我说的，你需要束花。"

那孩子笑了，当她期望什么的时候，她就会在无意中露出这种微妙的笑容。

"但是，明天我才需要花呢。"她说。

"明天，小鸟儿。那就吻我一下吧——"

温妮弗莱德静静地吻了吻生病的父亲，然后从房间里走了出去。她再一次地在温室里转来转去，以一种高傲，专横，而又天真的态度，指挥着园丁，告诉他，她挑选的所有的花。

"你要这些花做什么用呢？"威尔逊问道。

"我需要它们，"她说。她不希望仆人们提出这些问题。

"啊，你说过你要很多的，可是你要它们做什么呢？做装饰品、或者送人、或者有别的什么用处？"

"我要把它们作为赠送的花束，送给别人。"

"做为赠送的花束？那会是谁要来呢？波特兰的公爵夫人？"

"不是。"

"哦，不是她？如果你把你所提到的花放一起，那可就是出了少有的乱子了。"

"是的，我就是想要出现这种少有的乱子。"

"你真的要这样做！那就没什么好说了。"

第二天，温妮弗莱德穿着银色的天鹅绒，手捧一束鲜艳的花，站在教室里，看着车道，急切地等待着戈珍的到来。这是一个空气湿润的上午。从温室里采来的鲜花，放在她的鼻子下面，散发着奇异的香气，这束花儿对她来说就像一团火，而她好像在心中已经燃起了一团奇怪而又新鲜的火焰。这种轻微的浪漫气息令她陶醉。

她终于看到戈珍到了，接着就跑下楼，去告诉她父亲和哥哥。他们陪她一边往前厅走，一边笑她太着急，太在意了。男仆赶紧来到门口，接过戈珍的雨伞，然后又接过了她的雨衣。迎接她的人向后让出一条路，直到他们的来宾走进客厅。

戈珍的脸红红的沾着雨珠，头上松松的小发卷在风中飘舞着，她就像在雨中绽放的花朵，花蕊刚刚能够看得见，好像是在释放出保留着的阳光的温暖。看到她是如此的漂亮，如此陌生，杰拉德心里有点儿退缩。戈珍穿着戈蓝色的衣服，她的袜子是紫红色的。

温妮弗莱德以一种异常庄严的礼节走上前去。

"看到你回来，我们非常高兴，"她说，"这些鲜花送给你。"她送上了她的花。

"给我的！"戈珍大喊道，她一下子不知道该怎么办，就红了脸，她好像因为一时的愉悦，而变得忘乎所以。然后她抬起头，以一种奇特而又热切的目光，看着父亲和杰拉德。杰拉德的心又一次的沉下去了，他好像不能忍受戈珍那样热烈，毫无遮拦地盯着他看的目光。这里，有一点是非常明显的，那就是她的外露，已经超出了他能够容忍的程度。他把脸转向另一边。他感觉到，他不能躲避他。所以他在这种钳制中挣扎着。

戈珍把脸埋进了花儿中。

"她们可真是太漂亮了！"她以一种压抑的声音说道。于是她又很奇怪地，突然显示出自己的热情，弯下腰，吻了吻温妮弗莱德。

克里奇先生把自己的手伸向她，并向前走来。

"我以前还担心你会从我们这儿跑了呢。"他开玩笑地说道。

戈珍抬起头，以一种明亮，调皮，让人捉摸不透的表情看着他。

"真的！"她回答道，"不，我不愿意留在伦敦。"

她的话暗示着，她能回到肖特兰兹，这令她很高兴，她的音调显得热烈而又带着一种敏锐的亲切感。

"那真是再好不过了，"父亲微笑着说，"你看到了，你受到了我们每一个人的欢迎。"

戈珍的深蓝色眼睛闪着热烈而害羞的光芒，看着他的脸。无意中，她已经不在自己的能力所能控制的范围之中了。

"看上去，你好像是以一种成功的心情回到家里的，"克里奇先生握着她的手，接着说道。

"不，"她奇怪地说，"直到我到了这儿，我才是真的成功了。"

"哈，来，来！我们不要听那些故事了。我们不是已经在报纸上读过这些消息了吗，杰拉德？"

"你几乎是获得了全胜，"杰拉德握着她的手说，"你把它全都卖掉了吗？"

"不是的，"她说，"不是太多。"

"那还可以。"他说。

她很想弄清楚他说的是什么意思。但是，为她着想，他们举办了这个讨人喜欢的接待仪式,为此,她感到很高兴。

"温妮弗莱德,"父亲说,"你已经给布朗温小姐准备好一双鞋了吗?你最好立刻就换上鞋子——"

戈珍手里捧着鲜花,走了出去。

"真是一个不平常的年轻女子,"戈珍走后,父亲对杰拉德说。

"是的,"杰拉德简短地回答着,他好像不喜欢这样的评价。

克里奇先生希望戈珍小姐能够陪他坐半小时。他总是脸色苍白的可怜,因为他的生活已经消耗掉了他全部的精力。但是当他振作起来时,他就会使自己相信,自己同以前一样,十分健康,并且处在生活的中心——不是处在世界的外面,而是处在强壮的真正的生命中心。对于这种信心,戈珍起了很大的作用。和戈珍在一起,他就能够得到半小时的宝贵力量和兴奋,以及真正的自由,他就会感觉到,自己活得比以往任何时候都快乐。

当他正支撑着身体,半躺半坐在书房里的时候,戈珍进来了。他的脸色蜡黄,眼睛像盲人的眼睛那样暗淡。他的黑胡子现在已经有些灰白,好像在一具蜡黄的尸体上生长着。然而他却仍旧精力充沛,并且很有趣。戈珍完全赞同他这种精神状态。她还想像着,他仅仅是一个平凡的人。可是,他那可怕的外貌,已经印在了她的心目中,这一点儿,是她不能领悟出来的。她明白,虽然他显得十分有趣,但是,他是不可能改变他眼睛中空虚的黑暗,那是一双死人的眼睛。

"啊,布朗温小姐,"她进来时,男仆宣布她来了,一听到这,他就突然活跃起来,他说,"托玛斯,给布朗温小姐搬一把椅子过来,对了。"他愉快地看着她温和、红润的脸,这张脸给他一种生活的幻想。"那么,你就喝一杯雪利酒,吃一点儿饼干吧。托玛斯——"

"不,谢谢,"戈珍说。她的心一下子就可怕地沉了下去。看到她是这样的矛盾,生病的老人非常痛苦。她应该顺从他的意思,而不应该违反他的意愿。她立刻朝他调皮地笑了起来。

"我不是特别喜欢雪利酒,"戈珍说。"不过,我几乎喜欢其它的所有的饮料。"

生病的老人就立刻抓住了这根救命草。

"不要雪利,不要!要些别的东西!那要些什么呢?都有些什么,托玛斯?"

"葡萄酒——柑香酒——"

"我愿意喝点柑香酒——"看着正生病的老人,戈珍拘谨地说。

"那好吧,托玛斯,就上点柑香酒,再来点小饼干。"

"来点饼干。"戈珍说。她并不想要任何东西,不过她这样做很明智。

"好的。"

等到她手捧酒杯和饼干坐好了,他这才感到满意。

"你已经听到我们的那个打算了吧,"他兴奋地说,"就是在马厩上,为温妮弗莱德准备一间画室?"

"没有!"戈珍假装奇怪地说。

"哦,我还以为温妮在给你写的信中,已经跟你说了呢!"

"哦——是的——当然是的。但是我还以为那不过是她自己的一个小主意呢。"戈珍巧妙而又放纵地笑了起来。生病的老人也兴高采烈地笑了起来。

"哦,不是的。这是一项真正的工程。马厩上有一间铺着椽子的很好的房间。我们原来就计划着把它改装成一个画室。"

"那太好了!"戈珍兴奋地大喊道。一想起椽子她就兴奋不已。

"你觉得很好吗?好,那就这样做吧。"

"但是对温妮弗莱德来说,这可是太好了!当然,如果她准备认真地画画儿,有一间工作室是非常必要的。一个人必须有自己的工作室,否则他就永远没有办法终止他是一个业余爱好者的生涯。"

"是吗?是的,当然,我会很高兴的,让你与温妮弗莱德共同分享这间画室。"

"那真是太谢谢你了。"

戈珍已经对这些事情完全了解了,但是她还是表现得看起来很怕羞,很感谢,好像是受宠若惊。

"当然,我最为高兴的是,你是否能够辞去小学校的工作,利用画室,在这里工作——好吧,是否这样做,就看你的喜好了——"

他用暗淡而又空虚的眼神,看着戈珍。她好像是以一种充满感谢的眼神看着他。这些出自这位就快死去的老人的口中的话,显得是这样的完整和自然。

"至于你的收入,你不会在意从我这里拿到跟你从教育委员会那里拿到的一样多的工资吧,你愿意吗?我不希望你受到什么损失。"

"哦,"戈珍说,"如果我能有一间画室,能在那里工作,我就能够挣足够多的钱,我真的可以的。"

"好的,"作为赠送者,他很高兴地说道,"我们可以四处看看,你不会介意在这里度过你的每一天吧?"

"如果这里有一间工作室,"戈珍说,"我将不会要求比这更好的条件了。"

"是那样的吗？"

他确实是非常的高兴。但是他已经累了。戈珍能够看出来，一种灰色的，纯粹痛苦的可怕感觉，和已经崩溃的精神再一次笼罩在他的心头，那种痛苦的表情，进入了他空虚而又暗淡的眼神中。然而他还没死。她站起来，轻轻地说：

"或许你该睡了，我必须去找温妮弗莱德了。"

她走了出去，告诉护士说她走了。一天天的过去了，病人的组织功能也在逐渐地退化，一步一步地，只剩下一个能够使他的身体结合在一起的硬结。然而，这个硬结坚硬而又决不松懈，这位快要死去的老人的意志是永远不会屈服的。他可能已经死掉了十分之九，但是仍旧存在的十分之一还保持着没有任何变化，直到这十分之一也分散掉。利用他的意志，他在维持着自己的身体，但是他的活力，正在一点点地减少，它将会最终减少为一个点，那时他也就死去了。

为了维持生命，他不得不维持着人们之间的关系，他在抓取每一根救命稻草。温妮弗莱德、男仆、护士和戈珍，他们对他来说，就意味着一切，他们就是他最后的资源。父亲在场时，杰拉德总是因为厌恶而变得死板。在一定程度上，所有其他的孩子也有这样的感受，温妮弗莱德除外。当他们看父亲时，他们看到的除了死亡，再没有其它的东西了。好像他们打心眼儿里就不喜欢父亲。他们不能看到父亲那熟悉的脸，不能听到那熟悉的声音。他们所能看到的和听到的都被令人憎恶的死亡淹没了。

他父亲在场时，杰拉德就不能呼吸。他不得不立刻出去。同样，父亲也不能够忍受儿子出现在他面前。看到他，会使这位就要死去的人，从心底发出最后的愤怒。

画室已经准备好，温妮弗莱德和戈珍也已经住进去了。在那儿她们满意地命令和指挥着别人。现在，她们根本就不需要回家去了，因为她们在画室中吃饭，安全地住在那里。家里变得可怕起来，两个穿着白衣服的护士，静静地在屋里走来走去，好像是预告死亡的人。父亲被限制在床上，他的儿女和孩子们进出都得低声说话。

温妮弗莱德是他父亲的常客。每天早晨，吃过饭，等父亲梳洗过以后，坐在床上，她就走进他的房间，跟他呆上半小时。

"你好一点儿了吗，爸爸？"她总是这样问。

他也总是同样地回答：

"是的，我认为我好一点儿了，宝贝儿。"

她把父亲的双手亲切地捧在自己手里，这对他来说，非常难得。

像是惯例，每到吃午饭时，她就会再次跑进来，给他讲发生了什么事,每个晚上,窗帘放下后,他的房间就显得很舒适,她就会再陪父亲好长一段时间。戈珍晚上回家后,这时温妮弗莱德最喜欢跟父亲在一起。他们父女俩儿随意地闲聊着,他也总是在这个时候,显得好像自己的身体很健康,就跟他当年工作时一样。温妮弗莱德很敏感,本能地避免说到有关令人痛苦的事情,她表现的像是没有什么严重的事情发生的样子。她本能地控制自己的注意力,使自己显得很快乐。然而在她的心里,她也和成年人一样清楚:或许是好点儿了吧。

跟她在一起时,她父亲显得非常的健康。然而当她离开后,他就又重新回到自己死亡的苦恼状态中。尽管当他的体力衰退,他的注意力无法集中起来时,护士就必须让温妮弗莱德离开,以免他太累了,但可喜的是,他仍有这样高兴的时候。

他从未承认过自己就要死了。他很明白事实确实是这样的,他清楚自己的末日不远了。他就是不愿承认自己就要死了。他恨透了这样的事实。他的意志很坚强,他不能容忍自己被死亡战胜了,他觉得,对他来说,不存在死亡。然而,每一次他都想哀号抱怨。他想冲着杰拉德大喊大叫一番,吓得他惊慌失措。杰拉德本能地意识到了这一点,所以他畏缩着,避免任何这样的事情发生。这种脏脏的死使他极其反感。一个人应该像罗马人那样,很快地死去,就跟活着的时候一样,在死亡中,自己也做自己命运的主人。杰拉德在父亲死亡的钳制中反抗着,跟大毒蛇缠住的拉奥孔父子一样:大毒蛇缠住了父亲,他儿子也被拖进令人害怕的死亡中,跟他一起死。杰拉德永远都在反抗着。然而有时候很奇怪,他竟然是他父亲的一座力量之塔。

这位就要死去的老人,在他就要死的时候,他要求最后一次见见戈珍。他仍旧必须见到某个人,在他还有知觉的时候,他必须与现实世界保持联系,以免他不得不接受他自己的现状。幸运的是,在大部分时间里,他都处于昏迷状态,并且他也在用大部分的时间,朦朦胧胧地想着自己的过去,好像又重新回到过去的生活中。然而就在他就要死去的时候,他仍能明白,他目前的状态:死亡就要降临在他身上了。这时,他就会呼唤外界的帮助,不管是谁的帮助都行。能够意识到死亡,这是一种超越死亡的死亡,永远也不能再生了。这一点儿他永远也不承认。

戈珍被他的外貌吓得呆住了,他目光暗淡,眼睛几乎都要碎了,然而仍旧显得坚定不移。

"唔,"他说,声音很衰弱,"你和温妮弗莱德相处得好不好?"

"哦,非常好。"戈珍回答。

在他们的谈话中,好像有一道死亡的鸿沟,似乎这个所谓的想法只不过是他黑暗而又混乱的死亡的海面上一根漂浮不定的稻草。

"画室用起来,还可以吧?"他说。

"好极了,没有比这再漂亮,再完美的了。"戈珍说。

她等待着,看他接着再说些什么。

"你认为温妮弗莱德具有雕塑家的气质吗?"

这真是奇怪,这些话是多么的空洞无力而又毫无意义。

"我确信她有。总有一天她会做出好的作品来。"

"啊!那样的话,她的生活就不会荒废了,你说呢?"

戈珍感到非常惊讶。

"的确不会的!"她温柔地回答着。

"那就对了。"

戈珍再次等待着,看他说些什么。

"你觉得生活很愉快,活着很好,是不是?"他问道,脸上那苍白无力的笑容,令她无法忍受。

"是的,"她微笑着,她可以任意地说谎。"我认为,我将会过的非常好。"

"那就好。快乐的天性是巨大的财富。"

虽然戈珍的心,由于厌恶而变得干枯,但她还是又笑了。一个人必须像这样死去——当生命被强制地夺走时,另一个人却微笑着跟他交谈?这就没有其它的方式了吗?一个人必须经历从战胜死亡的恐怖——完整的意志的胜利——直到彻底地消亡,这样一个过程吗?人必须这样,这是仅有的一条路。她钦佩这位就要死去的老人那极不平常的自控能力。但是她厌恶死亡本身。她很高兴,现实世界的每一天,她过得都很好,并且她没有必要去了解其他的任何事情。

"你在这儿一切都很好吗?——我们不能再为你做点儿什么吗?——你没发现对你的安置有什么不妥当的地方吗?"

"你真是对我太好了。"戈珍说。

"哈,那好吧,你不说就只能怪你自己了,"他说。他感觉到一丝的得意,因为他说了这样的一番话。他仍旧很强壮并且还活着!然而,因为死亡而极度不快的心情,又向他袭来。

戈珍走了,来到了温妮弗莱德这里。法国女教师已经离开了,戈珍在肖特兰兹待了很长一段时间,由另外一位老师负责教育温妮。不过那个男教师不住在肖特兰兹,他住在小学校。

这天,戈珍打算和温妮弗莱德、杰拉德及伯金,一块坐车到城里去。天色很暗,下着阵雨。温妮弗莱德和戈珍已经准备好了,在门口等着。温妮弗莱德显得很平静，不过戈珍没有注意到这一点儿。突然，这孩子漠然地问：

"你认为我父亲就要死了吗，布朗温小姐？"

戈珍感到很惊奇。

"我不知道。"她回答道。

"你真得不知道？"

"没有人敢保证。不过，他可能会死的。"

孩子沉思了一会儿，又问：

"你认为他会死吗？"

这问题提得就像是一道地理或自然科学题，她那么固执，好像她要强迫大人回答。这孩子魔鬼似的盯着戈珍，警惕而又有些洋洋得意。

"我认为他会死吗？"戈珍反复说，"是的，我认为是这样的。"

不过，温妮弗莱德仍瞪大了眼睛，一动不动地看着她。

"他病得很重。"戈珍说。

一丝敏感而又带有怀疑的微笑，从温妮弗莱德脸上掠过。

"我不认为他会死的。"这孩子讽刺地说着，向车道走了过去。戈珍看着她孤立的身影，她的心静静地呆住了。温妮弗莱德正在小溪旁玩耍，专心致志地，好像她什么也没有说过。

"我建了一道坚固的水坝。"她在远处说。

杰拉德从后面的大厅走到了门口。

"她不相信，这也无妨。"他说。

戈珍看看他，两人的目光相遇，他们交换了一种带有讽刺性的理解。

"这样也好，"戈珍说。

他又一次看着她，火光在他眼中闪烁着。

"当罗马起火时，我们最好是跳舞，因为它迟早都是要被烧毁的。你不这样认为吗？"他说。

她有点儿吃惊，不过，她还是振作起精神，回答道：

"哦，跳舞总比哀嚎要好的多，当然了。"

"我也认为是这样的。"

他们两个人，都潜意识地感到一种想要放松的愿望，抛开一切事情，沉入一种完全野性而又毫无拘束的放纵中。一股奇怪的，不可抵抗的激情，在戈珍身上汹涌流过。她感到自己很有力量，她的双手有如此大的力量，好像她能够把世界撕成碎片。她想起了罗马人的放纵本性，因而心里热了起来。她知道她自己也需要——或是这种，或是某种与之有同样意义的东西。

啊，如果她身上那种未知和被压抑的东西一旦放松，那将会是多么令人感到满足，值得狂欢的事情呀！她需要这个，他是如此得接近她，就站在她的身后，这使得同样强烈的放肆愿望，在她体内升腾起来，这令她有些发抖。她想跟他一块儿放纵。一瞬间，这个想法完全占据了她的身心。但是她又立刻把这种想法完全放弃了，说：

"咱们跟温妮弗莱德一块到门廊那儿去吧，在那儿等车吧。"

"好吧。"他答应着，和她一块走过去。

他们发现，温妮弗莱德正在门廊那儿抚摸一窝纯种的小白狗。姑娘抬起头，脸色很难看，不经意地扭过头看了杰拉德和戈珍一眼。她不愿意看到他们。

"看！"她喊道。"三只刚出生的小狗！马歇尔说这几只狗是纯种的。难道它们不可爱吗？只不过它们不如它们的妈妈那样好看。"她转过身，爱抚着那只站在她身旁的，不安分的小公狗。

"我最亲爱的克里奇女士，"她说，"你美丽的像地球上的天使。天使，难道你不认为，她是如此的美和漂亮，以至于可以到天堂去吗，戈珍？他们都会进入天堂的，难道他们不会吗——尤其是我亲爱的克里奇女士！马歇尔太太，我这样说，对吧！"

"是的，温妮弗莱德小姐？"那女人说道，出现在门口。

"噢，称呼它温妮弗莱德女士，这样说不定她会更完美的，你说行不行？告诉马歇尔，叫它温妮弗莱德女士。"

"我会告诉他的——但是，我所担心的是，这只狗是一位绅士，温妮弗莱德小姐。"

"哦，不！"这时，汽车声响了起来。"卢伯特来了！"孩子大喊道向大门口跑过去。

伯金开着车，在大门口停了下来。

"我们都准备好了！"温妮弗莱德大喊道。"我想和你一块坐到前面去，卢伯特，可以吗？"

"我害怕你会坐在这儿不安分，从车上掉下去。"他说。

"不，我不。我就是想到前面去，坐在你旁边。那样我就会挨着发动机，我的脚就可以取暖了。"

伯金扶她上了车，然后，愉快地让杰拉德和戈珍坐在了车的后面。

"你有什么消息吗，卢伯特？"他们在乡间小路上穿行时，杰拉德问道。

"消息？"伯金大声叫道。

"是的，"杰拉德看看坐在他身边的戈珍，眯着眼睛，笑着说道，"我想知道,我是不是应该祝贺他,但是我又没有办法从他那儿得到任何确切的消息。"

戈珍的脸变得通红。

"为什么要祝贺他?"她问道。

"我们曾经提起过订婚的事,至少,他跟我说过有关这样的事。"

戈珍的脸更红了。

"你的意思是说和厄秀拉?"她挑战般地说。

"是的,就是这样,难道不是?"

"我认为没有订什么婚。"戈珍冷淡地说。

"是那样的吗?仍旧没有进展吗,卢伯特?"他问道。

"什么?结婚?没有。"

"怎么会这样呢?"戈珍问。

伯金迅速地向四周看了一下,在他的眼睛中也同样地透着愤怒。

"为什么?"他说,"你怎么看待这件事,戈珍?"

"哦,"她叫道,既然大家都开始往井里扔石头,她也就下决心往井里扔石头了。"我认为她不想订婚。本性上,她是一只喜欢在丛林中飞的鸟儿。"戈珍的声音清澈而又宏亮。这使卢伯特想起了她的父亲,他是那么的强壮而又有震撼力。

"但是我,"伯金说道,他表面上很顽皮,然而声音却很坚定,"我需要一个有约束力的条约,我对爱不感兴趣,尤其是对自由的爱。"

他们都觉得这样很可笑。为什么非要在公众面前声明呢?这一会儿,杰拉德不知道自己该干什么了。

"爱对你来说还不够么?"他问。

"不!"伯金大喊道。

"哈,那可有点过分了。"杰拉德说着,这时,汽车驶过了一片泥泞的地方。

"真的,究竟是怎么回事?"杰拉德转向戈珍,说道。

他这是假装着亲昵,这又像是公开侮辱那样,这激怒了戈珍。对于她来说,好像是杰拉德故意地对她无礼,侵犯了她们所有人的正当隐私权。

"这是怎么回事?"她提高了嗓门,厌恶地说。"不要问我!对于什么是最终的婚姻,我一无所知,可以告诉你,甚至连什么叫做次最终婚姻,我都不知道。"

"你只知道毫无道理的婚姻!"杰拉德说。"正好也是这样的——我不是婚姻问题方面的专家,也不知道最终的婚姻是一种什么程度,这好像是一只蜜蜂,在伯金的帽子里嗡嗡地直叫。"

"非常正确！这也恰恰正是他的烦恼所在！他并不是想要一个女人，他只是要实行一下他自己的想法。当他真的这样做了，可就没有那么好了。"

"哦，不是的。最好是像门口的那头牛，去寻找女人身上的特点。"然后他好像有点想避开自己。"你认为爱是这张门票，是不是？"他问道。

"是的，就是那样——只是你不能坚持要得到永恒的爱。"戈珍的声音显得比噪音更刺耳。

"结婚或不结婚，最终的或次最终的，或一般的，都是这样的？你寻找到什么样的爱，就得接受什么样的爱。"

"你喜欢也罢，不喜欢也罢，"她重复着说，"婚姻是一种社会安排，我接受它，但这跟爱的问题没有关系。"

他一直盯着她。她感到好像他在自由而又恶毒地吻着自己。这使得她的面颊跟火烧的一样，红红的，但是她的心却非常的坚定。

"你认为卢伯特有一点儿头脑发昏？"杰拉德问。

她的眼睛里闪着承认的光芒。

"对一个女人来说，是这样，"她说，"我是这样认为的。有这样的两个人，他们一生都彼此相爱，大概有这样的事。但是，即使是这样，还是可以没有婚姻的。假如他们彼此相爱，那是再好不过了。假如他们不相爱，那还打破沙锅问到底干吗？"

"是的，"杰拉德说。"就是这打动了我。但是卢伯特会怎么想呢？"

"我弄不明白——他，或者任何人，都弄不明白。他好像是认为，如果你结婚，你就可以通过婚姻进入天堂，或者别的什么地方，所有这些都是很模糊的。"

"很模糊！那么谁需要那个天堂呢？实际上，卢伯特一直都在寻求一种安全感——以便把他自己系在这样的柱子上。"

"是的。我认为，他好像在这一方面做得也有些不对"，戈珍说。"我确信，情妇可能会比妻子更忠诚，那是因为情妇是她自己的主人。不是的——卢伯特说，他认为，一对夫妻可以比另外的两个人走得更远——不过，走到哪里，他没有说明白。他们能够彼此了解，在天堂上或是在地狱中，尤其是在地狱里，他们是如此的了解，以至于他们可以超越天堂和地狱——来到——来到一个一切都被打破了的地方——不知道是什么地方。"

"到天堂嘛，他说的。"杰拉德笑着说道。

戈珍耸了耸肩，说道："去你的天堂吧！"

"不是伊斯兰教徒。"杰拉德说。

伯金静静地坐着，开着车，一点儿也不在意他们在说些什么。戈珍就坐在伯金身后,她感到能这样出伯金的洋相,自己也有一种讽刺性的高兴。

"他说,"戈珍做了个挖苦性的鬼脸,接着说,"在婚姻中,你可以找到永恒的平等,如果你接受和谐,并且仍旧保持自己的独立性,尽可能地不要把两者混淆。"

"这没有使我产生什么灵感。"杰拉德说。

"就是那样的。"戈珍说。

"我相信爱,相信真正的放纵,如果你能这样做的话。"杰拉德说。

"我也一样。"她说。

"实际上,伯金也是这样的——尽管他经常大喊大叫。"

"不,"戈珍说,"他不会对着另外一个人放纵他自己。你不能相信他。我认为,这就是一件麻烦事。"

"然而他需要婚姻!婚姻,难道是别的?"

"天堂!"戈珍嘲笑地说道。

伯金开着汽车,感到脊背发凉,好像有人要砍他的头。但是他只是漠不关心地抖抖肩。天开始下雨了。这时有一个机会。他就停了车、给发动机盖上罩子。

第二十二章 女人之间

他们进城后,在火车站就与杰拉德分开了。戈珍和温妮弗莱德同伯金一起去喝茶。伯金也在盼望着厄秀拉的到来,可下午,第一个到达的人是赫麦妮。伯金出去了,因此,她就走进客厅,去看他的书和报纸,后来又去弹钢琴。这时,厄秀拉到了。看到赫麦妮在这儿,她感到很惊奇,还很不高兴,她好长一段时间没听到有关赫麦妮的消息了。

"见到您我感到很惊奇。"她说。

"是的,"赫麦妮说,"我到爱克斯去了一趟。"

"哦,为了你的健康去的?"

"是的。"

两个女人相互看着。厄秀拉很厌恶赫麦妮那张长而阴沉,低垂着的脸,有点儿像是一张愚蠢、不开窍,却又自以为是的马脸。"她长着一张马脸,"厄秀拉心里说,"还戴着马眼罩。"赫麦妮确实像月亮,你只能看到她的一面,而看不到另一面。她一直盯着一个狭小的世界,但是对于她来说,那就是整个世界。在黑暗里,她是不存在的。跟月亮一样,她的另一半丢给了生活。她把自己全装在了她的脑子里,她不知道什么是本能的冲动,比如说,鱼儿在水中游动,或者,鼬鼠在草丛中钻来钻去。她经常都是必须通过知识才能明白道理。

可是厄秀拉在深深遭受着赫麦妮这种片面认识的苦头,她仅仅觉得赫麦妮这种冷漠的表情,好像使她感到彻底的失败。赫麦妮,常常是沉思到她的全部的精力都已耗尽,才能慢慢地得到那干瘪,而又无聊的知识结论。但是在她认为仅仅是女人的人面前,她往往会摆出一副自信的样子,跟戴着什么珠宝一样,用知识把自己与其他的女人区分开,从而显得她高人一等。在她的内心里,她习惯了对厄秀拉这样的她认为只是纯粹的情感上的女人,表现得很谦逊。可怜的赫麦妮,这种令人心痛的自信,对她来说,是一笔财富,这也是她仅有的理由。

这时,她必须表现得很自信,天知道为什么,她感到自己被抵制,感到自己在别的方面显得很不完美。在思考和精神生活方面,她是上帝的一个远民。虽然,她希望自己是一个普通的人,但是在她的内心深处,她知道自己是一个玩世不恭的人。她认为自己不会那么的普通,那只不过是假装的。她认为没有什么内在的生活——这是一个诡计,不是现实生活。她认为没有精神世界——那是一种假象。她只相信一点,就是财富、肉欲和魔鬼——至少,这些不是虚假的。她是一个没有信仰、没有信念的牧师,她从一种废弃的,被告知只是一种反复的,但对她而言,一点儿也不神圣的教义中吸取营养。

然而她没有别的道路可走。她是一棵就要死去的树上的叶子。那还有什么可以挽救的呢,她只能为旧的、枯萎的真理而斗争,为旧的、废弃的信仰而死去,为被亵渎的神话作一个神圣不可侵犯的牧师。古老而伟大的真理是正确的。她是古老的、伟大的,干枯的知识之树上的叶子。虽然在她的内心深处,她抱着的是一种玩世不恭的态度,但是,对于这古老而又持久的真理,她不得不忠诚。

"能够看到你,我非常高兴,"她对厄秀拉说,声音低得像是在念着咒语。"您和卢伯特已经成为好朋友了?"

"哦,是的,"厄秀拉说,"有时候,他总是躲开我。"

在她回答之前,赫麦妮停了一会儿。她完全能够看得出来,厄秀拉在自夸,这好像很粗俗。

"是吗?"她慢慢地、相当镇定地问,"那么你认为你们会结婚吗?"

这个问题提得那样平静,温和,那样的天真,外露,不带感情色彩,以至于厄秀拉感到有点儿吃惊。这有点像不道德的东西那样,让她高兴。赫麦妮的言语中带着一点嘲弄。

"唔,"厄秀拉回答道,"他非常想结婚,可是我还不太确定。"

赫麦妮平静而又迟缓地看着厄秀拉。她注意到了她那自吹自擂的表情。她很嫉妒厄秀拉这种毫无意识的自信,甚至她的粗俗行为!

"为什么你不敢确信?"她很悠闲地问道。她是这样的悠闲,可能是因为,这样的对话使她相当愉快。"你真的不爱他?"

听到这种不合适宜的问题,厄秀拉的脸有点儿红。然而她不会很明显地冒犯她。因为赫麦妮看上去,是如此的安静,公正无私。毕竟,能够做得这样完美,是相当不容易的。

"他说他想要的不是爱。"她回答。

"那是什么?"赫麦妮平静而又缓慢地问道。

"他希望在婚姻中,我能够真正接受他。"

赫麦妮沉默了一会儿,阴郁的目光缓缓扫视着厄秀拉。

"是吗？"最后，她面无表情地说。一会儿，又活跃起来，"那么你不希望的是什么？你不希望结婚吗？"

"不——我不——并不是真的。我不希望自己像他所强调的那样服从。他希望我能够放弃我自己，而我是不可能那样做的。"

停了好长一段时间，赫麦妮才又回答道：

"如果你不想那样做，你就不会那样做。"于是她又沉默了一会儿。有一种奇特的冲动使赫麦妮发抖。啊，如果是伯金要求她服从他，成为他的奴隶，这该有多好！她在发抖。

"你看，我不能——"

"但是，实际上，什么——"

她们俩立刻同时说话，又都停了下来。然后，赫麦妮好像有些疲惫，就先说道：

"他希望你服从什么？"

"他说他希望我能够不带任何感情色彩，最终地接受他，我实在是不知道他是什么意思。他说他希望他魔鬼的那一面能够找到配偶——肉体上，不是人的那一面。你看到了，他今天说这个，明天又说那个，他永远都是这样的自相矛盾。"

"永远都想着他自己，想着他自己令人不满意的地方。"赫麦妮慢慢地说。

"是的，"厄秀拉大喊着，"就好像没有别人，只有他自己是重要的。这样是不可能的。"

不过，她又立刻说。

"他坚持要我接受他身上的什么东西，天知道。"她继续说，"他希望我能够接受他，像——像是接受上帝，但是我认为，他好像不愿意献出任何东西。他不需要真正热烈的亲昵行为——他不需要这，他拒绝这。他不允许我思考，真的，他还不让我有感觉，他憎恨感情。"

赫麦妮痛苦地沉默了好长一段时间。啊，要是他能够把这些要求强加于她，那该有多好呀。他强迫她思索，无情地强迫她学习知识，然后又因为这来憎恨她。

"他希望我自我消沉下去，"厄秀拉接着说，"不让我有任何的自我意识——"

"那么，他为什么不和一个女奴隶结婚呢？"赫麦妮温柔地说道，"如果那就是他想要的话。"她的长脸上带着一种讽刺而又很开心的表情。

"是的，"厄秀拉含糊地说。但是，烦人的是，他不需要女奴隶，他一点也不需要奴隶。赫麦妮本来可以成为他的奴隶的——她非常希望她能够在一个男人面前屈服——他崇拜她，还承认她是一个至高无上的人。他不需要女奴隶。他希望一个女人能够从他这里得到点儿什么，能放弃她自己，以至于能接受最后真实的他，最后的事实，最后肉体和无法忍受的事实。

如果她这样做了，他会承认她吗？从头到尾的每一件事情，他都能够承认她吗，或者他仅仅像是利用他自己的工具那样利用她，利用她来满足自己的私欲，但又不接受她？这就是其他男人的做法。他们炫耀着自己，不承认她，他们把她扭曲的一无是处。这好像赫麦妮现在背叛女人自身一样，她喜欢男人，她只相信男人的东西。她自己在背叛女性。至于伯金，他是承认她，还是拒绝她呢？

"是的，"赫麦妮说，就像一个女人从自己的幻想中醒过来一样。"那将是一个过失，我认为那是一个过失——"

"和他结婚？"厄秀拉问。

"是的，"赫麦妮慢慢地说，"我认为你需要一个男人——他英勇，有着坚强的意志——"说着赫麦妮伸出手，紧紧地握成拳头。"你应该有一个像古代英雄那样的男人——当他去战场时，你必须站在他的身后，你必须观看他的力量，聆听他的呼喊——你需要一个身体强壮的男人，踌躇满志的男人，而不是一个敏感的男人——"

她停了下来，像女巫发出了什么预言，现在，她又继续说，声音有些疲倦："你很明白，卢伯特不是这样的人，他不是。他身体虚弱，他需要非常非常多的关心。他是如此的多变，对自己没有信心，帮助他，需要最大的耐心和理解力。我认为你没有耐心。你不得不作好准备，或许你是要遭受痛苦的——很可怕的。我不能告诉你，你需要遭受多少痛苦，才能够让他快乐。他生活在一个精神紧张的生活中，有时候——也是很令人愉快的。但是有时候也会走向相反的方向。我不能说，我跟他在一起，自始至终自己都经历了些什么。我们在一块呆了这么长的时间，我确实非常了解他，我确实知道他的为人怎么样。但是我必须对你说：我感觉到，如果你跟他结婚，那将是一场灾难，对你来说，要比他的损失更大。"赫麦妮陷入了痛苦的幻想中。"他是如此的不可靠，如此的不稳定——他会感到厌烦，然后起来反抗。"

"我不能告诉你，他会怎样反抗。我也很难告诉你，那是多大的痛苦。有时他肯定并且喜欢一些东西，不久以后，他又会为之发火，恨不得将其毁灭。他从来都不坚决，经常都是这样可怕地反抗。始终都是很快地，从好变到坏，从坏变到好，没有什么比这更具破坏性的了，没有了——"

"是的，"厄秀拉谦恭地说，"你一定受了很多苦。"

一丝神秘的光芒从赫麦妮的脸上闪过。她像是有了什么灵感,握紧了拳头。

"但是,你不得不甘心情愿地受苦——时时刻刻你都要为他心甘情愿地受苦——如果你准备帮助他的话,如果他准备真诚地对待任何事情的话——"

"但是我不愿意时时刻刻受苦,"厄秀拉说。"我不愿意,我将觉得那是耻辱。我认为生活的不幸福是一种耻辱。"

赫麦妮停了下来,盯着她看了好长一段时间。

"你是这样认为的吗?"她最后说。这样说就好像在她与厄秀拉之间有非常远的距离。赫麦妮认为,受苦是最伟大的事实,不管发生了什么都是这样的。不过她也有关于幸福的信条。

"是的,"她说,"一个人应该幸福——"不过,这是一个意愿问题。

"是的,"赫麦妮很冷淡地说。"我只是感到,那将会是个灾难,灾难——至少,和他仓促地结婚是这样的。难道你们不结婚,就不能在一起吗?难道不能不结婚,离开这里,到别的地方去生活?我确实感到,对你们两个人而言,结婚将会是一个致命的伤害。我认为,对你来说,比对他的伤害更严重。并且,我还很关心他的健康问题——"

"当然,"厄秀拉说,"我并不太在意结婚,对我来说这确实是不重要的,是他想要结婚的。"

"这是他一时的想法,"赫麦妮疲倦地说,那种下定论的语调表明:你们年轻人是不懂这个的。

停了一会儿,厄秀拉打破僵局,支支吾吾而又带有挑战意味地说:

"你认为我只不过在身体上是个女人,你不是这样认为的吗?"

"不,不是的。"赫麦妮说,"不,确实不是!不过,我认为你精力充沛,又年轻——这不是年龄的问题,或者说也不是经验的问题——这差不多是种族的问题。卢伯特已经老了,因为他来自一个古老的种族——而你看起来是那么的年轻,你来自一个年轻、没有经验的种族。"

"是吗?!"厄秀拉说,"但是,从某一方面来说,我认为他十分年轻。"

"是的,或许,从很多方面来讲,他都还很幼稚。不过——"

她们都失望地沉默了。厄秀拉深深地感到有些怨恨,还有些绝望。"这不是事实,"她心里想,也是在静静地对自己的对手说。

"这不是事实。只不过,是你自己需要一个身体强壮、气势凌人的男人,不是我。是你需要一个不敏感的男人,不是我。你不了解卢伯特,真的不了解,尽管你与他在一起呆了那么多年。你没有给他女人的爱,你给他的只是一种理想的爱,这就是为什么他离开了你。你不了解他,你只知道呆板的东西,任何一个女厨子都会对他有一点儿了解,你不了解他。你认为你的知识是什么?除了是一些僵死的理解外,实际上是不能说明任何东西的。你是如此的虚伪,不真实,你还能明白些什么呢?你再谈论爱情,那又有什么好处呢?你是一个不真实的女鬼!当你什么都不相信时,你又明白些什么呢?你并不信任你自己,不信任你女人的自我,那么,你的自以为是,浅薄的聪明又有什么好处呢——!"

两个女人在敌对的沉默中坐着。赫麦妮感到有些委屈,她的好心好意和她的奉献,得来的仅仅是另外一个女人粗俗的对抗。然而就在当时,厄秀拉是不能理解这些,永远也不会理解的,她只不过是平常的爱猜疑、不讲道理的女人,有着女人强烈的感情,女人的吸引力和女性的理解力,但就是没有理性。

赫麦妮很早以前就已经明白了,对一个没有脑子的人,去请求她多一点儿理性,是毫无用处的——对待这样无知的人,最好的办法是忽视他们。而卢伯特——现在他反过来,却去追求这个女性十足、健康而自私的女人——这是他一时的行动——没有人能够阻止。这是一种愚蠢的前后猛烈的摆动,最后,对他来说,将会太猛烈,以至于会使他承受不住,被打的粉碎而后死去。没有人能够挽救他。这种在兽欲和精神的真理之间,毫无方向的猛烈的摆动,会把他撕成相反的两部分,然后他会没有任何意义地从生活中消失掉。这对他没有任何利益。他也是一个没有统一性,没有头脑的人,在生活的最高阶层上,他不是一个能够完全掌握一个女人命运的男人。

直到伯金回来,她们还一直坐在这儿。伯金看到了她们。但是,伯金立刻感受到了这里不友好的气氛,一种激进的不能控制的敌对气氛。他咬了咬嘴唇,却假装着很直率,说:

"嘿,赫麦妮,你回来了?感觉怎么样?"

"哦,很好。你怎么样呢?你看上去不是太健康——""哦!我认为戈珍和温妮·克里奇会来喝茶的。至少她们说过她们会来的。我们将开个茶会。你是坐哪一趟车来的,厄秀拉?"

他这种企图同时讨好两个女人的样子,看起来相当令人恼火。两个女人都看着他,赫麦妮非常怨恨他,却又怜悯他,厄秀拉却是非常的急躁。他有些不安,很明显,今天他精神状态很好,嘴里聊些家常话。厄秀拉对他这种说话的方式,感到又吃惊又愤慨。他谈起基督教很在行。对于这样的话题,她变得很呆板,她没有回答。这些对于她来说,是如此的虚伪,又如此的渺小。而此时戈珍还没有出现。

"我准备去佛罗伦萨过冬。"赫麦妮最后说。

"是吗?"他回答道,"不过那个地方太冷了。"

"是的,但是,我会跟帕拉斯特拉住在一起。这一定会很舒适。"

"是什么原因让你去佛罗伦萨的?"

"我不知道,"赫麦妮慢慢地说。然后她目光沉重而又严肃地盯着他,说:"巴奈斯准备开设美学课,并且奥兰狄斯将发表一系列有关意大利民族政策的论文——"

"都是废话。"他说。

"不,我认为不是这样。"赫麦妮说。

"那么,你更钦佩哪一个?"

"我都钦佩。巴奈斯是一个倡导者。而且我对意大利就要出现的民族觉悟感兴趣。"

"然而,我希望是兴起民族觉悟之外的一些事情,"伯金说,"像这样,兴起的只不过是一种工业——工业觉悟而已。我讨厌意大利和这个民族激昂的演说。我觉得巴奈斯还不成熟。"

赫麦妮沉默了一会儿,她正处于一种不友善的状态。然而,她还是又一次地让伯金回到了她的世界中!她的感化力是多么微妙,她好像是在一瞬间,把他易怒的注意力,很专注地吸引到了自己这边。他是她的创造物。

"不,"她说,"你错了"。然后她紧张起来,好像是受到了有灵感的女巫的预言,抬起头,疯狂地说:"桑德罗写信跟我说,他受到了非常热情的招待,所有的年轻人,男孩女孩都有。他们对意大利充满了激情,什么都想了解。"她用意大利语说。

他带着一种讨厌的表情听着她的狂言,然后说:

"尽管那样,我还是不喜欢它。他们的民族特性就是产业主义——我憎恨这种产业主义和那浅薄的嫉妒心。"

"我认为你错了——我认为你错了——"赫麦妮说。"我认为,那纯粹是自然产生的,美丽的,现代化的意大利的激情,对意大利来说,是一种激情,意大利的——"

"你非常了解意大利吗?"厄秀拉问赫麦妮。赫麦妮不喜欢打断她讲话的这种方式,不过,她还是温和地回答:

"是的,非常了解。我小时候和母亲在那个地方住了很多年,我母亲死在了佛罗伦萨。"

"哦。"

他们又停了下来,这使厄秀拉和伯金感到痛苦。而赫麦妮却显得心不在焉、很平静。伯金脸色苍白,眼睛红的像在发高烧,他太疲劳了。这种带有做作的紧张气氛，叫厄秀拉感到痛苦！她的头好像被铁条箍着。

伯金按铃叫人送茶。他们不能再等戈珍了。门开时，一只猫进来了。

"米西奥！米西奥！"赫麦妮慢慢地，故意地像唱歌似地叫着。小猫转过身来看看她，然后就缓慢而又庄严地向她身边走过来。

"过来，到这边来。"赫麦妮用一种奇怪而又温柔的，带有保护性的语调说着，好像她总是长者，有着母亲般的优越感。"过来向姨妈问早上好。你记不记得我了，我的小东西。当真还记得我？"她说着缓缓地，带着一种讽刺性的冷淡，抚摸着它的头。

"它懂意大利话吗？"厄秀拉问，她完全不懂意大利话。

"是的，"赫麦妮最后说，"它的母亲是意大利猫，我们在佛罗伦萨时，卢伯特生日的那一天，它在我的字纸篓里出生了，也就成了他的生日礼物。"

茶送来了，伯金为他们各倒了一杯。奇怪的是，他和赫麦妮之间的亲昵关系是那么的神圣。厄秀拉认为自己好像是个局外人。那茶杯和上面的镀银是联系着赫麦妮和伯金的纽带，它好像属于一个他们共同居住过的，古老而又陈旧的世界，在那里，厄秀拉是一个陌生人。在那个古老而又有讲究的环境中，厄秀拉好像是一个暴发户。她的习俗不是他们的习俗，他们的标准也不是她的标准。不过他们的习俗和标准已得到确认，他们得到了同时代人的支持，显得很雅致。他和她，伯金和赫麦妮，都属于同一个古老的传统，同一种枯萎的文化。而她，厄秀拉，他们总让她感到，她是一个入侵者。

赫麦妮把一些奶油倒在了一个茶托里。在伯金屋里，她用简单的方式，显示着自己的权力，这使厄秀拉发疯，又使她气馁。赫麦妮的动作带着一种命中注定要这样做的神态，好像这是必然的。赫麦妮托起小猫的头，把奶油送到它跟前。它的两只爪子扒着桌沿，低下优雅的头去吮奶油。

"我认为它能听懂意大利话。"赫麦妮说，"你没忘记你的母语吧？"

赫麦妮用她那细长，苍白的手指托起猫头，不让它吸吮，把猫完全控制在她的权力中。她经常都是这样显示自己的权力，她感到很高兴，尤其是，对自己控制男性的权力。这只雄性小猫忍耐着眨眨眼睛，带着一种雄性的厌烦表情，舔了舔胡须。这立刻就使赫麦妮笑出声来。

"这是个好孩子，这孩子多高尚！"

她如此平静、奇怪地冲猫做出一个活泼的姿势。她确实有一种静态美，从某种意义上说，她是个社交艺术家。

那只猫拒绝看她，冷淡地避开了她的手指，又开始去吃奶油。当它巴嗒巴嗒吃的时候,它的鼻子凑近奶油,却又相当平稳地不挨着奶油。

"教它在桌子上吃东西,这很不好。"伯金说。

"是的。"赫麦妮同意地说。

于是,她看了看猫,又恢复了她那种嘲笑味的,滑稽的语调:

"他们只教你做坏事,做坏事——"

她用食指的指尖,缓慢地托起小猫雪白的下巴。小猫儿带着一种极大的宽容心,向四周看看,却又躲闪着不看任何东西,缩回下巴,开始用爪子洗脸。赫麦妮高兴地笑了起来。

"帅小伙儿——"她说。

小猫儿又一次走上前来,把它漂亮的前爪儿放在了茶托边沿上。赫麦妮忙轻轻地,缓慢地挪开茶托。这种深思熟虑的,微妙又细心的动作,使厄秀拉想起了戈珍。

"不,你不能把你的小爪子放到茶托里,你爸爸讨厌这样做。公猫先生,可是很野的!"

她的手指头仍旧摸着小猫柔软的爪子,她的声音也同样带着一种威吓的,古怪又滑稽的腔调。

厄秀拉感到很失望。她想立刻就走掉。好像这样做又不好。赫麦妮是永远站得住脚跟的,而厄秀拉她自己,却是短暂的,甚至还没有来到。

"我要走了。"她突然说道。

伯金看着她,心里好像有点儿害怕——他很怕她发火。"但是不必这样着急吧?"他说。

"是的,"她说,"我现在就要走。"她转向赫麦妮,没等她说话,厄秀拉就伸出手,说了声"再见。"

"再见——"赫麦妮仍握着她的手。"你真的现在就走?"

"是的,我想我现在就走。"厄秀拉沉下脸,避开了赫麦妮的视线。

"你认为你将要——"

但是厄秀拉抽出自己的手,很快地转向伯金,嘲弄地说"再见",然后就没等他与她告别,开开门就走了。

走出了那座房子,她就气鼓鼓地沿着马路跑了起来。很奇怪,赫麦妮的出现,激起了她心中无名的愤怒和激动。厄秀拉知道她向另一个女人认输了,她明白自己显得暴躁、粗俗、太夸张。但是她不在乎这些。她只是在路上跑着,以免她会回去当面讽刺她刚刚离开的那两个人。因为他们激怒了她。

第二十三章 出游

第二天伯金就来找厄秀拉。来到小学校时，刚好是中午，伯金问厄秀拉是否愿意和他一块儿下午开车出去玩。厄秀拉答应了。但她的脸色很不好看，面无表情。他的心沉了下去。

下午天气晴朗，光线柔和。伯金开着汽车，厄秀拉就坐在他旁边，不过，她的脸色仍旧很不好看，面无表情地对着他。当她这样像一堵墙似的面对着他时，他的心里就不舒服。

他的生活是这样的简单，他几乎都不再关心了，有时他好像一点也不再乎厄秀拉、赫麦妮或别人是否存在。为什么要自寻烦恼呢！为什么要去争取一种一致的，令人满意的生活呢？为什么不在一连串的意外事件中观望——就像以流浪汉为题材的小说那样？为什么不呢？为什么要因为人际关系而自寻烦恼呢？为什么要认真地对待——男的或女的呢？为什么要与别人结成非常严肃的关系呢？为什么不随便些、飘动着、承认一切事物各自的价值呢？

然而，他是命中注定要走老路，要认真生活的。

"看，"他说，"看我买了什么？"汽车沿着雪白宽阔的大路行驶着，路两旁都是大树。

他递给她一卷纸，她一拿着就打开了。

"好漂亮呀。"她看着礼物，大喊道。

"真是太漂亮了！"她又大喊了起来。"不过。你为什么要把它们给我呢？"她不愉快地问道。

他脸上露出一种恼怒的表情。他轻轻地耸了耸肩。

"我愿意。"他冷漠地说。

"但是为什么？你为什么要这样做？"

"一定要我给出理由吗？"他问。

她看着包在纸里的戒指，沉默了。

"我认为它们太漂亮了，"她说，"尤其是这一只，这一只太奇妙了——"

这只戒指上镶着火蛋白石，周围镶着一圈细小的红宝石。

"你最喜欢那一只吗？"他问。

"我想是这样的。"

"我喜欢蓝宝石的。"他说。

"这一只？"

这是一只玫瑰型的，美丽的蓝宝石戒指，镶着一些小钻石。

"是的，"她说，"这只很漂亮。"在阳光下，她把戒指举了起来说，"是的，可能这只是最漂亮的——"

"那只蓝的——"他说。

"是的，奇妙极了——"

他突然一扭方向盘，幸好汽车没有与一辆农用马车撞在一起。不过汽车倾斜在了路边。他开车很粗心，还很快。但是厄秀拉可吓坏了。他那种鲁莽劲老让她担心。她突然感到，他会开车造成可怕的事故，可能因为这会害了她。一想到这，她就感到恐怖。

"你这种开车方式，不太安全吧？"她问他。

"不，不危险，"他说，然后停了一会儿，他又问她："难道你一点儿都不喜欢黄色的戒指吗？"

这是一只镶在钢架，或者其它类似的金属中的，方黄色的玉晶戒指，做工细致。

"是的，"她说，"我喜欢，但是你为什么要买这些戒指？"

"我需要。都是二手货。"

"你是买给你自己的吗？"

"不是。戒指戴在我手上，不好看。"

"那你为什么要买它们？"

"我买它们，是为了送给你。"

"可是，这是为什么呢？你一定是送给赫麦妮的！你属于她。"

他没回答。她仍然把这些戒指攥在手里。她想戴到手指上试试，不过，她心里的一些东西在阻止她。而且，她害怕自己的手太大了，戴不上，她要尽量避免戴不上戒指的羞辱，不过她还是在小手指上试了试。他们静静地在空荡荡的乡间小路上前进着。

坐汽车令她很兴奋，以至于她忘了自己目前的状况。

"我们这是在哪儿？"她突然问。

"离沃克索普不远。"

"那我们准备上哪儿去？"

"无论哪儿都行。"

这也正是她喜欢的答案。

她张开手,看看手中的戒指。三个镶有宝石的圆圆的戒指放在她手里,她是如此的高兴。她很愿意偷偷地试试,因为,她不愿意让伯金看到,这样他就不会知道她的手指太粗。不过他还是看见了。只要是她不愿意让他看见的,他却总是能看见。她讨厌他那警惕性的品质。

只有那只镶火蛋白石的戒指,她能戴到手指上。但是她是很迷信的,不,她觉得这是一种不祥之兆。她不能接受他这带有抵押性质的戒指。

"看,"她说着,她伸出了她那半握半伸的手。"其它的我戴着都不合适。"

他看到柔和的宝石,戴在她有些敏感的皮肤上,闪烁着红光。

"是的。"他说。

"不过,火蛋白石是不祥之兆,不是吗?"她带着某种希望,说道。

"不。我比较喜欢有不祥之兆的东西。好运是粗俗的。谁希望得到运气所带来的东西?我不希望。"

"那是为什么呢?"她笑道。

接着,她急切地想看看,其他的戒指戴在自己手上是什么样子,因此她就把它们戴在了小手指上。

"它们本来可以做得再大些的。"他说。

"是的,"她有些怀疑地回答到。然后她叹了口气。她明白,接受了戒指就相当于接受了一种抵押。然而命运好像是不可抗拒的。她又看了看戒指,在她看来,它们是非常美丽的——不是装饰品或财产,而是爱的某种微小的片断。

"我很高兴,你买了它们。"她说着,把手不太情愿地,温柔地放在了他的胳膊上。

他微微笑了一下。他希望她能靠近他,但是他的心里很愤怒,很冷淡。他明白她对他怀有一种激情,的确是这样的。不过这不是最终的激情。更深层次的激情是一个人超越自我超越感情时爆发出来的。但是厄秀拉乃停留在情感与自我的阶段——总是这样厌恶地想到她自己。他接受了她,然而他并没有被她占有。在黑暗和羞耻的源头,他接受了她——像一个魔鬼,笑看着,神秘而堕落的源头,那是她生命的源头。他笑着、抖动着,接受了她,最终接受了她。至于她,什么时候她才能超越自己,从死亡的本质上接受他呢?

现在,她变得很快乐。汽车继续前进着,下午的光线很柔和。她饶有趣地说着,分析着人们以及他们的动机——戈珍,杰拉德。

他含糊地答应着。他对于各种人的性格什么的并不是非常感兴趣——所有的人都是不同的,只不过,现在,他们都受到了明确的限制,他说,可能只有两种伟大的思想,两个保持着巨大活力的河流,那里也附带着各种不同的回流。这种逆流在不同的人身上的表现也是各种各样的,不过他们都遵守着一些大的规律,他们在本质上并没有多大的差异。通过这几条大的规律,他们不知不觉地运动或反运动,一旦这些大的规律,大的原则被人们发现,人们也就不再有神秘性的趣味了。人们在本质上是相同的,他们的差异只不过是主题的变更。他们当中没有谁能够超越已经给定的限制。

厄秀拉并不赞同这种说法——对她来说,去认识人仍然是一种冒险——不过——这可能没有她自己试着去说服自己所冒的危险大。现在她的兴趣可能有点像机器一样呆板。也可能她的兴趣是毁灭性的,她的分析,的确是在把东西撕得粉碎。在她的内心深处,她不关心别人和别人的特质,甚至去消灭别人。她好像一下子触到了自己心中的这个想法,她沉静下来,在一瞬间,她把兴趣全部转到伯金身上。

"难道在暮色中回家,不是很有意思吗?"她说,"我们晚一点喝茶——怎么样呢?——喝杯浓茶?好吗?"

"我已经答应到肖特兰兹吃晚饭的。"他说。

"不过——这没问题——你可以明天去——"

"赫麦妮在那儿,"他相当不自在地说。"两天后,她准备离开这儿。我认为我应该去和她说声再见,我以后再也不见她了。"

厄秀拉离他远了一点儿,在静寂中,她不再说话。伯金紧皱着眉毛,眼里再次闪动着怒火。

"你不会介意的,你介意吗?"他暴躁地问。

"不,我不介意。为什么要介意呢?为什么?"她的声音带着嘲弄性和进攻性。

"我是在问我自己,"他说,"你为什么要介意!但是你看起来就是介意。"因为愤怒,他的眉毛蹙成一团。

"我可以向你保证,我没有介意,我一点儿也不介意!到你应该去的地方去吧——这也是我所希望你做的。"

"你这个傻瓜!"他大叫道。"赫麦妮和我之间的关系已经结束了。她对你来说更有意义,如果真有结果的话,比对我的意义更大。你同她作对,说明你同她是同一类人。"

"作对!"厄秀拉大叫了起来,"我知道你想躲避。我才不会被你那转弯抹角的话给骗了呢。你属于赫麦妮,被她迷住了。好的,如果你愿意,你就去吧。我不会责备你。不过,那样你和我就没有关系了。"

伯金气愤极了,他停下车,这样,他们就坐在那儿,坐在乡村的小路中间,把这件事讲明白。这是他们之间的一场战争的决定性时刻,因此,他们没看出来他们这种状况的荒谬之处。

"如果你不是个傻瓜,如果你不是个傻瓜,"他痛苦失望地大叫着,"你就该明白,即便是一个人错了,他也应该体面些。这些年我跟赫麦妮保持联系,是我错了——这是一个死一般的过程。但是,毕竟,人还是要有人的体面。但是你不是这样的,一提赫麦妮的名字,你就充满了嫉妒,这把我的心都撕碎了。"

"我嫉妒!嫉妒!你这样想可就错了。我一点都不嫉妒赫麦妮,对我来说她无关紧要。根本不可能是嫉妒!"说着她打了一个响指。"不是,是你在说谎。是你想返回,就像是狗要找到自己的呕吐物。我恨的是赫麦妮的立场。我之所以不喜欢,是因为那是假话,是虚伪的东西。但是你需要这些假话,你不能制止它,你也不能管住你自己。你属于那个过时的、死一般的生活方式——那么你就回到那里去吧。但是不要来找我,因为我跟那是毫无关系的。"

在愤怒的感情的逼迫下,她从汽车上跳下来,走到树篱前,不知不觉地,摘下粉红色的浆果,有些果子已经绽开,露出橙色的种子。

"你可真是个傻瓜。"他有点轻视地大叫着。

"是的,我是傻,我是傻。感谢上帝让我这么傻。我是一个大傻瓜,不能明白你的聪明。谢谢上帝。你去找你的女人——去找她们吧——永远都有这样的一批人跟着你,——而你也总是愿意这样。去找你精神上的新娘吧——但是不要来找我,因为我没有一点儿那样的精神,谢谢你。你感到不满意,是吗?你的精神新娘不能带给你所需要的东西,对你来说,她们不够普通、不够肉感,难道不是吗?因此你过来找我,把她们留在了后面。为了过日常的生活,你愿意和我结婚,但是,在背地里,你又拥有你的精神新娘!我明白你那卑鄙的小把戏。"突然,一股激情充满她的全身,她发狂地双脚跺着地,他退缩了,害怕她会打他。

"而我,我不够精神化,我不像赫麦妮那样的精神化——!"说着,她眉毛紧皱,两只眼睛像老虎那样发着光。"那你就去找她吧,这就是我要说的全部,去找她吧,去呀。哈哈,她精神化——精神化,她!她是一个肮脏的唯物主义者。她精神化?她关注的是什么,她的精神又是什么?是什么?"她的愤怒好像在燃烧着,灼烧着他的脸。他退缩了。

"我告诉你,这是污垢,污垢,什么也不是,只是污垢。这些污垢正是你想要的。你渴望它。精神化!那就是精神化,她的威吓、她的狂妄、她肮脏的唯物主义？她是一个泼妇，泼妇，她就是这样的一个唯物主义者。这太肮脏了。她还能干出个什么样子，到最后，用她的社交激情，就像你所称呼的那样，社交激情——她的社交激情是什么？——显示出来，让我看看！——在哪儿呢？她需要唾手可得的权力，她幻想着自己是一个伟大的女人，这就是全部的事实。在她的灵魂中，她是一个恶魔般的异教徒，像肮脏的东西那样的庸俗。事实上，她就是这样的一个人。其他的都是伪装——但是你喜欢这样。你喜欢这种虚假的精神，这是你的食物。那是为什么呢？是因为潜在的肮脏所导致的。你以为我不知道，你卑鄙的性生活——还有她的？——我都知道。但这却是你想要的卑鄙，你这个惯于说谎的人。那你就接受吧，接受吧。你这个骗子。"

她转过身去，颤抖着，从树篱上摘下浆果，手指颤抖着，把浆果戴在胸部。

他站在那儿，静静地注视着她。一看到她那颤抖着的敏感的手指，一种令人惊奇的亲切感，就传遍了他的全身，与此同时，他的心里也感到愤怒和无情。

"这种表现很可耻。"他冷冷地说。

"是的，确实是可耻，"她说，"但是，这对我来说比对你显得更可耻。"

"看来你是愿意选择降低自己的身份，"他说。这时她满脸通红，眼中闪着黄色的光。

"你！"她大喊道，"你！好一个热爱真理的情人！好一个纯洁的人！你的真理和纯洁在散发着臭味。你以发出臭味的东西为食物，你这个吃腐烂东西的狗。你这个吃尸体的东西。你肮脏，肮脏，你必须知道这一点儿。你的纯洁，你的直率，你的仁慈——是的，谢谢你，我们也有一些。你这个肮脏，死一般的东西，淫秽的东西，那就是你，淫秽而又变态。你还有爱！你也可以说，你不愿意得到爱。不，你需要你自己、肮脏和死亡——那就是你想要的。你太变态，太僵死，还有——"

"一辆自行车过来了，"他说。她大声的责骂把他折腾的不得安宁。

她朝路上看了看。

"我不介意。"她大喊道。

然而她还是静了下来。那个骑车人，听到了争吵声，好奇地看看这个男人和这个女人，又看看在路上停着的汽车。

"——下午好，"他高高兴兴地说。

"——下午好，"伯金冷淡地说。

那个人走远了，他们也静下来了。

伯金的表情变得高兴起来。他明白，厄秀拉在大多数地方都是正确的。他明白自己有点儿不正常，一方面过于精神化，奇怪的是，在另一方面，他又很堕落。但是她自己就好多少吗？难道任何人都比他好吗？

"说谎和卑劣，以及所有这一切，可能都是事实。"他说。"但是赫麦妮的意淫并不比你的那种情感上的嫉妒更坏。一个人应该保持自己的庄重，即便是面对着自己的敌人。赫麦妮是我的敌人——直到她还剩下最后一口气！那就是为什么我用箭把她赶走的原因。"

"你！你和你的敌人，你的箭！你把自己描绘成了一幅优美的图画。但是在这幅画中，没有任何人，只有你自己。我嫉妒！我所说的那些话，"她的嗓门提得很高，"我说，是因为那是事实，你明白吗？因为你是你，一个肮脏而虚假的骗子，一个伪君子。那就是我为什么要说这个，你都听见了。"

"很感激你，"他挖苦地做了个鬼脸，补充道。

"是的，"她大喊道，"如果你认为你还有一点儿庄重可言的话，你就应该感激我。"

"但是，我一点也不庄重——"他反驳道。

"没有，"她大喊道，"你没有一丁点儿。那么，你就走你的路，我走我的路。这没什么好处，没有一丁点儿好处。现在，你可以把我留在这儿，我不愿意再跟你多走一步——留下我——"

"甚至你都不知道你在哪儿，"他说。

"哦，不用担心，我向你保证，我会平安无事的。我的钱包里有十个先令，不管你把我带到哪儿，这些钱都够我回去的路费了。"她犹豫不决。戒指仍然戴在她手上，两只戴在小手指上，一只戴在无名指上。她仍旧犹豫不决。

"很好"，他说，"你是傻瓜。"

"你说得完全正确。"她说。

她还在犹豫着。脸上带着难看的，怀有恶意的表情，从手指上撸下戒指，朝他扔了过去。一只戒指碰到他的脸，另外两只打在他的大衣上，又散落在泥土中。

"把你的戒指拿去吧，"她说，"去别处为你自己买个女人吧——有很多女人，她们都很高兴分享你那精神上的肮脏，——或者你身体上的肮脏，把你精神上的肮脏留给赫麦妮。"

说着这些，她就散漫地沿着路走开了。伯金静静地站在那儿，看着她沉沉不乐，脸色很难看地走开，一边走，一边揪着树篱上的树叶子。她越变越小，好像在他的视线中消失了。他感到脑子中一片漆黑，只有一小点意识的游丝在他附近盘旋。

　　他感到又累又虚弱，然而他也感到有些放心。他换了一个姿势，走过去，在岸边上坐下来。可以确信，厄秀拉是正确的。她所说的确实是事实。他明白，他的精神是堕落的一种伴随物，是一种自我毁灭的快感。在自我毁灭中确实有一种刺激的东西，对他而言——尤其是当它在精神上转化为另一种形式出现时。

　　但是，那时他也明白——他明白他已经这样做了。那么，难道厄秀拉精神上的亲昵，精神上和身体上的，不是和赫麦妮那种理论上的亲昵一样的危险吗？熔合，熔合，这两种人的可怕熔合，每个女人和几乎所有的男人都坚持这样做，或者是精神上，或者是有情感的肉体上的熔合，不是都同样的令人作呕，厌恶吗？

　　赫麦妮把自己当成一种完美的理想，所有的男人都必须向她走来，而厄秀拉却是完整的母腹，是新生儿的浴池，所有的男人也都必须向她走来！她们两个都很可怕。为什么她们不是个性化的人，受到自己界限的限制呢？为什么她会是这样可怕的包容一切，这样可恶的专治？为什么她们不给别人自由，为什么要试着去吸引，或者去熔化，或者去融合别人呢？在某一瞬间，一个人可以完全地放任自己，但是对别人，可不能这样地放任自己。

　　他不忍心看着戒指陷在路上的黑泥里。他把戒指捡起来，不知不觉地，用手揩去上面的泥土。它们是短暂的美丽的事实的象征，是多情的创造中幸福的象征。他的手上沾满了沙砾，脏了。

　　他的脑子里一片漆黑。曾经像迷团，顽固地呆在那儿的，可怕的意识现在被打碎了，远去了，他的生命，他的四肢和身体溶解了。他的心里有一种希望。他希望她能回来。他像婴儿那样轻松地、有规律地呼吸着，像婴孩那样纯洁地，毫无责任感地呼吸着。

　　她正往回走。他看见她正在高高的树篱下，散漫地游荡着，正慢慢地向他走来。他没有动，也不再看她。他好像睡着了，安静地，完全放松地睡着了。

　　她走过来，低着头，在他面前站着。

　　"看我为你采来了什么花儿？"她说，把一束紫红色的石楠花送到他的面前。他看到了那一束彩色的喇叭样的花儿和像树枝那样细小的花梗，还看到她的手，捧着鲜花，她手上的皮肤是那样的敏感。

　　"真漂亮！"他抬起头，脸上带着微笑，接过了花儿。一切都又变得简单，十分简单，事物的复杂性现在已经无影无踪了。然而，若不是他太疲劳，因为感情太累了，他是非常希望能够大喊大叫一番的。

随后，因为这位少女，他的心中升起一股亲切的，柔和的激情。他站起来，看着她的脸。这是一张全新的脸，哦，脸上露出好奇和担心，是如此的微妙。他搂住她，她把脸伏在他的肩膀上。

他站在乡间的小路上，静静地拥抱着她，这里只有非常简朴的一种安宁。最终是静寂。最后，以前那种陈旧的，可憎的紧张世界已经远去，他的意志感到既坚强又自在。

她抬起头看着他，眼中那美妙的黄色光芒现在变得温柔了，他们两个人都彼此变得安静了。他吻着她，温柔地，一遍又一遍。她的眼中充满了欢笑。

"我骂你了吗？"她问。

他也笑了，握住了她柔软的手，是那样的温柔和静谧。

"可别介意，"她说，"这都是为我们着想。"他又温柔地吻了她许多次。

"难道不是吗？"她说。

"当然是的，"他回答道，"等着吧，我会得回我应得的。"

她突然疯狂地笑了起来，抱住了他。

"你是我的，我的爱，难道你不是吗？"她大叫着，紧紧地拥抱着他。

"是的。"他温柔地说。

他的语气是那么的温柔和肯定，令她无法动弹，使她好像在屈从于他的一种安排，一动也不能动。是的，她默许了——但在没有她的许可下，这就已经完成了。他静静地一次又一次地，温柔地吻着她，是那样的幸福，差不多都要使她的心停止了跳动。

"我的爱！"她叫着，抬起头，带着一种受了惊吓，而又带着天赐的幸福一般的温柔的好奇看着他。这是真的吗？他的眼睛是那么动人、那么温柔，一点儿也没有因为紧张和兴奋而有所改变。他朝她动人地微笑着，和她一起微笑着。她把脸埋在他的肩上，因为他能够毫无遮拦地看到她的脸。她很清楚，他爱她，而她又有些怕，她处在一个陌生的环境中，被新的天空包围着。她希望他能够充满激情，因为只有在激情中，她才能感到轻松。但是这样的希望是很脆弱的，因为周围的环境比暴力更会令人感到恐怖。

她又一次地，很快地抬起头。

"你爱我吗？"她迅速而又冲动地问道。

"爱，"他回答，他没有留意她的动作，只是看到她静静地站在那儿。

她明白，这是事实，她也就不再说什么了。

"那么你就应该，"她说着，扭过去脸，看着路上。"你找着戒指了吗?"

"找着了。"

"它们在哪儿?"

"放在我的衣袋里。"

她的手伸进他的衣袋,把戒指掏了出来。

她感到不安。

"我们走吧?"她说。

"行,"他回答道。他们又上了车,把这个难忘的战场留在了他们的脑后。

他们在傍晚的旷野中游荡着,他们既高兴又超然地开着车,欢快地前进着。他的心里带着一丝甜蜜的安闲,好像是从新的源泉中流出的生命在他身上流过,他好像刚从疼痛的子宫里出生。

"你快乐吗?"她很好奇,高兴地问他。

"快乐。"他说。

"我也一样,"她突然激动地大叫着,又一次地搂住他,用力地拥抱着他。而他正开着车。

"不要再开了,"她说,"我不愿意让你一直做事。"

"不,"他说,"等结束了这次短途旅行,我们就自由了。"

"我们会的,我的爱,我们会的。"她高兴地大叫着,当他向她转过身时吻了他。他的身体微微的动了一下,意识上好像是完全清醒了,他又清醒地驾驶着汽车。他隐隐约约地意识到,自己好像是刚刚醒来,像一个新生的事物,像一只小鸟,刚刚从蛋壳里出来,来到一个全新的环境中。

黄昏时分,他们下了山,厄秀拉突然认出来,在她右面的空谷中,有南威尔寺的影子。

"我们到这儿了!"她欢快地大喊道。

那死板、阴沉、丑陋的教堂,坐落在阴暗的暮色中,他们进入小城,发现金黄色的光芒在商店的橱窗上闪烁着。

"我爸爸和妈妈来过这儿,"她说,"当时他们刚刚认识。他喜欢这座寺庙——他喜欢这大教堂。你喜欢吗?"

"喜欢。它看起来像是透明的石英晶体,在黑暗的夜空中矗立着。咱们就在撒拉逊酒店里喝晚茶吧。"

他们下山时,听到了寺院里的钟正奏响六点钟的赞美诗:"今晚,光荣属于我的上帝,让月光保佑你——"

在厄秀拉听来,这乐曲正从看不见的天空中,一点儿一点儿地落下,落在了这阴暗的小城中。这乐曲就像是多少世纪以前的,暗淡的声音。它是那样的遥远。她站在这古老的庭院中,闻着稻草、马厩和汽油的味道。往上看,她可以看见第一颗星星。一切都意味着什么呢?这不是现实世界,只是一场梦——孩童时期的世界——一种美好回忆的限制。世界变得虚幻起来。她自己也成了一个陌生、虚幻的人。

他们在小客厅里的壁炉边坐了下来。

"这是真的吗?"她疑惑地问道。

"什么?"

"一切——一切是真的吗?"

"最好是真的。"他说着朝她扮了个鬼脸。

"是吗?"她回答着,笑了笑,不过还是不确信。

她看着他。他看起来仍旧是那样的遥远。一双新的眼睛在她的心中睁开了。她看到了来自另一个世界的一个奇怪动物,那就是他。她好像被施了魔法,一切事实都变了形状。她又想起《创世纪》这本有关古老魔鬼的书,书中说:上帝的儿子看到人的女儿很漂亮。而伯金就是他们中的一员,这些奇怪的人中的一员,他俯视她,看到她很漂亮。

他站在火炉前的地毯上,看着她向上仰起的脸,就像一朵鲜花,新鲜,发着光的鲜花,沾着黎明时分的第一颗露珠。他微笑着,好像世上再没有其它的语言能够记下他们彼此心中静静地开放着的幸福的花朵。因为彼此的存在,他们快乐地微笑着,那是绝对的存在,不用你去思考,甚至是大家都已经知道的。但是他的眼睛却透着一种讽刺的神情。

她奇怪地迷上了他,像是什么咒符在起作用。她在火炉前的地毯上跪下,搂住他的腰,脸靠着他的大腿。太好了!太好了!她被一种美妙的感觉折服了!

"我们彼此相爱。"她欢快地说。

"不仅仅只是爱,"他说着,俯视着她略带微笑,安逸的脸庞。

无意中,她敏感的指尖,沿着一股神秘的生命源泉,摩挲着他的大腿后面。她发现了什么东西,发现了某种令人感到惊奇的,比生命本身还要令人惊奇的东西。那种奇怪而又神秘的生命运动,就在他的大腿后面,他的腰部下面。那是一种奇怪的现实,是生命本身,沿着大腿直泻下来。就是在这儿,她发现了,他是上帝的在起初世界里的儿子,不是人,是别的什么,也不仅仅是别的什么。

这是一种最后的释放。她有过情人,她明白什么是激情。但是这东西既不是爱也不是激情。这是人的女儿回到了上帝的儿子那儿,这个奇怪的非人的上帝始初的儿子。

当她抬头看他时,她的脸发出金色的光芒,她用双手搂住他的双腿,而他就站在她的前面。他俯视着她,他的眉毛就像王冠一样的闪亮。她美丽的就像一朵儿开在他膝下的,一朵绝妙的花朵,她是一朵天堂的花,超越了女性本身,就是一朵放射着光芒的花。但是好像有什么东西,绷紧了他,使他不能自由,使他不能去喜欢这朵蹲伏在他膝下,闪烁着光辉的花朵——还不仅仅是这些。

对她来说,她已经达到了一切目的。她已经发现了一个上帝始初世界里的儿子,他也发现了一个人类的最有光彩的女儿。

她的手,在他的腰,大腿和背上摩挲着,一股生命的烈火,暗暗地,从他身上燃到她的身上。这是她从他身体里汲取的,一股黑暗的带电的热流。她确定了一条新电路,新的具有激情一般活力的电流,在他们两个人之间,从最黑暗的肉体释放出来,形成一种理想的电路。这是一股黑色带电的热流,从他身上流向她,把他们淹没在宁静满足的海洋中。

"我的爱,"她大叫着,朝他仰起了脸,在激动中,她睁开双眼、张开了嘴巴。

"我的爱,"他回答着,弯下腰,一个劲儿地吻她。

她完全抱着他的腰臀,他弯下腰时,她好像碰到了他身上那敏感黑暗的神秘物。她好像要在他身下昏倒,他弯下腰,好像也要昏倒。对他们而言,这是一种理想的死,同时这又是生命中无法忍受的接近,是最直接而又绝妙的满足,一种无法抵抗的,从最深的生命源泉中流溢出来——人体内最黑暗、最深奥和最奇异的生命力,它发自腰臀的基底。

沉默过后,奇异而又黑暗的河流从她身上流过,带走了她的思想,从脊背直流到膝盖,又流过她的脚,这美妙的河流,卷走了所有的一切,使她在本质上成为一个新人,她完全自由了,她完全得到了放松,她完全是她自己了。因此,她平静而又高兴地站起来,冲他微笑。他站在她面前,脸上微微发光,是如此的真实,以至于她的心都要停止跳动了。

他奇异的身体站在那里,在他整个的身体里,有一股绝妙的泉水在流动,就像上帝始初世界里的儿子的身体。他身体里奇异的泉,比她所能够想象的,或知道的任何泉,都要神秘的多、有力的多、也令人满意的多,啊,最终,是神秘的肉体感到了满足。她原本认为没有比生殖器的源泉更深奥的源泉了。而现在,看吧,从他岩石般的身体里,从他奇异而又绝妙的腹部和腿部,比生殖器源泉更深远的神秘地方,奔涌出难以形容的黑暗和财富的河流。

他们那样地愉快,他们已经完全的忘乎所以了。他们笑着去用已备好的晚餐。有鹿肉馅饼,一大片火腿,鸡蛋和水芹,红甜菜根,欧楂和苹果馅饼,以及茶。

"这么多好吃的东西呀!"她高兴地大喊道,"看起来是多么的高贵!——我倒茶,可以吗?——"

她做起这类公众性的事情,比如倒茶,通常都是很紧张,不自信。但是,今天她却忘了,她做得很悠闲,完全忘了什么是害怕。茶水从细细的壶嘴儿中流出来的样子很漂亮。她给他递茶时,她的眼里是温柔的微笑。她终于学会了平静,熟练地做事了。

"一切都是我们的。"她对他说。

"一切。"他回答道。

她像是胜利了,格格地笑了。

"我感到很高兴!"她大喊道,带着一种无法形容的释然。

"我也是,"他说,"但是我认为,我们最好是尽我们所能,从我们的责任中解脱出来,越快越好。"

"什么责任?"她疑惑地问道。

"我们必须尽快丢掉我们的工作。"

她脸上露出一种谅解的表情。

"当然,"她说,"就那样做吧。"

"我们必须离开这儿,"他说,"没有别的路可走,只有尽快地离开这儿。"

她心存疑虑地从桌子的对面看着他。

"那去什么地方呢?"她说。

"不知道,"他说,"我们就四处走走吧。"

她再一次怀疑地看看他。

"在磨房里的时候,我是很快乐的。"她说。

"那儿太接近陈旧的事物,"他说,"我们还是四处走走吧。"

他的声音是那样的温柔和轻快,像兴奋剂一样,从她的血管里流过。然而,她想象着有一个山谷、荒芜的花园,那里很安静。她太盼望光辉壮丽了——一种贵族式奢侈的光辉壮丽。四处闲逛,好像让她感到不平静,不满意。

"你准备逛到什么地方呢?"她问。

"我不知道。我感到,我们好像是刚见面就要走开——就要到遥远的地方。"

"但是我们能到哪儿去呢?"她忧虑地问,"毕竟,这里只有一个世界,没有什么遥远的地方。"

"不过,"他说,"我喜欢和你一起走——不管到哪儿。最好是闲逛到不知道是哪儿的地方去。就到那个地方去。一个人应该从已知世界的某个地方离开，到他不知道的某个地方去。"

她仍在考虑。

"你明白，我的爱，"她说，"我所担心的是，只要我们还是人，我们就不得不去认识现存的世界，因为没有另外一个世界。"

"不，有那个世界，"他说，"有我们可以自由的地方——在那里人们不必穿更多的衣服——甚至什么都不穿——在那儿你可以碰到很多，阅历丰富的人，他们认为什么事都是理所当然的——在那儿你就是你自己，没有烦恼。有这样的地方——那里有一两个人——"

"可是，在哪儿呢——"她叹息道。

"在某个地方——无论在哪里，我们先逛一逛。这件事就是我们需要做的——让我们先逛逛吧。"

"好的，"她说，一想到旅行她就发抖，不过只是一次旅行罢了。

"去寻找自由，"他说。"去寻找自由，在一个自由的地方，和其他的一些人在一起！"

"好吧，"她考虑着说。那"其他的几个人"令她感到沮丧。

"可是，并不是说真得有这样一个地方，"他说，'这是你、我和其他人之间，一种理想的关系——理想的关系——这样，我们才能自由地呆在一起。"

"是的，我的爱，不是吗？"她说，"你和我，你和我，难道不是吗？"说着她向他伸出她的双臂。他忙走过去，弯下腰去吻她的脸。她又一次拥抱着他，双手从他的肩膀上伸展开，在那里，慢慢地移动着，慢慢地移到他的背部，顺着他的背部，重复着一个奇怪的节奏，仍然慢慢地向下移动，在他的腰臀和腹部上面，神秘地挤压着。一种庄严美妙，永远不能削弱的感觉，好像使她感到一阵狂喜，也好像使她在绝妙的激情中神秘地死掉了。她完全而又彻底地让他着魔了，以至于她自己都感到有些堕落。然而她只不过是坐在椅子中，投入地拥抱着他。

他又一次温柔地吻她。

"我们将永远不再分开，"他轻轻地低声说。她没说话，只是用双手在他身体上那黑暗源泉的上面紧紧地压着。

当他们从纯粹的狂喜中醒来时，他们当时就决定，写辞职书。她也愿意这样做。

他按了一下铃儿，要了一些没有地址的信纸。侍者把桌子清理了一下。

"那么现在，"他说，"你先写你的。写上你的家庭住址和日期——然后写'教育主管，市政厅××先生——'好——！我实在是不知道如何忍耐下去——我希望至多用一个月,解决这个问题——无论如何'写××先生,我请求辞去,我在威利·格林小学的职务。如果不超过一个月的期限,你能尽快地批准我的辞职,我将会非常感谢你的。'就这样吧。你写好了吗?让我看看。'厄秀拉·布朗温'。好的!现在我开始写我的。我应该给他们三个月的期限,不过我可以拿我的健康状况来为自己辩解。我能把这安排的顺顺当当的。"

他坐下来,写他的正式辞职书。

"现在,"他封上信封、写好地址后,说,"我们把这两封信,从这儿一块寄出去吧?当他收到两封一样的信时,我知道杰克将会说:'这是巧合!'。我们让他这样说呢,还是不让他这样说呢?"

"我不介意他怎么说。"她说。

"不介意——?"他边考虑边问。

"那没什么关系,不是吗?"她说。

"对,"他回答,"不让他们胡乱猜我们。我先把你这封信寄走,然后再寄我的。我可不能忍受他们的胡乱想象。"

他看着她,眼睛里透出惊奇和真诚。

"是的,你是正确的。"她说。

她抬起头看着他,露出坦率的笑容,好像要把他吸进她率直的光辉中。他变得有点儿心慌意乱。

"我们走吧?"他说。

"照你说的做。"她回答道。

他们很快就出了小城,穿过乡村不平坦的小路。厄秀拉偎依着他,他永远都是温暖的,看着暗淡的灯光照亮的前方道路。有时是宽阔的老路,路的两边是宽阔的草地,车灯照耀下现出飞跃的魔影和精灵,时而前方出现树丛,时而露出布满荆棘的灌木丛、围场谷仓的尖顶。

"你准备去肖特兰兹吃晚饭吗?"厄秀拉突然问,他有点儿吃惊。

"我的天啊!"他叫道,"肖特兰兹!永远也不去了。而且,这也太迟了。"

"那我们到哪儿去呢?——到磨房去吗?"

"如果你愿意去,我们就去。在这样美丽的夜晚,去哪儿都是遗憾。走出这样的夜幕,确实是遗憾。遗憾的是,我们不能在这美好的夜色中停下来。这夜色将会好于任何事物——这美好的夜晚呀。"

她很好奇地坐在车里。汽车颠簸摇动着。她明白他是不会离开她的,这漆黑的夜把他们两人包围起来,这黑夜是无法超越的。此外,她对他那温暖的腰臀有了神秘、完全的了解,黑暗的感知,在她的了解中,有一种必然性和命运的美丽，这种命运是人们所需要的，也是必须完全接受的。

他像埃及法老那样，静静地坐在那儿，开着车。他感到他好像是一座真正的埃及雕塑，有一种远古的力量，这力量真实而又有着微妙的力量。他嘴角上挂着一丝茫然的、难以捉摸的微笑。他知道有一股奇怪的、不可思议的力量的河流，在他的脊背和腰部流着，直流向双腿，这力量使他完全地固定在那儿，他下意识地笑了起来。他明白；在另一种基本的，也是最深刻的肉体意识中，即将清醒和有效的东西是什么。依靠这个源泉，他有了完美而又神秘的控制力，像电流一样，黑暗中的一种不可思议的而又神秘的力量。

想开始谈话是非常困难的，坐在这纯粹而真实的静默中，是这样的完美，这静默中充满了不可思议的认识，和不可思议的力量，它又被一种永恒的力量支持着，像纹丝不动而又有力的埃及人那样，永远坐在活生生、微妙的静寂中。

"我们没有必要回家了，"他说，"这辆车里的座位可以放下来，当作床，而且我们还可以把车篷撑起来。"

她既高兴又吃惊，畏缩着靠近了他。

"那么家里的人怎么办呢？"她说。

"拍个电报吧。"

他们没再说什么，静静地开着车向前走。但是他一转念，又驾驶着车，开向了另一个方向。他还有足够的理智来指挥自己的行动。他的手臂、胸膛和头脑，像古希腊人一样灵活，他也决没有古埃及人那样的毫无感觉和僵直的手臂，也没有他们那样封闭、不清醒的头脑。一种闪耀着光芒的智慧，照耀着他那潜在的，纯粹埃及人式的黑暗中的注意力。

他们来到一座临近大路的村庄。汽车沿着大路缓慢地前进着，直到他看见了邮局，才停下车。

"我去给你父亲拍个电报，"他说，"我仅仅说'在城里过夜'，可以吗？"

"可以。"她回答道。她不希望在被打扰的情况下，去想什么东西。

她看着他进了邮局。她看见这个邮局还是一家商店。他也真够奇怪的。甚至，当他走进明亮的公共场合，他仍保持着黑暗，并且具有一种魔力，那真正的寂静在他真实的身体中，变得有些微妙，有力，难以发现。他就在那儿！在一阵莫明奇妙的兴奋中，她看见了他，他永远都不会显露，威严的让人害怕，神秘而又真实。这个黑暗、微妙、并且真实的他，永远都不会改变，使她能够变得尽善尽美、进入一种自身理想的状态。因此，在静寂中她也变得隐秘了，并且得到了满足。

他出来了把一些包裹扔进了车里。

"这儿有一些面包、奶酪、葡萄干、苹果和纯巧克力,"他说,从他的声音可以听出来,他好像在笑,因为真实的他是完全沉静和有力的。她不得不去接触他,因为说和看是无关紧要的事情。通过看就想理解这里的他,是一种滑稽的想法。黑暗和寂静必须完全地笼罩着她,这样她才能通过触摸,去神秘地了解他。她必须轻轻地、无意识地和他结合,这种知识是知识的死亡,是在不经意间得到担保的现实。

不久,在黑暗中,他们又开车前进了。她没有问他们要去哪儿,去哪儿她都不介意。她安然冷漠地坐在那儿,纹丝不动,没有头脑。她坐在他身旁养神,像一颗星星,和他保持着难以想象的和谐。这里仍旧有着带有期望的神秘的柔光。她想触摸他。她的指尖意欲触到他身上的真实,温和、纯粹、永不改变的神秘的腰部的真实。在黑暗中投入地触摸他活生生的真实——他温和,完美的神秘的腰部和腿部,这是她永久的期望。

他也在不可思议的焦虑的坚定中等待着她来了解他,就像他已经从她那里得到了一样。他通过完全的黑暗,秘密地了解了她。现在她要了解他了,并且这样他也能得到一种解脱。他将会得到夜晚式的自由,像埃及人那样,在完全暂停的平静中,和身体中纯粹的神秘焦点上固定着。他们将会彼此保持着一种独一无二的,星星式的平衡。

她发现他们的车正奔跑在树丛中——古老的大树下是即将枯死的羊齿草。前面是苍白、粗糙的树干,就像在远处盘旋的一些老牧师,羊齿草变得不可思议和神秘了。这是一个漆黑的夜晚,云层压得很低,汽车缓慢地前进着。

"我们这是在哪儿?"她低声问道。

"在舍伍德森林中。"

很显然,他知道这个地方。他看着前面,缓慢地开着车。然后他们来到了树丛中的一条大路上。他们慎重地转了个弯,转到了橡树林中的一条小路上。那条小路渐渐拓宽,前面是一小片草地,有一条小溪在斜坡下流淌。白金把车停了下来。

"我们就停在这儿吧,"他说,"把车灯关掉吧。"

他立刻关了灯,四下里一片漆黑,树影像是夜里的其他生物。他在羊齿草上铺了一块毯子,然后他们就在沉静和不在意的静默中坐了下来。树林里发出微弱的响声,没有打扰,不可能有打扰,在一种前所未有的禁令下,世界变成了一个新的神话。他们脱掉衣服,他把她搂过来,发现了她,发现了她那永远没有看到过的肉体上,纯洁而又闪耀着光芒的真实。他压抑着野蛮的欲望,手指触在她未曾展示过的裸体上,沉寂压在沉寂上，神秘之夜的身体压在神秘之夜的身体上，男性和女性的夜晚，永远不可能用眼睛看清楚，或者是用头脑去了解，而仅仅把它看作是，一种活生生的可触知的异体显示。

她渴望他，抚摸着他，在黑暗、微妙、绝对的寂静中，得到了一种难以用言语来表达的，最大限度的交流，获得了华丽的礼物，她又奉献了出来，这完全是一种接受和屈从，是一种神秘的东西，其真实性永远也没有人能够知道，这种必须的，肉欲的真实永远也不能改变成意识内容，只能停留在意识的外面，这是神秘、沉静和微妙的活生生的肉体；是真实的神秘肉体。她使她的愿望得到了实现。他也使他的愿望得到了实现。因为，她对他来说，他对她来说，都是一种古老的神秘、真实的异体。

在车篷下，他们度过了那个寒冷的夜晚，一觉睡到天亮。当他醒来时，天已大亮了。他们彼此看了一下，笑了，然后又很神秘地看向远方。然后他们亲吻着，回忆着那个美丽的夜晚。那个夜晚是那样的美丽，那是一个神秘而又真实的世界的馈赠，甚至有点儿让他们害怕去回忆。于是他们避而不谈昨夜的感受。

第二十四章 死亡与爱情

托玛斯·克里奇正慢慢地走向死亡，慢得可怕。对每个人来说好像都是不可能的，生命的细丝被拉扯得是如此的细弱却仍然没有断开。病人整天躺在床上不能起来，身体极度虚弱，只能靠吗啡和酒来维持生命，他只是慢慢地品着酒。他只有半点意识，仅有的一丝意识把死亡的黑暗与生存的光明联接起来。但是他的意志仍然完好，他是一个完完整整的人。不过他必须有彻底的安静的环境。

除非是护士，任何人的到来都让他忍受不了。杰拉德每天早上都到这个屋子里来看望他，希望他的爸爸已经离开人世。但是他总是看到那张还很明晰的脸，苍白的额头上仍然是同样令人恐怖的黑色的头发，黑黑的眼睛视力已经很微弱，里面好象是被分解开的黑黑的一团。

每当那黑色不成形的眼睛看向他时，杰拉德就觉得自己的心脏内部都燃烧起反抗的烈火，好象燃遍了他的整个身体，危险地摧残着他的精神，让他发疯。

每天早上，儿子直直地站在那里，全身充满活力，金发碧眼闪闪发光。他这个样子总是置他的父亲于一种烦躁的恼怒中，他不能忍受杰拉德那离奇的蓝色目光。但这只是有一小会儿的时间。每一次都是处在分离的边缘，父亲和儿子总是互相看一眼然后就把目光转开。

杰拉德在很长的时间里都保持着一种绝对的镇静，他保持着相当的冷静。旦是最后，恐惧就向他袭来。他害怕自己会崩溃，他不得不等着结果。一种变态的心理让他眼睁睁地看着父亲被拉到生命的边缘上。但是现在，那巨大的恐怖感每天都敲击着儿子的心，燃烧着他。他整日都有一种畏缩的趋向，就像摩克里斯的剑正放在他的脖子上。

也没有地方可以逃，他和他的父亲是紧紧联系在一起的，他不得不看着他离开人世。但是父亲的意愿永远不会放松，不会向死亡让步。当生命最后被毁灭以后这意愿才会被毁灭，如果在肉体死亡以后它不能再持续下去的话。同样的，儿子的意志也永远不会屈从。他坚强地站立着，他把自己置身于这死亡和这垂死的人之外。

　　这是一种如审讯般的痛苦的折磨。他能够站着看着他的父亲溶解消失、在无限威力的死亡面前一点也不屈服地渐渐消失吗？像印第安人忍受刑罚的折磨一样，杰拉德甘愿勇敢地经历这种缓慢的死亡的全过程。他甚至已经觉得成功了。他甚至有一点希望这样的死，促进这种死亡。就好像他自己在控制这种死亡，甚至当他惊骇地退缩时也是如此。他还是要面对这种死亡，他会通过死亡而获得成功的。

　　但是在这种痛苦折磨的压力下，杰拉德也失去了他对外面日常生活的控制。那曾经对他来说很重要的事物现在变得没有一点意义了。工作和趣事都抛到了后面。他现在做起事来非常机械。这些都是毫无关系的活动，他真正的活动是他自己的灵魂与死亡的可怕的斗争。他的决心应该获得成功。不管有什么样的事情发生，他都不会让步并承认谁是他的主人。在死亡中他没有主人。

　　但是当这场斗争还在进行的时候，曾经的他被消灭了，他四周的生活是一个空空的壳子，生活像大海一样怒吼着，他也参加了这外表上的咆哮，但是这空壳的里面却是死亡那充斥着黑暗的令人恐怖的空间，他知道他不得不寻找援军，不然的话他就会崩溃在这强大的黑暗空间里，这空间就在他灵魂的中心。他的意愿使他控制着外面的生活、外在的精神和外在的生命，这些都是完整的、没有变化的。但是这压力太大了。他必须要找到一些东西来保持良好的平衡。这些东西必须跟他一块进入他精神中的那块什么也没有的死亡空间，去填满它，以抵抗外界的压力。一天接着一天，他感到自己越来越像充满黑暗的泡沫，四周围绕的是他知觉中的彩虹，外部世界和生活就在这意识的彩虹上怒吼着。

　　在这种极端的情形下，他本能地找起戈珍来。他现在把一切事物都扔掉了，只想和戈珍确立起关系来。他常跟着她到工作室里来，离她很近跟她说话。他在工作室里这儿站站那儿站站，漫无目的地拿起工具、雕塑用的泥巴和她做的小人儿——一些奇形怪状的东西——看着这些东西，却无法感知它们。戈珍觉得他正跟着她，像一种命运正在缠绕着她。她避开了他，然而他一直在一点又一点地靠近她。

　　"我说，"一天晚上，他未加思虑，不确定地对她说，"今天晚上为什么不留下一块吃饭呢？我希望你愿意。"

　　她有一点惊奇。他同她说话的样子好像是一个男人要求另一个男人。

　　"他们会在家里等我的。"她说。

　　"噢，他们不会在意的，不是吗？"他说，"如果你愿意呆这儿，我会非常高兴的。"

经过一阵长长的沉默,她终于答应了。

"我准备告诉托玛斯,可以吗?"他说。

"吃过饭后我必须得立刻离开。"她说。

这是一个黑暗的寒冷的晚上。客厅里没有火炉,他们就坐在藏书室里,他大部分的时间是安静的,心不在焉的,温妮弗莱德也说得很少。但是当杰拉德站起来对她微笑时,他表现得很高兴、与平时一样。然后他又是很长时间都没有表情,这个样子他自己也没有意识到。

她总是被他吸引。他看上去那么全神贯注,那种奇怪的没有表情的沉默是她无法理解的,她动心了,她想知道他的事情,她觉得他是可敬的。

但是他十分亲切。在饭桌上他给她吃最好的东西。知道她会选择与勃艮第不同的一种名酒,他就亲自拿来了这种美味的略微有点儿甜的葡萄酒。她觉得她自己是受人尊重的、是被需要的。

当他们在书房中喝咖啡时,传来了一声很轻很轻的敲门声。他吓了一跳,大声说:"进来。"他的声音,就像某些东西在很高的地方振动。让戈珍觉得不安。穿着白衣服的护士像一个阴影一样进来了,在门口犹豫着。她很美丽,但是奇怪的是,她很害羞、没有自信心。

"克里奇先生,医生想要和你说话。"她用一种低低的、慎重的声音说。

"医生!"他吃惊得跳起来说,"他在哪里?"

"他在餐厅里。"

"告诉他,我马上就来。"

说完他喝光他的咖啡跟随着影子一样消失的护士离开了。

"那个护士是谁?"戈珍问。

"英格丽斯小姐,我最喜欢她了。"温妮弗莱德说。

过了一会儿,杰拉德就回来了,他好像沉浸在自己的思想里面,那紧张的茫然无措的样子看上去好像一个微醉的人。他没有说医生让他去干什么。只是把手放在背后站在炉子的前面,一副全神贯注的样子。他并不是真地在思考什么,他只是心里有放不下的悬念,头脑里乱得没有一点头绪。

"我现在必须得去看看我妈妈,"温妮弗莱德说,"在爸爸睡觉前去看看爸爸。"

说完她向他们两个道了声晚安。

戈珍也站起来准备离开。

"你不一定要走的,非得走吗?"杰拉德很快地看了一眼钟表说,"还很早呢。你走的时候我和你一块,就算散散步。坐下来,不要急着离开。"

戈珍又坐了下来,象他一样的心不在焉。杰拉德的力量支配了她,她觉得自己几乎对他着迷。对她来说,他是个陌生人,是个未知物。他这样全神贯注地站在那儿一句话也不说,他在思考什么,他有什么样的感觉?她感觉到他控制了她,他不会让她走的。她用一种很谦逊的服从的眼神注视着他。

"是不是医生告诉了你一些新的事情?"她温柔地、非常温和地问道。这羞怯的同情心感动了他敏感的心扉。他用一种粗心大意地、无关紧要的表情扬了一下眉毛。

"没,没什么新的事情,"他回答说,好像这个问题十分不经意,微不足道。"他说,脉搏非常弱,实际上是断断续续,但是那并不意味着什么,你知道的。"

他低头注视着她。她的眼睛黑黑的,目光温柔,一种被打动的情绪将他唤醒了。

"不,"她终于低语说,"对这些事情我一点都不理解。"

"幸好你不懂,"他说。"我说,为什么不抽支烟呢?——给!"他说着拿出一包烟,并为她点着了火儿。接着他站在她的前面,挨着炉子。

"没有,"他说,"我们这个房子里的人从来都没有生过这样的病,除了父亲,"他说。他好像考虑了一下,然后又低下头注视着她,那双奇怪的会说话的蓝眼睛让她觉得可怕。他接着说:"你知道,有些东西是你无法对付的。直到发生了以后你才觉悟到它一直存在着,总是这个样子。你理解我的意思吗?——这种不能治愈的疾病,这种缓慢的死亡。"

他的脚不自在地在炉前的地面上移动着,把雪茄烟放在嘴里面,眼睛向上看着天花板。

"我了解。"戈珍喃喃自语说:"这是很可怕的。"

他心神不宁地吸着烟。然后他把香烟拿离嘴边,舌尖伸到露出的两排牙齿之间,吐掉一些烟碴,轻轻转过身来,好像一个孤独的人,或者一个陷入沉思的人。

"我不知道实际的结果是什么,实际上,"他说,然后又低下头看着她。她黑色的眼睛理解地看着他的眼睛。他看到她也沉浸在其中了,就把脸转向一边。"我绝对不会这样想的。一点东西都不会留下,如果你理解我的意思?你好像抓住了空虚,而同时你自己却很空虚。因此你不知道怎么做。"

"不知道,"她低语说。她觉得她的神经太紧张,太沉重,好像很高兴又好像很痛苦。"应该做些什么呢?"她又加了一句。

他转过身来,把烟灰掸到炉子前的大理石上,壁炉前没有围栏或障碍物。

"我不知道,我真的不知道,"他回答说。"但我真的认为你应该可以找到扭转这种状况的办法,并不是因为你想这样,而是因为你一定要这样,不然的话你就不行了。所有你的一切都面临着崩溃,你不能再用双手来控制这些了。这种状况显然不能再继续下去了。你不能忍受一直都用双手托举着屋顶吧?你懂得你迟早都会不得不放手的。你能理解我所说的话吗?因此一些事情一定得做了,不然将会有一次世界性的崩溃——至少就你自己来说是这样的。"

他在炉边慢慢地走着,脚后跟把火星踩成了灰烬。他低下头看它。戈珍意识到,壁炉前古老的大理石面板非常漂亮,稍稍凸起一些雕花,围绕着它又在他之上。她觉得自己好像最终被命运抓住了,被监禁在了恐怖的、致命性的陷阱中。

"但是该做些什么呢?"她谦恭地低语道。"如果我能给你提供任何帮助的话请一定要告诉我,但是我该怎样做呢?我不清楚怎么去帮助你。"

他低头审视着她。

"我不想让你帮助我,"他有点恼怒地说,"因为没有事情可以做。我只想要同情:你明白吗?我想找一个人说说心里话,那样能减轻我的压力。但是没有一个人能让我掏心掏肺地跟他说说。那是很古怪的事情,没有一个人。伯金倒是能跟他说说,但是他没有同情心,他想指使别人。不管跟他说什么都没用。"

她掉进了一个陌生的陷阱中。她只能低下头看着自己的手。

这时传来一种门被轻轻地推开的声音。杰拉德惊跳起来。他感到非常气愤。他这个样子真的让戈珍很惊奇。接着他急地向前走去,显得很优雅的样子。

"啊,妈妈!"他说,"你下来是多么好啊,你好吗?"

老夫人穿着松松散散的紫色长袍,象平常一样笨重地安静地走了过来。她的儿子走在她的一边,给她拿过来一把椅子,说:"您知道布朗温小姐的,不是吗?"

他的母亲冷淡地扫了一眼戈珍。

"是的,"她说。然后她缓慢地坐在她儿子给她搬的椅子上,转动着她蓝色的眼睛向上看了看她的儿子。

"我来问问关于你父亲的事情。"她用很快的,几乎让人听不清的声音说,"我不知道你有客人。"

"真的吗?温妮弗莱德没给你说过?布朗温小姐留在这儿吃晚饭,让我们这儿有一点生机勃勃了。"

克里奇太太慢慢地转过身看着戈珍，仍然用一种不在意的眼神。

"我怕我们对你招待的不好。"然后她又转身对儿子说。"温妮弗莱德告诉我说医生要找你谈谈你父亲的事情。他说什么了？"

"仅仅说他的脉搏非常弱——总之耽误了很长时间了——他也许不能坚持过今天晚上了。"杰拉德回答。

克里奇太太傻傻地冷漠地坐着，好像她没有听见他的话。她的身体好像在椅子中隆起，金色的头发散到耳朵后面。但是她的皮肤是光滑美丽的，她的手，当她坐在那儿的时候叠放着，是很好看的，充满着潜在的力量。聚集在她身体内那巨大的能量好像在这一刻衰退了。

她抬起头看着站在身边离她很近的儿子，他是敏锐而英勇的。她的眼睛一直是非常惊人的蓝，比"勿忘我"还要蓝。她好像对杰拉德十分信任，可是作为母亲又有点不太相信他。

"你好吗？"她用一种轻得令人奇怪的声音低语着，好像除了他以外再也不想让任何人听见。"你不会进入那种状态的，是吧？你不会让你自己歇斯底里的吧？"

最后一句话里奇怪的挑战使戈珍很惊奇。

"我认为不会的，妈妈。"他回答说，他的口气相当地冷淡又相当地轻松，"反正得有些人一直奉陪的。"

"真的吗？真的吗？"他的母亲很快地说道，"为什么你要压在自己身上呢？你要做些什么呢？看着吧，它自己会结束的，你是不需要的。"

"是的，我并不觉得我能做些什么有用的事情。"他回答说，"但是我们都要受到影响的，你知道。"

"你乐意受影响，是吗？这让你十分发狂吗？它会让你变得十分重要的。你不需要呆在家里的，你为什么不离开呢？"

她说的这些话显然是考虑了很长时间，已经是很成熟了，杰拉德感到很惊奇。

"我不认为现在离开是好的，妈妈，这是最后的时刻。"他冷漠地说。

"你可要小心，"母亲回答说，"你注意好你自己，那才是你的事情。你自己扛的太多了。一定要当心，不然的话你就会发现你自己在困境中。那是会发生到你身上的。你总是异常兴奋。"

"我很好，妈妈，"他说，"为我担心是没有用的，我向你保证。"

"让死人去埋葬死人吧，不要把你自己也和他们一块埋葬进去——我要给你说的就是这些。我对你太了解了。"

他没有回答，他不知道应该说些什么。母亲弯着腰静静地坐在椅子里，她手腕上没戴一点装饰品，她非常漂亮的白白的手紧握住椅子扶手儿。

"你不能做这些事。"她几乎悲痛地说,"你没有那勇气。你弱得像小猫儿一样,真的,总是这样。这位年轻的小姐今天呆在这儿吗?"

"不,"他说,"她今天晚上打算回家。"

"那她最好坐单匹马车。她得走很远吗?"

"只到贝多弗。"

"啊!"这老女人从来都没有看戈珍,但是她好像能感觉到她的存在。

"你有宁愿给自己加重负担的倾向,杰拉德。"说完她母亲有点困难地站了起来。

"你要离开吗,妈妈?"他很有礼貌地问道。

"是的,我要上去了,"她回答说,她又扭过头来向戈珍道了声"晚安",然后她慢慢地走向门口,好像她不惯于行走一样。在门口,她向杰拉德默默地抬起脸。他吻了吻她。

"不要再跟我走了,"她用几乎让人听不清的声音说。"我不想再让你多走一步。"

他向她道了晚安,注视着她走到楼梯口,慢慢地上了楼。然后他关上门又来到戈珍身旁。戈珍也站起来向他走过去。

"我妈妈是个很奇怪的人。"他说。

"是的。"她回答说。

"她有她自己的思想。"

"对。"戈珍说。

接着他们都不说话了。

"你想离开吗?"他问,"等一会儿,我去准备马车。"

"不要,"戈珍说,"我想走着回去。"

他答应过要和她一块沿着长长的、寂寞的路线走回去,她很想让他这么做。

"坐车回去也是一样的嘛。"他说。

"我宁愿选择走路。"她强调说。

"你会吗?!那我和你一块走。你知道你的东西放在哪儿吗?我去把我的靴子穿上。"

他戴上帽子,又在晚礼服上罩上一件大衣,然后他们就走进了夜色中。

"让我们点着一支烟吧,"他在门廊上的角落里停下来点烟,他说,"你也吸一支吧。"

就这样他们在黑夜里香烟的气味中上路了,路两边是修理得非常整齐

299

的树篱笆和草场。

他想用胳膊搂住她。如果他能搂住她的腰,一边走一边把她搂向自己,这样他可以让自己平衡下来。现在他觉得自己像一个天平,天平的一端正向无底的深渊沉下去。他一定得使自己恢复某种平衡才好。恢复平衡的希望就在这里。

他看也不看她,仅仅想着他自己,他伸出手轻柔地用手环住她的腰并把她拉向他。她的心变得很无力,她觉得她自己被他占有了。但是他的胳膊太强壮了,她在他有力的拥抱下感到恐惧。她觉得自己已经死了一回,但是他在黑夜中一边走一边又把她拉了过去。他拥着她,两个人走着,感觉到最好的平衡。于是他突然间觉得自己被解放了,完美了,强大了,英勇了。

他伸出手把香烟从口里拿出来扔掉,只看见黑暗的树篱中亮起了一个火星。然后他能十分自由地拥住她以保持平衡了。

"现在好了。"他狂喜地说。

他声音中表现出来的狂喜之情对她来讲就像一剂甜甜的毒药。她此时对于他意义竟如此重大!因此她吮吸着这毒药。

"你更快乐了吗?"她热切地问道。

"好多了,"他依然用狂喜的声音说,"我有点飘飘然了。"

她偎依着他。他觉得她全身都是柔软的,温暖的,她就是他富有的、有趣的存在实体。她走路时全身的热量和动作都极佳地传给了他。

"如果我能帮助你的话,我会感到非常快乐的。"她说。

"是的,"他回答说,"如果你不能的话,其他的任何人都不能做到了。"

"那是对的,"她心里想,她感到前所未有的兴高采烈。

他们走着的时候,他好像把她拉得越来越近,一直到她紧挨住他的身体并随着他走。他是如此的强壮,能支持非常大的压力,他是不能被摆脱的。她被他裹挟着在狂风大作的黑暗的山坡上行走着,那肉体与肉体的交融美妙至极。远处,贝多弗闪着微黄的灯光,许多灯火在那面黑暗的山坡上伸展开了一条灯的光带。可是他与她则在完美的、被世界孤立的黑暗中行走着。

"但是你对我照顾得太多了!"她的声音传来,几乎有点暴躁地说,"你看,我不了解,我不能理解!"

"太多了!"他的声音里有一种悲痛的激动。"我也不明白,但是一切都是为了你。"他被自己的宣言震惊了。这是真的。他自己也竭尽全力保护她,他为她注意到了一切事物,她就是他的一切。

"但是我不能相信，"她用低沉的嗓音吃惊地、发着抖说。她全身由于怀疑和激动而颤动着。这就是她要听的，只是这些话。现在，她听见了，听到了他响亮的声音说出了这句真实的话，然而她却不能相信。她不能相信——她不相信。但是她最后相信了，觉得成功了，感到了毁灭性的激动。

　　"为什么不？"他说，"你为什么不相信呢？这是真的，这是真的。就好像我们现在站在这儿一样。"他与她一块站立在风中。"天国里的、地球上的我都不在意，在我们所在的这个地方以外，除了你，我什么都不在意。我在意的不是我自己的存在，这一切都是你的。我可以出卖我的灵魂一百次——但是我不能忍受没有你在这儿。我不能忍受孤独。我的脑子会爆裂的。这是真的。"他勇敢地把她拉得更近了。

　　"不行，"她低语着，有点害怕。但是这正是她想要的。她为什么要这样丧失勇气呢？

　　他们又开始了他们奇怪的步行。他们是这样的陌生人，但是他们又离得如此的近，真是令人无法想象。这是一种愚蠢的行为，但是这就是她想要的，这就是她想要的。他们从山上走了下来，现在他们来到了矿区铁路的方形拱桥下。戈珍知道这个拱桥，正方形的石头做成的桥壁一面长满了青苔，水从墙壁上流了下来。但是另一面则是很干燥的，她站立在桥的下面，听着头顶上火车隆隆地从圆木上驶过。她了解，在这座黑暗的、孤独的桥下面，每到下雨的时候年轻的矿工们就会和他们的爱人一起站在黑暗的桥下面。因此她也希望同自己的爱人一起站在桥下，在无形的黑暗中让他吻自己。当临近拱桥的时候她的脚步变得缓慢。

　　这样，他们静静地站在桥下面，他把她抱起来，让她趴在自己胸前。他的身体紧张地颤抖着，他紧紧地拥着她，她被粉碎了，粉碎在他的胸前，不能呼吸，她要昏倒了，要被破坏了。啊，真太可怕了，太完美了，在这个桥下面，矿工们都这样把他们的爱人抱在胸前。而现在，在这个桥下面，他们的矿主人却把她拥向他自己了！并且他的拥抱要比他们的拥抱有力得多、骇人得多，他的爱比他们专注的多、高尚的多！她觉得她就要在他那颤抖着的、野蛮的胳膊和身体下晕过去、死过去，她就要死了。然后他的这种不可思议的剧烈的抖动变弱了、慢慢地起伏着。他放开她，背靠墙壁站立着，又把她拥了过去。

　　她几乎不省人世了。矿工们也一定是这样用他们的背挨着墙壁站立着，抱着他们的爱人吻着，就好像现在她被吻的样子。啊，他们的吻能比这位矿主有力的吻更美好、更强大吗？甚至他那修得短短的锋利的胡须，那些矿工们一定不可能有那些的。

那些矿工的爱人们也会像她一样头向后仰着,从拱桥下遥望远处看不见的黑暗的山上那一条黄色的紧密的光斑,看着模糊的树影,或看着另一个方向矿山上放木头的院子里的建筑物。

他的胳膊牢牢地拥着她,好象要把她融入到自己的身体中去,她的热情,她的柔和,她让人崇拜的身体,他都热切地盼望着,沉迷在肉体与肉体的融合中。他举起她,好像要把酒倒向一个茶杯一样把她倒向自己。

"这比一切事情都值。"他用一种奇怪的富有穿透力的声音说。

因此她放松了,好像要融化,要涌向他,好像她是一股无穷的暖流和珍贵的东西,像一副麻醉剂打入了他的血管中。她的双臂环住他的脖子,他举起她,她全身都静止了,她向他奔腾着,而他就如一个坚固的强壮的杯子,接受她生命的酒。她就这样靠着他,进退两难,悬挂在空中,在他的一个吻下融化、融化,溶入他的四肢和骨骼中,好像他是装载着她火热生命的铁流。

一直到她好像又昏了过去,她的思想慢慢地远去了,她身体里的一切东西都溶化了、流动着,她就这样静静地被他抱着躺在他的怀中就好像闪电躺在纯洁的、温和的石头中。她就这样在他怀中慢慢的睡了过去,终于他变得很完美。

当她再次睁开眼睛并且看到远处的灯光的小斑点时,她觉得非常惊奇,好像这个世界仍然存在着,她正站在桥下把头放在他的胸口。杰拉德,他是谁?他是个优美的冒险物,一个令她渴望的未知世界。

她抬起头来看着他,在黑暗中她看到他那张男性的脸非常有条理。好像一种暗淡的白色的光从他身上散发出来,一个白色的光环。好像他是一个未知世界的来访者。她伸出胳膊,就如夏娃把手伸向智慧树上的苹果,她吻了他,虽然她对他那样的人有一种很超然的害怕,她仍然用自己纤细精致的手指爱抚他的脸,她的手指在他脸上盘旋着。他是这么美好,又是这么陌生——啊,多么危险啊!想到这些,她的灵魂因这种完全的认知而发抖了。这是一张男人的脸,就是一个发光的禁止吃的苹果。她吻了他,把她的手指从他面孔上、眼睛上、鼻孔上和眉毛上、耳朵上摸到他的脖子上,她想要了解他,用抚摸来得到他。他是那样的结实、那样的有条理,他那外形十分好看的脸抚摸起来让人非常舒服,简直无法想象。他是个不是用言语能让你说清楚的怪人,但是他全身却闪耀着离奇的白色光焰。她要触摸他、触摸他、触摸他,一直到她用双手完全拥有了他。一直到她强迫他让她去了解,啊,如果她对他能有一个全面的了解,这该是多么的珍贵啊,她会因此而觉得满足的,什么都不能剥夺这些,他是如此的不确定,在一般人的世界里他太危险了。

"你是如此的美丽。"她低语着。

他思考着，觉得被悬浮起来了。但是她觉得他在发抖，因此她就不知不觉地向他靠近了。他不能控制自己了。她把他置于她的手指的力量之中。这些无法计量的、无法计量的想往唤醒了他比死亡还深的欲望，这让他别无选择。

但是她现在明白他了，这就足够了。在这个时间，她的灵魂被他体内那流动着的闪电破坏了。她明白。这种认识是一种死亡，她必须从中获得再生才行。他那儿还有多少更多的事物她得去了解呢？啊，很多，很多，她那双敏锐的、聪明的手抚摸着他鲜活的、发着电光的身体，获得了巨大的丰收。

啊，她的手是热切地、渴望地要感知他。但是，就现在来说，就她的灵魂所能承受的负担来说，这就足够了，足够了。太多了，她会破坏她自己的，她的灵魂被填充得太快了，将要破碎了。现在足够了，一下子她满足了。以后还将会有更多的日子，她的双手像鸟儿找食一样在他富有雕塑感的神秘的身体上徘徊，直到她觉得满足为止。

他甚至高兴让她检查、指责和控制。渴望一个人总比控制一个人要好得多，人们对结局的憎恨同对它的渴望一样深。

他们两人向小镇上走去，向有星星点点的灯光的地方走去，一直走到山谷中黑暗的公路上。他们终于来到了大门口。

"不要再走了，"她说。

"你不愿意让我送了？"他问，他放心了。他不想和她一起走在公共大街上，这时他的灵魂是赤裸裸的、发亮的。

"对，晚安。"她说着伸出手来。他抓住它，接着又吻了吻那危险而有力的手指。

"晚安，"他说，"明天见。"

然后他们分开了。他回去了，全身都充满了力量以及对生命的渴望。

但是第二天她没有来，她送来一个短信说她患了感冒得呆在屋里。这真是一个让人痛苦的事情！但是他仍然控制着他的精神很有耐心地给她回了一封短信，告诉她见不到她他是多么着急。

第二天，他在家里呆着——到办公室去好像是没有用的。他的父亲不能活过这个星期了。因此他就茫然地呆在家中。

杰拉德坐在他父亲的房间中挨着窗户的椅子里。房子外是一幅黑色的冬景。他父亲面色苍白地躺在床上。护士悄悄地来回走动着，她的白衣服整洁而又端庄，甚至可以说很美丽。房子里有着科隆香水发出的香味。护士走到外面去了，杰拉德就单独和死亡呆在一起，面对着冬天黑色的风景画。

"丹利还有很多水吗?"床上传来一个虚弱的声音,父亲的语气中带着几分不满。这个垂死的人在问关于威利湖向矿井漏水的事情。

"还有很多,我们会把湖水抽干的。"杰拉德说。

"是吗?"说完那虚弱的声音又消失了。房子里又是一片绝对的安静。面色苍白的病人闭上了眼睛,那样子比死更可怕。杰拉德移开目光,他觉得他的心干枯了,如果这种情况持续得再长一些,他的心会麻木的。

突然他听到了一个奇异的声音。转过身去,他看见父亲的眼睛大睁着,全身抽动着、狂暴地翻腾着、野蛮地斗争着。杰拉德站起身来,吓得站在那里呆住了。

"啊——啊——啊!"父亲的咽喉里发出恐怖的咕哝声,可怕的目光疯狂地投向杰拉德寻求帮助,接着他吐出一滩黑血和食物,涂了一脸。拉紧的身体放松了,头倒在一边的枕头上。

杰拉德呆呆地站着,精神一直处于恐怖之中。他想移动一下,但是他又动不了。他不能移动他的四肢。他的头好像在隆隆的响着,像脉搏一样。

护士温柔地走了进来。她匆匆地扫视了一下杰拉德,接着又向床上看去。

"啊!"她轻声叫了一声,她迅速地向那个要死的人奔过去。"啊——啊!"她发出了一个轻微的悲痛的不安的声音,当她弯着腰站在床边的时候。接着她又清醒过来,转身去寻找毛巾和海绵。她小心地擦着死人的面孔,低语着、非常温柔地悲哀地诉说着:"悲惨的克里奇先生——悲惨的克里奇先生!啊,悲惨啊!"

"他死了吗?"杰拉德尖叫道。

"噢,是的,他走了。"护士用柔和的呜咽的声音回答说,当她抬起头看他的脸时。年轻漂亮的护士浑身发抖。一种奇怪的笑出现在了杰拉德的脸上,在恐怖之中,接着他走出了屋子。

他打算去告诉他的妈妈。在楼梯平台,他碰见了他的弟弟巴塞尔。

"他走了,巴塞尔,"他说,他几乎不能压低他的声音,无法掩饰潜意识中的恐惧。

"什么?"巴塞尔大喊着,他的脸变白了。

杰拉德点了点头,接着他继续向他妈妈的房间里走去。

母亲身上穿着紫色的长袍坐着,她正做着缝纫活,很慢很慢地缝着。她缝了一针又一针。她用她勇敢的,蓝色的眼睛看了看杰拉德。

"爸爸走了。"他说。

"他去世了？谁这样说的？"

"哦，你会明白的，母亲，如果你去瞧瞧。"

她放下缝纫的东西，慢慢地站起来。

"你准备去看望他吗？"他问道。

"是的。"她说。

在床的旁边，孩子们站着哭成一团。

"噢，妈妈！"女儿们几乎用一种歇斯底里的声音大声地哭着。

但是这个母亲一直向前走。这个死人静静地躺在那儿，好像沉睡着，睡得是如此的安详，就像一个年轻人在纯洁地睡着。他身子还是温暖的。她站在那儿，阴郁地沉默着看着他，好大一会儿。

"唉，"她终于悲痛地开口说话了，好像是在对着空气中无形的人说着。"你死去了。"她沉默地站了几分钟，又低下头。"真英俊，"她宣称说，"真英俊，好像生活从来没有触摸过你，从来没有触摸过你。上天让我用另一种眼光看你。我希望，当我死去的时候，我会表现出很年轻的样子。非常漂亮，非常漂亮。"她对着他低低地说着，"你们能看出他年轻时候的样子，刚刚长第一根胡须的时候。一个很英俊的灵魂，英俊。"接着在她的声音里出现了一种撕裂的痛苦，她哭了："当你们去世的时候，没有一个会和这一样的！不要让它再发生了。"

这是从一个陌生的野蛮的从不为人所知的地方发出的命令。听到她声音里可怕的命令，孩子们不自觉地移在了一起，成了一个很近的团体。她的脸是明亮的红色，她看起来既令人害怕又让人觉得高兴。"责备我吧，若是你们喜欢，就责备我吧，他像一个年少的孩子一样躺在那儿，像脸上刚长胡子时一样，责备我吧，如果你们喜欢。但是你们没有一个人能知道。"她一句话也不说，内心紧张地沉默着。

接着她又用一个低低的、紧张的声音说："若是我想到我生的孩子会如此这般地死去，我就会在他们还是婴儿的时候扼死他们，对——"

"不，妈妈，"从她的背后杰拉德那里传来一个奇怪的号角似的声音，"我们是不同的，我们不会责备你的。"

她转身过来，盯着他的眼睛。接着她举起手来，做了一个疯狂般的绝望的奇怪的手式。

"祷告吧！"她强有力地说，"向神祷告，为了你们自己向神祷告，因为你们无法从你们的父母那儿得到帮助。"

"噢，妈妈！"女儿们又发疯地大哭着。

但是她已经转身走开了，他们也很快地互相彼此离开。

当戈珍听到克里奇先生死讯的时候，她觉得自责。她从那里走开以防

305

杰拉德想她是很容易得到手的。但是现在,杰拉德正处于困境之中,但是她还是非常冷淡。

随后的一天,她和平常一样去找温妮弗莱德。温妮非常乐意看见她,乘机跑到工作室中来。这个女孩呜咽着,她太害怕了,接着又跑到一边去了,好像避免最后再发生悲剧似的。她和戈珍如平常一样在与外界隔离的工作室中重新开始工作,这好像是一个不可估量的幸福,在空虚的悲惨的家之外,这儿绝对是个自由的地方。戈珍一直呆到晚上。晚餐被送到工作室中来,她和温妮可以自由自在地吃着,和这个屋子中所有的人都分离。

吃过晚饭之后,杰拉德进来了。高高的工作室中充满着阴影,弥漫着咖啡的芬芳。戈珍和温妮弗莱德的小桌子靠在火炉旁,桌子上有一个白色的灯,但是灯光不会传播得很远。她们自己是一个微小的世界,两个女孩被有趣的影子环绕着,头上是横梁和椽子,工作室的下面是长椅子和有阴影的工具。

"你们这儿十分安静啊。"杰拉德走进来说。

这里有一个矮矮的用砖做成的壁炉,炉火熊熊。地板上有一块土耳其地毯,小橡木桌子上放着一盏灯,桌子铺着蓝白色花的桌布。上面放着甜点心,戈珍正用一个样式很奇怪的铜壶煮咖啡,温妮弗莱德则在一只很小的平底锅里热着少许牛奶。

"你已经喝过咖啡了吗?"戈珍说。

"喝过了,但是我想和你们一块再喝一些。"他说。

"那你必须用玻璃杯喝了,这里只有两只瓷杯子。"温妮弗莱德说。

"这对我讲都是一样的,"他说着拿了一把椅子坐在她们两个的小团体中。她们是多么快乐啊,在这个崇高的阴影中,和她们在一块是多么舒适啊!那个外面的世界,在那儿他一整天都在处理葬礼的事情,一来到这儿,就把那个世界全忘光了。很快他觉得这儿有一种迷人的不可思议的力量。

她们所有的东西都很精美,两个镀金的深红色的可爱的小杯子。一只绘着深红圆圈图案黑色的小罐子,样式古怪的咖啡具好像稳定地流动着看不见的火。这里好像有强烈的相当不好的影响,杰拉德立刻想要逃避他自己。

他们都坐下了,戈珍小心地倒出咖啡。

"你想要牛奶吗?"她镇静地问,但是握着小黑罐的手却非常慌张。她一直是这样的,虽然如此的着急,却总能完全地支配自己。

"不,我不要。"他回答说。

这样,她十分谦卑地给他放好小咖啡杯子,但她自己则用那个难看的大玻璃杯。她好像非常想为他服务。

"你为什么不给我用那个酒杯,对你来说它太笨拙了。"他说。他很想用酒杯,并且看着她在优美地服务着。但是戈珍沉默着,她非常高兴像仆人一样服侍他。

"你们好像是在家里一样。"他说。

"是。但是一有客人,我们就不自在了。"温妮弗莱德说。

"是吗?这么说,我是一个侵略者了?"

他立刻感到庄重的衣服有点不合适,他是一个外面的人。

戈珍十分安静。她不觉得他迷住了自己她就得和他说话。在这个时间这个场所,保持沉默是再好不过的法子,或者仅仅说一两句也行。把最认真的事情放在一边是最好的。他们欢乐地,轻轻地说着话,一直到他们听见下面的那个人向外拉马的声音。同时他喊着"往后!"把马套上马车,打算送戈珍回去。因此,戈珍穿上衣服,向杰拉德挥挥手,没有再和他的眼睛相碰一下,然后她就离开了。

葬礼是让人厌恶的。从那以后,在茶桌上女儿们总是不停地说:"他对我们来说是个好爸爸,他是世界上最好的爸爸。"或者是:"我们很难找到像爸爸一样好的人了。"

杰拉德勉强同意她们所说的事情。这就是正确的习惯性的态度,如若这个世界还向前走着,他就信任这种惯例,他把这当作理所当然的事情。但是温妮弗莱德痛恨所有的事情,她藏到工作室里把她的内心的事情大喊出来,她盼望戈珍能过来。

非常幸运的是,每个人都离开了。克里奇家的人从来不会在家里逗留很长时间的。待到该吃晚饭的时候,就剩杰拉德孤孤单单的一个人了。甚至温妮弗莱德都被她的姐姐劳拉带到伦敦去了,她要和姐姐一起住一些日子。

但当杰拉德真的孤孤单单一人时,他又一点也不能忍受。一天又一天,他一直都觉得他好像一个被吊在深渊的边上的人,无论他如何斗争,他都不能把他自己转到这个坚固的地球上来,他不能找到立脚的地方。他被悬浮在空虚的边缘翻腾着,无论什么时候他想到的都是深渊,无论是朋友或者是陌生人,或者是工作或者是游戏,这所有的一切都向他展示了一个同样的难解的空间,他的心就令人厌恶的陷在那里。他没有可以逃脱的地方,没有能把握住的东西。他必须得在深坑的边缘翻腾,好像被悬挂在连串的链环中。

最初他很安静,他一直保持安静,他盼望这个困境快点过去,他期望他能回到生活的空间中去,让这种艰难的绝境成为过去,但是这种绝境并没有过去，一个危机正慢慢地来到他的身边。

当第三个晚上来临的时候，他心中充满了恐惧。他不能再忍受一个夜晚了。另外一个晚上就要到来了，在另外一个夜晚，他就会被悬挂在虚无深渊上的链环中。他不能忍受这些。不能忍受。他太恐惧了，这种恐惧已经深入到他的灵魂里，他不再确信他自己的力量了。他不能落入这极大的空间里，然后再站起来。若是他倒下了，他就会永远倒下去的。他必须撤退，他必须寻找援军。他不能再相信自己一个人的力量了，不能再相信了。

晚饭后，面对着他自己最终体验的空白，他转向了一边，接着他穿上靴子和大衣开始走进黑暗中。

夜色黑暗，有薄雾。他走进树林，蹒跚地寻找着去磨房的路。伯金离开了。这倒好，他有一点高兴。他转到山上来，在荒凉的山坡上盲目地走着，在彻底的黑暗中他迷了路。这真让人烦恼。他打算去哪里呢？不用在意。他困惑地找来找去，一直到他又找着了一条路。接着他又在另一个树林中穿行着。他的意识变得很黑暗，他机械地走着。没有思想没有感觉，他蹒跚地继续走着，又来到了一片空地摸索着两旁的阶梯，迷失了路，沿着田野里的篱笆走着，一直到他来到了一个出口处。

最后他来到高高的路上。刚才他心烦意乱地在黑暗的曲径中盲目地挣扎着，但是现在他必须得找到一个方向。可是他甚至不明白他自己在哪里。但是他必须得找一个方向。如果仅仅这样子的走，一点问题也不能解决。他不得不弄清一个方向。

他静静地站立在路上，他完全在一种绝对的黑暗中，并且他不明白他在哪里。这是一种陌生的感觉，他的心在剧烈地跳动着，他被一种完全的不知名的黑暗包围着，因此他在那儿站了好长时间。

接着他听到了脚步声，又看见了一个小小的晃动着的光。他立刻走向前去。那是个矿工。

"您能给我说说这条路往哪个方向去吗？"他问。

"这条路？哦，它通往瓦特莫。"

"瓦特莫？噢，谢谢你，那是正确的。我以为我走错了。晚安。"

"晚安。"矿工用浑厚的嗓音回答说。

杰拉德猜测着他所在的地方。最低限度，当他走到瓦特莫他就会明白的。他非常乐意走到大路上，他在一种睡眠般的状态中向前走着。

那就是瓦特莫村吗？对，"国王头"酒店，那是大厅的大门。他几乎是奔跑着从陡峭的山坡上下来的。他绕过山谷，经过小学校，来到了威利·格林教堂。教堂的墓地！他停住了脚步。

接着他爬过了墙，走到了墓地中。即使在这样一个黑暗的晚上，他还是能够看见他脚下的大量的白色的花儿。这就是墓地。他弯下身子，这些花朵是又潮湿又阴冷的。这里有一种已经死去的菊花和晚香玉发出的香味。他摸了一下脚下的泥土，又急忙把手抽了回来，这泥土是如此的阴冷如此的粘。他颤抖着站在那里。

在这个无形的阴冷的坟墓以外，在这个完全的黑暗中，这儿是一个中心。但是这里没有一样东西是他的。不，他没有一点理由站在这儿。他觉得好像一些又冷又湿的泥土把他的心弄得不干净了。不，在这儿呆够了。

接着去哪里呢？回家？不行！回到那里也没有用，一点用都没有。这是不能做的。还有其他的地方可以去吗！是哪里呢？

一个危险的决定在他心里形成了，就好像一个已经准备好的思想。这就是戈珍，她一定安安全全地在她的家里。但是他能去找她，他可以去找她。一直到找到她他今天夜里才回家，即使要费去他的生命。他把他所有的一切拴在这一掷上。

他开始沿着田野一直向贝多弗走去。天是如此的黑暗，谁也不能看得到他。他的脚又潮湿又阴冷，因为粘着泥水而非常沉重。但是他坚持一直向前走着，好像风一样，一直向前，好像是在奔向他的命运。在他的意识中有一条条巨大的沟。他觉得自己好像是在温索比村，但是他一点儿也没有意识到自己是怎么到那儿的。接着，像是在梦里一样，他来到了贝多弗的长街上，街上的路灯还亮着。

这里有许多吵闹声，一扇门声音极大地被关上了，有一些男人在夜里说着什么。"尼尔森老爷"酒店刚刚关门，那些喝酒的客人们正打算回家去。他最好向这些人中的一个人询问一下戈珍住的地方，因为他还不知道街的一边在哪里。

"您能给我说说哪里是索莫塞特街吗？"他问其中一个几乎不能保持平衡的人。

"你说哪儿？"那人醉醺醺地问道。

"索莫塞特街。"

"索莫塞特街！我曾经听说过这样一个地方，但是我使劲想也说不出它在哪里。你要找谁呀？"

"布朗温先生——威廉·布朗温。"

"威廉·布朗温？"

"他在威利·格林小学教书，他的女儿们也在那儿。"

"哦——哦——哦，布朗温！现在我知道了。当然，布朗温！是，是，他有两个当老师的女儿，和他一样。啊，那是他，那就是他！我当然知道他住在哪里了，要是不知道就不要命了！嗯，你刚刚说的是什么地方？"

"索莫塞特街，"杰拉德耐心地又说了一遍。他对自己的矿工真是太了解了。

"索莫塞特街，一定是！"那矿工说，他的胳膊抡了一下，好像要把某些东西抓起来一样。"索莫塞特街，是的！我总是不知道它是在哪个地方。对，我知道那个地方，我确信——"

他摇摇晃晃地转过身去，用手指了指黑暗的被夜色包围的路。

"你向那边走，若你看见第一个——第一个路口就向左拐，在那边，经过一个店铺——"

"我明白了。"杰拉德说。

"喂！你向下稍微走一点，经过了管水的人住的地方，接着就是索莫塞特街，在右边，那儿有三座房子，不超过三个，我相信，我几乎能确定那是最后一个，三个当中的最后一个，你看——"

"太感谢你了，"杰拉德说，"晚安。"

接着他又出发了，把那个一动不动站着的喝醉的人留在了那儿。

杰拉德经过黑暗的商店和房屋，它们大部分还在沉睡着。接着又走向一条很黑很黑的小路，这条路的尽头是黑暗的田野。当他快到他的目标所在的地方时，他走得慢了一些，因为他不知道他该怎样前进了。如果他们的房子在黑暗中关着门怎么办？

但是灯还没有熄灭。他看见一个大大的亮着灯光的窗子，并且听到有人说话的声音，接着还有"咣咣"的门响声音。他感觉灵敏的耳朵马上知道这是伯金的声音，敏锐的眼睛立即就发现站在花园路上的伯金和穿着暗色衣服的厄秀拉。然后他看到厄秀拉挽着伯金的胳膊一步一步的走了下来，走到了这条路上。杰拉德忙躲到暗地中，看着他们高兴地谈着天走过去，伯金的声音很低而厄秀拉的声音却很高，待他们过去了，杰拉德快步朝房子走去。

起居室里窗户上的百叶已经放下了，挡住了亮着灯的大大的窗户。他向小路的一边看去，他能看见左边的门还开着，厅里的灯发出一束束温暖的光线。他无声地快步沿着小路向前走着，向厅里看过去。有几幅图画和几只鹿角挂在那儿，楼梯在一边，挨着楼梯口的起居室的门半开着。

杰拉德非常小心地走进大厅中，大厅的地板是用多彩多姿的花砖铺成的，他快步走过去并且看了看另一个令人愉快的大房间。那个父亲正坐在炉边的椅子中睡觉，他的头向后依靠在橡木做的壁炉架上，他红润的面孔好像有一点短，他的鼻孔张开着，嘴角有一点向下垂。看来一点点的声音都能把他弄醒。

杰拉德静静地站了一秒钟。他匆匆地看了一眼他身后的通道，那儿全部是黑暗的。他又一次的茫然了。接着他又快步向楼上走去。他的感觉是如此的敏锐，几乎有一点超乎自然的锐利，他好像要把自己的意愿放在这个只有半点意识的房屋里。

他走到第一个楼梯平台处，他站在那儿，几乎又一次不能呼吸了。与下面的门相对应，这里又有一扇门。这大概是她母亲的房间。他能听见她在烛光中走来走去的声音。她一定是在等她丈夫上来吧。他看了看那个黑暗的楼梯平台。

接着静静地，用非常小心的脚步，他沿着走道向前走着，他的手指尖摸索着墙壁。这里又有一扇门。他站在那儿听了听。他能听到两个人的呼吸声。这个不是。他又稳稳地向前走去。这里又有一扇门，微微开着。这个屋子是黑暗的，空空的。然后就是浴室，他能闻得到肥皂味和温热的气息。最后面才是另一间卧房——一个温和的呼吸声。这就是她。

他谨慎万分地转动着门把手，把门打开了一点点。门发出一丝吱吱的声音。接着他又把门开大了一点——然后又大了一点。他的心不再跳动了，他好像要为自己创造一个沉静的心情。

他已经在屋里了。睡觉的人仍然在温柔地呼吸着。房间里非常黑暗。他用手和脚一点一点地摸索着向前走去。他的手摸到了床，他能听到睡觉的人的呼吸声。他又挨近了一些，弯下腰，好像他的眼睛能看清这里的一切东西。但是当那个人离他的脸又近了一些的时候，他看到的却是一个男孩子的圆圆的头和黑黑的头发。

他恢复了意识，转过身去，他看到门微开着，一丝微弱的光线从门外透了进来。他很快的跑了出来，关上门，没有把门给扣紧，接着快步跑到通道上来。在通道的尽头，他又犹豫不决了。还有时间可以逃跑。

但是这太不可思议了。他仍然保持着他的愿望。他好像一个阴影一样路过父母的房间，上了第二层楼梯。那些楼梯因他的重量而吱吱的响着，这真是气死人了。唉，如果在他的下面她妈妈的房门正好打开，她看到他该怎么办呢，那真是个天大的灾祸啊！若是它想这样就让它打开吧。他还能支配他自己。

当他还没有爬上这些楼梯的时候，突然听到下面传来一阵急急的脚步声，外面的门是关着并且锁着的。他听见了厄秀拉的声音，接着是父亲困倦的惊叫声。他迅速地向最上面的楼梯平台爬了过去。

又有一扇门微开着，这个房间也是空着的。杰拉德用手指摸索着向前走，他走得非常快，好像一个盲人，十分担忧厄秀拉上来，然后他又发现了另一扇门。那儿，用他最灵敏的感觉，他听了一下，他听见有人在床上移动着。这一定是她了。

现在温柔地，他像只有一种触觉——最灵敏的触觉的人一样转动门上的锁，锁发出了滴滴答答的声音，他静静地停住了。床上的被子发出沙沙的声音。他的心不能跳动了。接着他把锁打开，又轻轻地把门推开，门发出了一阵刺耳的声音。

"厄秀拉吗?"是戈珍的声音，她恐惧地问。他迅速地打开门，把身后的门给推上了。

"是你吗，厄秀拉?"戈珍恐惧的声音传了过来，他听见她从床上站起来的声音，下一秒钟她就要发出尖叫了。

"不，是我，"他说着，摸着向她走去。"是我，杰拉德。"

她一句话也不说，非常惊讶地坐在床上。她是如此的惊讶，如此的惊奇，以至于她忘了害怕。

"杰拉德!"她用失声的惊慌的声音重复着。这时他找到了去床边的路，他伸出手在黑暗中摸到了她温暖的乳房。她急忙缩了回去。

"让我点上灯。"她说着，从床上下来了。

他站在那儿一句话也不说。他听到她摸到了火柴盒。他听到她的手指在这些动作中发出的声音。接着他看到她在她刚刚点着的蜡烛的光亮中。烛光在房间里升起来，接着又变成很小很小的微暗的小光点，接着在火焰又缩向蜡烛之前，它又升了起来。

她看着他，当他挨着床的另一边站着的时候。他的帽子低压在眉毛上，他的黑色大衣的扣子一直系到了下颌。他的脸奇怪地发着光亮，他不可避免是个不可思议的人。当她看见他的时候，她已经知道这些了。她懂得一定有什么致命的东西在这个环境中，她必须得接受它。但是她必须得跟他斗争。

"你是怎样上来的?"她问。

"我从楼梯走过来，门是开着的。"他看着她说。

"我也没有关这个门，"他说。听到这些话，她迅速地走到门口，并且轻柔地把门关上，并上了锁。接着她又走了回来。

她非常美丽，她的震惊的眼神，红红的面颊，她相当短又相当稠密的辫子落在她的背上，她长长的漂亮的白色的睡袍一直拖到了她的脚跟。

她看见他的靴子上都是泥水，甚至于裤子上也被泥水包围着。她想知道他是不是一路上都留下了泥水脚印。他站在她的卧房中，紧挨着很乱的床，他是一个奇怪的人。

"你为什么要来这儿?"她问，几乎有些暴躁。

"我想来。"他回答说。

这是她能从他脸上看出来的。这就是命运。

"你成了泥人。"她说,有点讨厌但是声音又轻轻的。

他低下头看了看自己的脚。

"我是在黑暗中走过来的,"他说。但是他觉得有些兴高采烈,说完他停了一下,他站在零乱不整的床边,而她站在另一边。他甚至还没有把帽子从头上拿下来。

"但是你对我要求什么呢?"她挑战似地说。

他看了一下旁边,没有回答。如果不是因为他的极端英俊和神秘的吸引力的面孔,她一定会把他送走的。但是他的脸是如此的美丽,对她来说又是如此的神秘。这张脸以纯净的美丽迷惑住了她,好像施加在她身上的魔力、怀旧之情、一种痛。

"你能要求我做什么呢?"她用奇怪的声音又重复了一遍。

他摘下帽子,好像梦中的动作一样,向她走了过来,但是他不能触摸她,因为她穿着睡衣赤着脚站在那儿,而他却全身沾满了泥、湿漉漉的。她的眼睛大大的、迷惑的注视着他,并且向他提出了最根本的问题。

"我来,因为我必须来。"他说,"你为什么要问呢?"

她怀疑地、迷惑地看着他。

"我一定要问。"她说。

他轻微地摇了摇头。

"这是没有答案的。"他茫然地回答。

他那几乎与神同样的简洁,天真的直爽太奇怪了,简直不是人说的话。他令她产生了幻象,觉得他就是赫耳姆斯神。

"但是你为什么来我这儿?"她坚持问道。

"由于,这一定是这样的。若是没有你在这个世界上,我也不应该在这个世界上。"

她用一双大大的、疑惑的、被打动的眼神站在那儿看着他。他的眼睛也一直深深地看着她的眼睛,他好像在一种超乎自然的情形下固定住了。她叹了口气。她现在已经迷失了。她没有什么可以选择的。

"你不打算把靴子脱掉吗?"她说,"它们一定全湿透了。"

他把帽子放到一个椅子中,又解开大衣的扣子,抬起下巴去解挨着喉咙的扣子。他那短短的、稠密的头发乱蓬蓬的。他的金色头发是如此的美丽,好像金色的小麦一样。他把大衣给脱掉了。

很快的,他又脱去了外套,接着又把黑色的领带给松开,再接着又解开饰扣,每个饰扣上面都有一个珍珠。她听着,注视着他,希望没有一个人听见他扯动浆过的亚麻布发出的劈啪声。这好像手枪在响。

他是来报复的。她让他用胳膊把她搂在怀里，紧紧地抱着她。他发现在她身上得到了无限的放松。他将他身体内全部被压抑的黑暗和蚀坏性的死寂全都倒在她的身上，他又一次完整了。这是令人惊奇的，是美妙的，这是个奇迹。这就是他生命中经常会出现的奇迹，当懂得这一点的时候，他陷入一种放松和迷惑的欣喜中。但她，就好像一个容器接受着他痛苦的死亡。在这个决定性的时刻，她已经没有能力来反抗他。死亡那极坏的摩擦力把她给填满了，她在入迷的征服中接受了它，带着一阵剧痛的猛烈的感觉。

他把她拉得越来越近，他在温柔的热情中越陷越深，那令人惊奇的富有创造性的热量一直刺入到他的血管中，使他获得了新的生命。他觉得他自己在她有力的生活的洗涤下消溶了，沉没了。好像她胸膛中的那颗心是第二个不可征服的太阳，而他在这发光的、具有创造性的力量中，越陷越深。他原来已被杀死或受伤的血管和他生命一起慢慢地搏动着而且轻轻的愈合了，生命正慢慢在无形中走向他，好像这是力大无边的太阳的影响。他的血液，那好像已经走向死亡的血液，也慢慢地回潮了，安全，美丽，有力。

他觉得他的四肢因为有了生命的活力而膨胀起来，灵活起来，他的身体得到了一种未知的力量。他又是一个男人了，一个强壮的完整的人。同时他又是一个孩子、得到如此的安慰又如此的心存感激。

而她，她就是他生命的雨露，他崇拜她。她是他的母亲和所有生命的实质。但是他却是孩子，是个男人，被她接受而变得完整。而他纯洁的身体几乎早已经死去了。但是这种不可思议的事情出现了，她胸怀中温柔的影响充满了他的全身，充满了他那枯萎的、被破坏的大脑。就好像一个复原的淋巴，又好像他自己是一个温柔的流动着的液体，完美得好像他又沐浴在母腹中了。

他的脑子受伤了，枯萎了，组织好像也被破坏了。他不知道他自己的头脑受到了多么深的伤害，他的组织怎样，不明白他的脑组织是怎样被蚀坏性的死亡的潮流所破坏的。现在，当她的温流从他身体流过的时候，他懂得自己受到了怎样的伤害——就好像一棵植物的组织的内部被一场霜降破坏了一样。

他把他坚硬的头埋在她的两个乳房之中，两手紧压着她的乳房冲撞着自己。她用她发抖的手拥抱着她怀中的头颅，他躺在那里没有了知觉，但是她却非常的明白。一种温暖的可爱的富有创造性的暖流从他身上流过，好像他熟睡在母腹那肥沃的土地上。啊，只要她把生命发出的洪流给他，他就会恢复的，他就会再一次的变得完整起来。他十分害怕在一切完成之前她抛弃他。

就像一个在母亲怀中的孩子一样,他热情地粘着她,而她不能把他放在一边。他那枯萎了的、毁灭掉的记忆又慢慢地变得不受约束了,变得温柔了。那曾经枯萎的坚固的被诅咒的生命又一次变得灵活了。和新的生命一起跳动,他对她真是有无限的感激,就好像对待天神一样,或者好像一个婴儿躺在母亲的怀抱里。他高兴,他感激,他陷入了谵狂状,因为他觉得他的全部再一次的来临了,这时他觉得有一种不能用言语说明的睡意又袭了上来,一种完全筋疲力尽的睡意,他累了。

但是戈珍却非常清醒,她完美的意识一点也没有被破坏。她静静地躺在那里,大大的眼睛一动不动地直盯着黑暗的夜空。但是他用胳膊搂着她沉浸在睡眠中。

她好像听到波浪拍打着看不见的海岸,长长的、慢慢的、阴沉的浪头带着命运的节奏拍打着岸边,这是如此的单调就好像它是永恒的。这没完没了的慢慢的、忧郁的命运的波浪抓住了她生活的全部,这时她躺在黑暗中,大大的眼睛直直地看着黑暗的地方。她看得是如此的远,远得好像是永恒——但是她什么也没有看见。她处在一种完美的意识中,而她意识到了什么呢?

这种极端的心情,当她躺在那里一动不动地看着永恒,茫然无措,思考一切的时候,这极端的情绪,让她很是不安。她这样一动不动地躺得是如此的久了。她移动了一下,她变得有点意识了。她想看一下他。想看到他。

但是她又不敢把灯点着,她害怕打断他完美的睡眠。她明白这是他从她这里能得到的。

她温柔地把自己给弄了出来,坐起了一点看着他。好像对她来说这里有一点微弱的光在这间屋子里面,因此她刚刚能区别出他的面部轮廓。他在美好的睡眠中。在这个黑暗的夜里,她好像把他看得是如此的清清楚楚。但是他是远方的另外一个世界的人。啊,他离她是如此的远,在另一个世界中他是如此的完美,这让她痛苦地要尖叫起来。她看着他就好像从清晰的黑黑的水下很远的看一块水晶石一样。当他在非常远的有一点光亮的地方没有一丝意识地沉睡在梦中的时候,她却被留在一边,带着所有的痛苦的思绪。他是英俊的、遥远的、完美的。他们俩是永远也不能在一起的,啊,这可怕的、野蛮的距离总是把她和另外一些东西分离开来!

除了一动不动躺在床上忍受以外,没有别的事情可以做。她觉得对他有一种不可抵抗的亲切。但是当她看到他在另一个世界中静静地完美地睡着而她却十分清醒地醒着在外面的黑暗中经受折磨时,一种黑暗的妒嫉和仇恨又在心里滋生。

她紧张地躺在那里，累得筋疲力尽，生动的意识早已变成超常的意识。教堂的钟正在打着点，对她来说好像时间过得非常的快。在她生动的意识的压力下她听得非常清楚。但是他熟睡着，好像时间，没有变化也没有移动。

她很疲惫，感到厌烦。但是她必须得继续这种强烈的积极的超自然的活动状态。她想起了一切事情——她的童年，她的少女时代，所有已经忘却的事情，所有没有实现的愿望，她不能理解所有发生的事情，这是属于她自己、她的家人、她的朋友、她的情人们、她的熟人们、每个人的。好像她从黑暗的大海中拉出了一条发光的绳子，从深得不可估量的过去把它一点一点地拉上来，但是这仍然不能到达最后，对于它是没有结束的，她必须得用力地拉，从没完没了的意识深处把这根闪光的绳子拖上来一直到她疲劳、疼痛、耗尽力气、以至崩溃，可还是没个完。

哦，只有她可以把他叫醒吧！她非常不自在地移动着身体。什么时候才能把他叫醒并且把他送走呢？她什么时候可以打扰他呢？接着，她又恢复到那种机械的思考的活动当中，这是没有结尾的。

她能叫醒他的时间已经非常接近了。这就好像一种解放一样，外面黑夜里的钟敲响了四时。感谢上帝。黑夜差不多就要过去了。一到五点钟他一定得走，那时她就会被解放了。然后她就能在自己的地方放松起来。她现在挨着完美地睡着的他觉得就好像一把刀，在磨刀石上磨着不能入睡。他有一点像恐怖的魔鬼一样跟她并排躺着。

最后的一个小时是最长的，然而最后它还是过去了。她的心一下子放松了，是的，教堂里的钟终于慢慢地，强烈地在长久的黑夜之后敲响了。她等着抓住每一个慢慢的致命的回响"三——四——五！"终于结束了，她觉得有一种重负从她身上撤离。

她坐起来，体贴地靠着他，吻了他。现在唤醒他她觉得真难过。过了几分钟她再一次的吻了他。但是他还是没有醒过来。亲爱的，他睡得是如此的香甜！把他从睡梦中拉出来真让人觉得难过呀！她又让他多睡了一会儿。但是他必须走，他真的必须走。

戈珍非常亲切地用双手把他的脸捧起来，吻了吻他的眼睛。他的眼睛睁开了，保持一种静止的状态看着她。她的心静止地停住了。为了把她的脸从他可怕的在黑暗中睁着的双眼中隐藏起来，所以她弯下腰吻着他低语着：

"你必须得离开了，我的爱人。"

但是她由于恐怖而觉得恶心，恶心。

他用胳膊环绕住她。她的心一下子沉了下去。

"但是你必须得快点离开，我的爱人。现在太晚了。"

"现在是几点？"他说。

他这男人的声音真让人觉得陌生。她发抖了。有一种无法忍受的苦恼正袭向她。

"已经过了五点钟了。"她说。

但是他只是再一次的把她抱得更紧了。她的心好像受折磨一样大声地喊叫着。她坚定地从他怀中抽出身来。

"你真的必须得离开。"她说。

"再等几分钟吧。"他说。

她静静地躺在那里，靠着他，但是一点也不屈服。

"待几分钟，"他又说了一遍，并且把她楼得更近了。

"好的，"她一点也不屈服地说："我害怕你呆在这儿的时间会更长的。"

她的声音中有一种很确定的冷淡，这使他把她给放开了，她从他身边脱离，站起身来，点着了蜡烛。然后那就是结束了。

他起床了。他是温暖的，他全身充满了生命力，充满了欲望。但是在烛光中在她的面前穿衣服令他觉得有一点惭愧，有一点丢脸。他感到在她在某些方面反对他的时候，他却把自己展现给了她、暴露给了她，这令他觉得有点丢人。这让人理解起来是非常非常困难的。他很快的穿好衣服，没有系领带。这时他仍然觉得充实和完整，觉得完美。她觉得看男人穿衣服是一种丢人的事情：荒谬的衬衫，荒谬的裤子，荒谬的背带。但是一个想法又出现在她的心里。

"这好像一个工人起床以后去上班，"戈珍想，"我就好像是工人的妻子。"但是一种好像恶心的疼痛涌上了她的心头，一种对他的恶心。

他把假领子和领带装进大衣的口袋里面。接着他又坐下来把靴子穿上了。靴子都浸湿了，他的袜子和裤角也是如此。但是他自己却是灵活的，温暖的。

"可能你应该在楼下穿靴子吧。"她说。

马上，没有说一句话他把靴子脱了下来，用手提着站了起来。戈珍把脚挤进拖鞋里，用一件长袍把自己给围住了。她准备好了，当他站着等着她的时候她看了看他，他黑色的大衣扣子一直系到喉咙上，他的帽子拉了下来，他的靴子在他的手中。这一会儿那种激情几乎又让她苏醒了，她又对他着迷了。这激情还没有耗尽。他的脸是如此的温暖，大大的眼睛，充满了一些崭新的东西，如此完美。她觉得自己太老了，太老了。她沉重地向他走了过来,让他吻她。他很快地吻了她一下。她但愿他那温暖的、没有一点表情的美不要把如此致命的魔咒放到她的身上,强迫她让步。

这是一种加在她身上的负担,她愤恨,但是不能逃跑。但是,当她看着他的直直的男人的眉毛,他的相当小又十分有形的鼻子,蓝色的冷漠的眼睛时,她明白她对他的激情并没有使他满意,也许永远也不会满意。只是现在,她是疲劳的,有一种好像恶心的厌恶。她想让他离开。

他们很快地走下楼梯。他们好像弄出了巨大的噪音。他跟在她的后面,她披着鲜明的绿色长袍,她在他的前面拿着蜡烛。她由于害怕而非常痛苦,恐怕她的家人被吵醒。但是他几乎一点也不在意。他现在不在意谁知道这件事情。她十分痛恨他这个样子。一个人必须小心谨慎,一个人必须能保护自己。

她带着他走进了厨房。这里干净整齐。因为那个女佣收拾过了。他看了看钟表——五点二十分了!接着他坐在一张椅子上穿上靴子。她等待着,注视着他的每一个动作。她但愿这件事情快点结束,有一种巨大的不安袭上了她的心头。

他站起身来。她打开没有上锁的黑色大门向外看了看。一个阴冷的处于自然状态的夜晚,还没有破晓,月亮挂在模糊的天空中。她非常高兴她没有必要出去了。

"再见了。"他低语说。

"我打算走到大门口。"她说。

接着她又一次很快地走在前面,警告他当心脚下的台阶。在大门口,她又一次站住了脚步,然而他却站在下面。

"再见。"她低语说。

他忠诚地吻了吻她,转过身离开了。

听着他坚实的脚步声如此清晰地走到了大路上,她觉得好像在经受着折磨一样。哦,那没有感觉的坚定的脚步!

她关上大门,很快地悄无声息地回到床上,当她在她的屋子里,门是关着的,一切都安全的时候,她才自由地出了一口气。一种巨大的重量从她身上撤离了,她偎依在她的床上,在他的身体刚刚躺过的地方,在他留下的温暖的气息里,激动,疲劳,但是仍然很满意,她很快地进入了一种很深很沉的睡眠里。

杰拉德在即将到来的黎明那阴冷的黑暗中快速地向前走着。他一个人也没有遇见。他的精神正处于一种美丽的无思想的状态,好像一个寂静的水池,十分美丽。他的身体温暖,膨胀着。他快步向前走着,心满意足地朝肖特兰兹走去。

第二十五章 是否结婚

布朗温家打算从贝多佛搬走了。现在对他的父亲来说住在城里是很必要的。

伯金拿出了结婚证明,但是厄秀拉却一天又一天地往后拖着。她不打算固定在某个明确的时间——她仍然动摇着。她原申请一个月内离开学校,现在已是第三个星期了。圣诞节快到了。

杰拉德在等厄秀拉和伯金的婚期。对他来说这一点至关重要。

"我们是不是办一个双重的喜事?"有一天,他问伯金。

"谁是第二对儿呢?"伯金问。

"戈珍和我。"杰拉德说,他的眼神里闪着冒险的光芒。

伯金一动不动地看着他,好像有一点不相信。

"认真的,还是开玩笑?"他问。

"哦,认真的。不象吗?戈珍和我可以和你们一起吗?"

"当然可以,"伯金说,"我还不知道你们已经进展到这种程度了。"

"什么程度?"杰拉德说,看着另外一个人,笑着。

"噢,是的。我们已经走完了所有的路?"

"这应保持着以放到更广阔的社会基础中,以获得更高的精神境界,"伯金说。

"有一些事情好像是那样:它的长度、宽度和高度。"杰拉德笑着说。

"噢,好,"伯金说,"这是你采取的非常好的一步,我应该这样说。"

杰拉德凝视着他。

"为什么你们没有那样热心?"他问,"我想你在婚姻上是一个如此呆板的狂人。"

伯金耸了耸肩膀说:

"一个人呆板的样子就好像人的鼻子一样,总有各种各样的鼻子。扁鼻子或其他样子的——"

杰拉德笑了。

"各种各样的婚姻都有，也是扁的或其他样子的吗？"

"是这样子的。"

"那么，你想想如果我结婚，这也将会是被指责的吗？"杰拉德迷惑地问，他的头稍微地偏向一边。

伯金很快地笑了一下。

"我怎么知道它会是什么样子的?!"他说，"不要用我自己的例子来痛打我。"

杰拉德沉思了一会儿说：

"但是我非常愿意了解你的建议，确实。"他说：

"关于你的婚姻，或者是对婚姻本身？为什么你想要听听我的建议呢？我没有一点建议。我对于法定的婚姻没有一点兴趣，不管是这种方式或者是另外一种方式。这仅仅是一个有用或者是没有用的问题。"

杰拉德仍然凝视着他。

"比这更厉害的，我想，"他认真地说，"然而你可能由于婚姻道德而弄得无趣了，但是，真正地对于婚姻来说，这只是个人拥有的事情，带有一点批评，是最后——"

"你的意思是和一个女人去注册就表示着某种结局吗？"

"若是注册完以后你和她一块回来的话，我的意思是这样的，"杰拉德说，"这在某种程度上是不能取消的了。"

"是，我同意。"伯金说。

"无论一个人怎样看待合法的婚姻，只要你进入了婚姻状态，在你个人的要求来说这就是结局——"

"我相信。"伯金说，"在某些方面。"

"但是问题还存在着，一个人能不能结婚呢？"杰拉德说。

伯金用那种很感兴趣的眼神，眯着眼注视着他。

"杰拉德，你好象是培根大人，"他说，"你像个律师在讨论它——或者像哈姆雷特一样在思考是生还是死。假如我是你的话，我就不打算结婚。但是问问戈珍，不要问我，你又不准备跟我结婚，不是吗？"

杰拉德没有留意这句话的最后一部分。

"是，"他说，"一个人必须要冷静地思考这个问题。这有一点评论性。这个人现在到了必须采取措施向一个方向或者是另外一个方向迈进一步的时候了。结婚是一个方向——"

"但是另外一个方向是什么呢？"伯金很快地问。

杰拉德用热情的惊奇的眼睛看着伯金，但是另外一个人却不能理解？

"我不能说，"他回答说，"如果我明白那些——"他非常不安地移动着他的双脚，话还没有结束。

"你的意思是如果你知道可供选择的办法？"伯金问，"既然你不明白这些，也就是说，婚姻就是所有计策中最后的权宜之计。"

杰拉德仍然用同样热情的拘谨的眼神看着他。

"一个人确实有婚姻是权宜之计的感觉。"他确认说。

"那么就别结婚，"伯金说，"我告诉你，"他接着说，"和我曾听说过的一样的是，旧式婚姻对我来说好像是令人厌恶的。两个人之间的感情和它一点关系都没有，它只是世界上所有恋人们的一种默认的追求。这个世界都是成双成对的。每对恋人都呆在自己的小屋中，只注视着自己的小小的利益，做着自己的秘密的事情——这是地球上最令人厌恶的事情。"

"我非常赞同你的看法。"杰拉德说，"关于这些有一些很低级的事情。但是正如我所说的，什么是最后的选择呢？"

"一个人应该放弃这个家庭本能。这不是一种本能，它只是一种懦夫的习惯。一个人应该永远没有家。"

"我真的十分赞同，"杰拉德说，"但是你没有选择的地方了。"

"我们已经发现了一条出路，我确实相信一个女人和一个男人之间有一种长久的关系。波涛汹涌仅仅是一个耗尽的过程了。但是男女之间长久的关系并不是最后的定局，它一定不是的。"

"非常正确。"杰拉德说。

"实际上，"伯金说，"由于男人和女人之间的关系被说成一种最高尚最让人排斥的关系，所以这种关系显得紧密、小气、不足。"

"对，我相信你说的话。"杰拉德说。

"你已经把恋爱——结婚的观念从基础上拖了下来。我们想要一些更为宽广的东西。我觉得男人与男人之间附加的完美的关系能成为婚姻的附加内容。"

"我永远也看不出他们两者有怎样的相同的地方。"杰拉德说。

"不是同样的，但是两者是同等重要的，同等的创造性，同等的庄严。如果你喜欢。"

"我明白了，"杰拉德说，"你相信这一类东西，只是我不能感觉到它。"他把手放在伯金的胳膊上，带着一种反对的神情，他好像成功似地笑了。

他准备接受命运的审判。结婚对他来说就好像是一种毁灭。他愿意在婚姻中责备自己，愿意变得像一个被宣告有罪的罪犯一样被送到地球以下的地方，永不能在阳光下生活，只是进行着一种可怕的地下的活动。他愿意接受这一切。并且婚姻就是他的定罪书上的封条。他愿意从今以后就被密封在地球下面，好像一个灵魂，虽然被谴责着但是仍然要永远地生活下去。但是他不会同任何一种其他的灵魂建立纯洁的关系。他不可以。结婚并不是意味着自己和戈珍确立了责任关系。这只是让他自己接受了已经建立的世界，他准备接受已经建立的秩序，虽然他并不是非常信任它，接着他会撤退到地下的他的生活中去。这都是他将要做的。

另一条路是接受卢伯特关于建立联盟的建议，与另外一个男人进入一种纯粹是相互信任，爱护的结合体，随后再和一个女人这样。假若他自己能保证可以和一个男人建立这样的关系，他也能和女人这样；不仅仅是在法定的婚姻中，而且是在绝对的神秘的婚姻中。

但是他不可以接受这个提议。一种麻木的感觉向他袭了过来，一种从未出生的，缺少意愿或者是萎缩的麻木。可能这是因为缺乏意志吧。他对卢伯特的建议觉得异常激动，但是他仍然非常乐意地抛弃它，不愿意让自己效忠于它。

第二十六章　一把椅子

　　镇里的旧货义卖市场每星期一的下午在老市场里营业。一天下午厄秀拉和伯金游逛到那里去了。他们曾经说过关于家里的设备的问题，他们想要看看在圆石上堆着的旧货中是否有他们想要的东西，瞧瞧能不能买到一些家具。

　　这个老市场所在的广场并不是非常的大，仅仅是一些个铺着碎片花岗岩石的空旷地带，通常墙根下有一些卖水果的小摊。这是小镇里一块十分贫穷的地方。简陋的房子在路的一边竖立着，那里有一家针织品工厂，一面墙上有许多长方形的窗户；在底端，街的另一边有一些小小的店铺，公路上铺着石板；一个最高的大房子是公共浴室，是用崭新的红砖做成的，它的最上面有一座钟塔。那些在这儿移来动去的人们好像也是如此的短粗肮脏，空气好像也相当脏乱，有一种许多下流不堪的街道汇到一个地方的感觉。一辆棕黄色的有轨电车不停地围绕着针织厂的拐角处困难地穿行着。

　　厄秀拉觉得她高兴得发抖，当她发现她自己在这些普通人之中的时候，在这些混乱的东西中悠闲地走着：有细毛的旧被子，很多很多的旧钢铁、很低劣的陶器，还有一些被盖住的无法知道的衣物。她和伯金很不情愿地在这些破旧的狭窄的过道中穿行。他在看旧货物，而她则在看人。

　　当她看到一个将要生孩子的年轻女人时，她非常激动。那个女人正翻着一张席子，那位跟在她身后的灰心丧气的年轻的男人也过来摸了摸那席子。那个年轻女人看上那么神秘，那么的生机勃勃，如此的担忧，但是那个年轻的男人却是如此的勉勉强强，偷偷摸摸的。他打算和她结婚，因为她怀了孩子。

　　当他们摸过了那个席子以后，那个年轻的女人问坐在器皿中的凳子上的老人席子卖多少钱。他给她说了说，她又转过头去问了问那个年轻的男人。后者非常害羞，挺不好意思的。他把脸扭向一边，低声说了一句什么。那个女人又一次着急地用手指摸了摸席子，然后又在脑子里盘算了一下，接着同那个不干净的老人讨价还价起来。这一段时间里，那个年轻男人一直站在一边，一脸羞愧的样子，恭敬地听着。

"看，"伯金说，"那里有一把漂亮的椅子。"

"太迷人了！"厄秀拉大声叫着："太迷人了！"

那是一把带扶手的椅子，用纯木做的，也许是白桦木，但是做工是如此的微妙、美好，优雅，看到它被放在肮脏的石头上，她心疼得几乎要落泪了。椅子的外形是正方形的，有着完美和细弱的线条，椅子背上四根短短的木头柱子使厄秀拉想起了竖琴的琴弦。

"这把椅子，"伯金说，"曾经镀过金，它有一个藤条做的椅背。后来有人钉上了这个木头椅背。看，这就是镀金下面少量的红色。其他的全部都是黑色的，除了木头用得失去了纯净的色彩和光滑的地方。这些木柱子结合的非常好，如此的迷人。看，它们的走向、它们衔接的多么好。但是当然，这个木头做的椅背是错误的，它破坏了原先藤椅背的完美的灵活和结合的紧凑。但是，我还是十分喜欢它。"

"是，"厄秀拉说，"我也是如此。"

"多少钱？"伯金问卖主。

"十先令。"

"你可以送它到——"

他们买下了椅子。

"如此的美丽，如此的纯洁！"伯金说，"它几乎打动了我的心。"他们一边说着一边从成堆的垃圾中穿过。"我心爱的国家，甚至当他们做这把椅子时都想表达一些东西。"

"难道现在它就不表达了吗？"厄秀拉问。当伯金用这种腔调说话时，她总是非常生气。

"不，它不表达。当我见到那个干净的、美丽的椅子的时候，我总是会想起英格兰，即使是简·奥斯汀时期的英格兰——它有现存的思想要展现，它那完美的幸福也欢快地呈现着。但是现在，我们仅仅能够在大堆的垃圾中找到一些他们陈旧的情绪的残留物。我们现在没有一件产品，我们身上只有肮脏、污秽的呆板性。"

"这是不对的！"厄秀拉大叫说，"你为什么总是一直赞美过去而以现在为代价呢？真的，我并不想念简·奥斯汀时期的英格兰，它太唯物论了，如果你喜欢——"

"它能提供唯物论，"伯金说，"因为它有足够的力量去做其他的一些事情。这些是我们不能做到的，我们也有唯物论，那是因为我们没有力量去做其他的事情，无论我们怎么努力，我们仍然什么也没有做成，除了物质主义，它的灵魂正是机械。"

厄秀拉屈服着，生气地沉默着。她没有注意他所说的话。她正在反抗着其他的东西。

"我痛恨你的过去，我恶心它，"她叫道，"我相信我甚至痛恨那把老椅子，虽然它很美。但是它不是我要的那种美。我但愿，当那些日子结束的时候，那个时代就被毁坏了，不要让它一直对我们鼓吹那心爱的过去，我厌恶那个心爱的过去。"

"不及我对可憎的现在的厌恶。"他说。

"是，刚好是同样的。我也痛恨现在，但是我不想让过去取代它的位置，我不想要那把旧椅子。"

他好大一会儿都相当的生气。接着他看看明亮的天空下公共浴室上的钟楼，他们把所有的东西都忘掉了，他微笑了。

"那好吧，"他说，"就让我们不要它了吧。我也厌恶它了。无论怎样，一个人不可以依靠怀念过去的美丽而生活。"

"是不能，"她大叫说，"我不想要旧的事物。"

"事实是，"他回答说，"我们不想要所有的东西。每当一想到我自己的房子和家具，我就痛恨。"

这些话让她很震惊，接着她回答说：

"我也是如此。但是一个人必须住在某个地方。"

"不是某个地方，而是任何一个地方。"他说。"一个人应该可以住在任意的一个地方，而不是一个固定地方。我不想要有一个明确的地方。当你有了一间房子的时候，一切都结束了，你想要很快的逃离那儿。现在我在磨房那边的房子就非常的完美，但是我真想让它们沉在海洋的底端。固定的环境太让人恐怖了，太专治了，那里的每一件家具都是一个有着律法的石头。"

她挽住他的胳膊从那个市场里走开了。

"但是我们准备去做什么呢？"她说，"我们必须得生活呀。我确实想要在我的周围有一些美丽的东西。我想要一种自然的、庄严的、杰出的东西。"

"你在房子里、家具设备中将永远得不到你说的那些东西，或者甚至在你的衣服中。房子、家具设备以及衣服，它们全都是旧的低级世界的象征，一个可憎的男人的社会。假如你有一座都铎王朝式的房子和古老的美丽家具，这仅仅是让过去永存在你的上面，令人可怕。假如你有一座波依莱特设计的非常完美的现代房子，这又是另一种永恒压迫着你。这都是令人可怕的。这一切都是占有，占有，威吓你，把你变得非常普通。你不得不象罗丹和米开朗基罗那样，一块石头雕不完就完工。你必须使你的周围粗略一点、不那么完美，以便你永远不会被它所包含，永远不会被它限制，永远不会被外面的世界支配。"

她站在大街上沉思着。

"那么我们永远也不会拥有我们自己的完美的地方——永远也不会有一个家？"她说。

"恳求上帝，在这个地球上，没有。"他回答说。

"但是只有这一个世界呀。"她反驳说。

他用一种非常冷漠的姿势展开他的双手。

"同时，我们还要消除我们自己拥有的一些东西。"他说。

"但是你刚刚还买了一把椅子。"她说。

"我能告诉那个人说我不想要它了。"他回答说。

她再一次地沉思着，接着她的脸奇怪地抽动了一下。

"不，我们不要它了。我恶心那些陈旧的事物。"

"新的事物也一样。"他说。

他们又折回去。

那儿，在一些家具的前面。那对年轻的夫妇还站在那儿：那个将要生孩子的女人和那个有着窄窄的脸年轻人。她又低又结实，但是她长得非常美丽。他中等个头儿，有一个很迷人的身材。他的黑色的头发从帽子下掉了出来，落在了眉毛上。他奇怪地冷淡地站在那儿，好像一个被咒骂的人。

"让我们把这个送给他们吧。"厄秀拉低语地说，"看，他们正一起要组建一个家呢。"

"我不帮助他们，在这件事上也不支持他们。"他倔强地说。他非常同情那个偷偷摸摸的冷淡的男人，而十分讨厌那个积极的、生殖力旺盛的女人。

"噢，对，"厄秀拉大叫道，"这椅子给他们非常正确——这儿没有其他的东西可以给他们了。"

"非常好，"伯金说，"你把它送给他们，我在这儿看着。"

厄秀拉相当匆忙地向那对年轻的夫妇走过去，他们正在争论是否买一个铁的洗脸盆架，那个男人正像个囚犯一样奇怪地暗中盯着那个令人讨厌的商品，这时那个女人还在不停地争论着。

"我们刚买了一把椅子，"厄秀拉说，"但是我们又不想要了。你们想要吗？如果你们要的话，我一定会非常高兴的。"

那对年轻的夫妇呆呆地看着她，不相信她是在同他们说话。

"你们想不想要？"厄秀拉又重复了一遍说，"它真的非常好看，但是，但是——"她相当灿烂地笑了。

那对年轻的夫妇只是盯着她，又意味深长地互相看了看，不知道该怎么做，那个男人奇怪地躲到一边，好像他可以像老鼠一样把自己藏起来。

"我们想要把它送给你们，"厄秀拉解释说。现在她有些迷惑不解，对他们有一点恐惧。她被那个年轻的男人吸引住了。他好像一个静止的，没有思想的动物，几乎不再是一个男人，他是这个小镇生产出来的动物，感觉上有一点奇怪的单纯、美好，又有点儿偷偷摸摸，迅速又有点敏感。他的眼睫毛黑黑的、长长的、非常美丽，但是好像它们没有一点精神，只有一种很可怕的东西，并且里面好像有一些有意识的东西，光滑、黑暗。他黑黑的眉毛和所有的线条都勾勒得相当的美好。对一个女人来说，他将会是一个非常可怕但是又非常令人愉快的情人。那不成形的裤子里面一定是两条敏捷的充满活力的腿，他像一只黑眼睛的老鼠那样健康、沉静、柔软。

厄秀拉领会理解了他，带着一种美好的迷恋的颤抖。那个粗壮的女人不愉快地盯着她。接着厄秀拉就把他忘记了。

"你们不要这把椅子吗？"她问。

那个男人斜视着她，几乎是傲慢地观赏着她。那个女人自己却紧张起来，她有一种浓烈的某些小贩的气息。她不明白厄秀拉接下来要做什么，对她有所警惕和敌对。伯金走过来，看到厄秀拉是如此犯窘和恐惧的样子他顽皮地微笑了起来。

"发生了什么事？"他笑着问。他的眼皮轻轻地向下垂着，那样子好像向这两个市民启示着什么，又好像有点神秘。那男人把他的头稍稍向一边偏了一点指着厄秀拉用一种令人奇怪的亲切、和蔼的声音说：

"她想要做什么？——啊？"一丝奇怪的微笑出现在他的嘴边。

伯金用他松弛的眼睛看着他，眼神中带着讽刺。

"给你们一把椅子，那个，上面还有标签呢。"他指着椅子说。

那个男人看着他所指的物体。有一种很奇怪的敌意弥漫在这两个男人之间，不能彼此理解。

"她为什么想把椅子送给我们呢，伙计？"他回答说，那随随便便的腔调使厄秀拉觉得受到了侮辱。

"我原想你们会喜欢它的，这是一把非常可爱的椅子。我们把它给买下了，但是又不想要了。你们没有必要非得要它不可，不要恐慌。"伯金疲惫地笑道。

那个男人匆匆地看了他一眼，半分敌意半分认可。

"如果你们刚刚买下了它,为什么你们自己又不想要了?"女人冷淡地问,"这对你们来说不错,现在你最好再看一看它,别认为这里面有什么玩意儿。"

她非常钦佩地看着厄秀拉,但是目光中又带着一些愤恨。

"我从来没有想到过那些,"伯金说,"但是,这木头处处都薄了一点儿。"

"你们看,"厄秀拉说,她的脸上有一种发光的喜悦,"我们正准备结婚,我们原想着我们应该买点东西。但是我们刚刚又决定我们不要家具了,因为我们打算到国外去。"

那个粗壮的、头发有一点乱乱的城市女孩看着另外一个女人姣好的面容。带着一种感激的眼光,她们相互欣赏着。那个年轻人站在一边,面无表情,相当宽大的嘴巴紧紧地闭着,那一小点小胡子很奇怪地趴在他的嘴巴上。他冷漠、茫然,就像一个黑暗中的幽灵,一个贫民区的幽灵。

"这东西还不错,"那个城市女孩说,她转过头看看她的年轻男人。他没有看她,但是他下面一部分的脸却微笑了一下,把头转向一边做出一种同意的姿势。他的眼神没有变化,还是黑黑的发着光。

"改变你的思想真是太难了。"他说,用一种低得让人无法相信的声音。

"这个只卖十个先令。"伯金说。

那男人看看他,带着一个痛苦的微笑。偷偷摸摸地,不自信地说:

"半英镑,这么便宜。不是闹离婚吧?"

"我们还没有结婚呢。"伯金说。

"对,我们也没有呢,"那年轻的女人大声说。"但是我们就要结了,是星期六。"

说着她再一次看了看那个年轻的男人露出保护的样子,非常专横,又非常温和。那男人不自在地笑了笑,把他的头扭向一边。她得到了这个成年的男人,但是他又是多么的不在意啊。他暗自感到自豪,觉得了不起。

"祝你们幸福。"伯金说。

"你们也一样,"那女人说。接着她又试探着问:"你们的日子什么时候来到?"

伯金看看厄秀拉说:

"这要听女士的话。她什么时候准备好了,我们就什么时候去注册。"

听到这话厄秀拉掩饰着混乱和慌张笑了。

"不用那么急。"那个年轻的男人说,带着意味深长的笑。

"噢,不要在那儿折断你的脖子,"那个年轻的女人说。"就好像你就要死了一样,你已经有这么长时间的婚姻。"

男人转到了一边,就好像这些话打中了他一样。

"时间越长越好啊,让我们期待吧。"伯金说。

"那是这样,伙计,"那个年轻的男人钦佩地说,"好好享受好时光,当它还能维持的时候,不要用鞭子打一头死去的驴。"

"但是当他是在装死的时候,就必须得打它。"那个年轻的女人说,轻柔又专横地看着她年轻的男人。

"哦,这是不同的。"他开玩笑地说。

"那个椅子怎么样?"伯金问。

"是,非常好。"女人说。

他们没精打采地走到那个商人面前,这个英俊但是又有点可怜的年轻的小伙子,一直躲在一旁。

"这个就是,"伯金说,"你们是想自己带走呢还是把地址给改一下让他们送去?"

"哦,弗莱德能搬。为了我们亲爱的古老的家,让他做他所能做的吧。"

"充分地使用我,"弗莱德说着,他从那个商人手中接过椅子。他的动作很优雅,但有点偷偷摸摸的。

"这个让妈妈坐非常舒适,"他说,"就是少了一个软垫儿。"他把它放在市场的大石头上。

"你不认为它非常好看吗?"厄秀拉笑着问。

"噢,我是这样认为的。"那个年轻的女人说。

"若是你坐在上面一会儿,你就会愿意留下它。"那个年轻的男人说。

厄秀拉很快就坐在市场中心的椅子中。

"非常舒服,"她说,"但是有一点硬,你过来试一下。"她邀请那个年轻的男人坐了上去。但是他马上变得非常尴尬,笨拙地呆在一边,明亮的眼睛带着一种奇怪的暗示性粗略地看着她,好像一只敏捷的充满生机的老鼠。

"不要溺爱他,"那个年轻的女人说,"他不习惯坐扶手椅的,不是吗?"那个年轻的男人带着一种浅浅的笑转过身离开了。

"真想把腿放在上面。"

这四个人要分开了。那个年轻的女人对他们表示了诚挚的谢意。

"谢谢你们给我们这张椅子,它会一直使用下去直到它不能再用。"

"留着它作为一种装饰品。"那个年轻的男人说。

"再见——再见了。"厄秀拉和伯金说。

"祝你们好运。"那个年轻的男人说，粗略地看了伯金一下便避开了伯金的目光，把头转向一边。

两对儿人分开了。厄秀拉挽着伯金的胳膊，当他们走了一段距离以后她又转过头去，她看见那个年轻的男人正走在那个胖胖的、非常悠闲的女人的一边，他的裤角堆在脚跟上，因为扛着椅子，他带着一种偷偷摸摸的逃避似的状态走着，好像被奇怪的自我意识给压碎了，他的胳膊环绕住这个黑色的椅子，椅子的四个好看的方形的细腿差不多就要挨住花岗石的人行道。但是他不屈不挠、好像一个敏捷的充满生机的小老鼠，他身上有一种惊人的潜伏美，当然这一样子有点令人觉得厌恶。

"他们是多么奇怪啊！"厄秀拉说。

"人的后代，"他说，"他们让我想起了基督的话'谦恭者将要继承世界。'"

"但是他们不是谦恭者。"厄秀拉说。

"是的，我不知道为什么，但是他们是那样的。"他回答说。

他们等电车到了就上去了。厄秀拉坐在上层，她向外看着外面的小镇。薄暮开始弥漫，填满了拥挤的房屋。

"他们会继承这个世界吗？"她问。

"对，他们会的。"

"然而我们将要做些什么呢？"她问，"我们和他们是不一样的，是不是？我们不是谦恭的人。"

"不是。我们必须得在他们留给我们的裂缝中生活。"

"多么恐怖啊！"厄秀拉大叫道，"我不想生活在裂缝中。"

"不要着急，"他说，"他们是人的后代，他们最喜欢市场以及街边的角落。这样他们就留给我们了充分的裂缝。"

"整个地球。"她说。

"噢，不，只是一些空间。"

电车慢慢地爬上了山坡，那时大多数的房子都是难看的冬天似的灰白色，看上去好像阴间的景象，非常冰冷、有棱有角。他们坐着看着。远方的夕阳像一团红红的怒火。所有的一切都是如此的冰冷，渺小，拥挤，好像世界末日。

"我不在意这些甚至其他的，"厄秀拉说。她看着这所有令人厌恶的场景说："这不关我的事。"

"是没有关系，"他回答说，把她的手放在手中，"你可以不必看的，你只需要走你的路就行了。在我的世界里现在阳光充足，宽广——"

"它是的，我的爱人，难道它不是吗！"她大叫着，在电车的上层抱住了他，以致于其他的乘客一直瞪他们。

"我们将要在地球的表面漫游，"他说，"我们将要看到确实在这以外的世界。"

接着是一阵长长的沉默。当她坐在那儿思考的时候，她的面孔就好像金子一样在发着光。

"我不想继承这个地球，"她说，"我不想继承一切事物。"

他的手握紧了她的手。

"我也一样不想，我想被剥夺一切继承权。"

她把他的手指头紧紧握住。

"我们不关心一切事物。"她说。

他静静地坐着笑了。

"并且我们就要结婚了，和他们都没有关系。"她又加了一句说。

他又一次地笑了。

"这是摆脱所有事物的一种路径，"她说，"那就是结婚。"

"这也是接受整个地球的一个路径。"他又加了一句说。

"一个完整的另外一个世界，是的。"她高兴地说。

"可能那儿有杰拉德和戈珍——"他说。

"如果那儿有就让它有吧，你看。"她说，"我们着急是没有一点益处的；我们真的不能改变他们，不是吗？"

"不，"他说，"一个人没有这种权力，即使有最好的动机也不行。"

"那你想迫使他们吗？"她问。

"可能会吧，"他说，"若是自由不是他的事情，我为什么想要给他自由呢？"

她停了好长时间。

"无论如何，我们不能给他快乐，"她说，"他必须得让他自己快乐起来才可以。"

"我明白，"他说，"但是我们愿意其他的人和我们在一块，不是吗？"

"为什么我们应该？"她问。

"我也不懂，"他不自在地说，"一个人在建立一种更深的伙伴关系之后总要有一种渴望。"

"但是为什么？"她坚持问道。"你为什么老是追求别人？为什么你需要他们？"

这些话恰好说到了他的痛处。他忍不住皱起了眉头。

"难道我们两个人就是目的吗？"他紧张地问。

"是，你还需要别的什么？若是有些人喜欢和我们一起走，就让他们来吧。但是你为什么要追求他们？"

他表情紧张，十分不高兴的样子。

"你看，"他说，"我在一直想象我们真的和其他少数的一些人在一块会非常高兴的——和别人在一块的一点小小的自由。"

她考虑了一会儿。

"是的，一个人确实想要那些，但是它必须得慢慢地发生才行。你不可以把你自己的意愿强加于它。你好像总是想你能迫使花儿开出花朵来。有人爱我们是因为他们爱我们——你不能强使人家爱我们。"

"我明白的，"他说。"但是我们就一点措施就不能采取了吗？一个人难道就必须一个人走就好像一个人孤独地生活在这个世界上——地球上仅有的一个生物？"

"你已经有了我，"她说，"你为什么还需要其他的人呢？你为什么一定要迫使其他人和你的意见一致呢？你为什么不能像你一直都说的那样你自己一个人呢？你企图威吓杰拉德就好像你企图威胁赫麦妮一样。你必须得学着一个人才行。你这样太令人恐怖了。然而你已经有了我，但是你还想要去强迫其他的人也爱你。你确实是恐吓他们去爱你的。并且即使是这样，你并不想要他们的爱。"

他的脸显出一种真实的困惑的样子。

"我不是这样吧？"他说，"这是一个我无法解决的问题。我明白我想要和你形成一种完美的、彻底的关系。我们几乎已经接近它了——我们确实有这种关系。但是超出这些以外的，我是不是想要和杰拉德有真实的最终的关系？我是不是想要和他建立一种终局性的，几乎是超出人性的关系，一种我和他的最后的关系——或者我不是？"

她的眼睛闪着奇特的光芒，她注视了他很长时间，但是她还是没有回答他。

第二十七章　出走

那天晚上,厄秀拉眼睛里带着非常奇特的光芒回到了家中——这让她的家人很生气。她的父亲在吃晚饭的时候回来了,他刚上完夜课,回家时又走了这么远的路,非常的累。戈珍正在读书。母亲静静地坐着。突然间厄秀拉向家人响亮地说:"明天卢伯特和我要结婚。"

她父亲颤抖着转过身,"你说什么?"他说。

"明天!"戈珍重了一遍。

"是真的!"母亲说。

但是厄秀拉只是兴奋地笑着,没有回答。

"明天就要结婚!"她父亲厉声叫着,"你说的这都是些什么?"

"是的,"厄秀拉说,"为什么不是呢?"从她嘴里说出的这些话,几乎让她的父亲发疯了。"一切都准备好了——我们要去登记处——"

厄秀拉开心地说完后,房间里一阵静寂。

"真的,厄秀拉!"戈珍说。

"我们能否问一下,为什么这一直是个秘密呢?"母亲问的相当有分寸。

"可这不是秘密呀,"厄秀拉说,"你们都知道的!"

"谁知道?"父亲叫道,"有谁知道?你所说的'你们知道'意味着什么呀?"

他正处在愚蠢的愤怒之中,厄秀拉马上反对他。"当然你是知道的,"她沉着地说,"你知道我们要打算结婚的。"

一阵让人可怕的停顿。"我们知道你们打算结婚,是吗?我们知道!为什么呀,谁知道关于你的事,你这个来回变化的东西!"

"爸爸!"戈珍叫道,涨红了脸激烈地抗议道。但是她又平静了下来,用温和的声音说着,好像是在提醒厄秀拉要服管教:"但是不要颇为意外地做决定,好吗,厄秀拉?"她问道。

"不,真的不着急,"厄秀拉带着同样发狂的兴奋回答,"他等我同意已经有好几周了——他已经准备了证明信。但是——我本人还没有作好准备。现在我作好了准备——有什么不同意的吗?"

"自然是没有了,"戈珍说,但是仍然用一种冷冷的责怪语气说:"按照你所喜欢的,完全自由地去做吧。"

"你作好了准备——你自己,这就是所有的事了,是吗!但是'我还没作好准备呢,'"他模仿着她的让人不愉快的措词。"你,你自己,你认为你非常重要,不是吗?"

她振作精神,清了清喉咙,眼睛闪着危险的黄色的光芒。"我只是我自己,"她说,她觉得她受到了伤害和压制。"我明白我和其余的任何人无关。你只不过是想压制我——你从来就不关心我的幸福。"

他向前探着身子注视着她,他的脸上闪着强烈的怒火。

"厄秀拉,你在说些什么话呀?让你的嘴停下来!"她的妈妈喊道。

厄秀拉转过身,她的眼睛里闪着火星。"不,我不会静下来,"她喊着,"我不会让我的嘴不说而去受委屈。我在哪一天结婚这有什么关系呀——有什么关系嘛!这是我自己的事,它和任何人无关。"

她父亲紧张地紧缩着身子,就像是一只随时要跳起来的猫。"它和我们无关?"他叫道,越来越近地走向她。她退缩着。

"没有关系?"她回答道,虽然向后退着但她仍然很坚定。

"那么,你做的事情,都和我没有关系——那你是怎么长大的?"他用一种奇怪的、像哭声的声音喊道。

母亲和戈珍退到后面,好像被催眠似的发着呆。

"不,"厄秀拉结结巴巴地说。她父亲离她更近了。"你仅仅是想——"她知道这样说是危险的,就停住了。

他聚足了劲,每块肌肉都准备着。"你想说什么?"他挑战般地问。

"压制我,"她咕噜着说。正当她的嘴唇还在蠕动着的时候,他的手掌已经打在了她一边的脸颊上,她被打得靠在了门上。

"爸爸!"戈珍高声叫道,"这是不行的!"

他静静地站在那里,厄秀拉恢复了意识,她的手还抓着门柄。她慢慢地站了起来。他现在好像有点犹豫了。

"是真的,"她说道,眼中闪耀着泪花,蔑视地仰起了头。"你的爱是什么样的意思,它究竟有什么意思?——压制和拒绝——它就是这——"

他又奇怪地提前做起了紧张动作,握紧了拳头,脸上透着凶气。但是厄秀拉却像闪电一样快地拉开门,接着他们听见她跑上了楼。

他看着门呆立了瞬间。然后,像是一只被击败的动物一样,他转过身,回到他火炉旁边的座位上。戈珍脸色苍白。母亲又冷又怒的声音打破了这紧张的寂静:"好了,你不要太在乎她的事情了。"

重新又静了下来,每个人都陷入了自己的感情和思想中。

门突然又被打开了,厄秀拉戴着帽子,穿着毛皮大衣,手中提着一个小提箱。"再见!"她用她那发狂的急速的带着嘲笑的语调说,"我就要走了。"

接下来门立即关上了。他们听到外面的门也关上了,然后听到她急速的脚步声响在花园的小径上,然后大门也重重地关上了,她那轻微的脚步声走远了。屋子里一阵死一样的沉寂。

厄秀拉直接向车站走去,双脚像是带翼的车轮向前紧赶着。那里没有火车,她必须走到中转站去。当她在黑夜中穿行时,她哭了,她无声地、痛苦地哭着,心都碎了,像孩子一样的感到苦闷,她哭着走完所有的路,在车上时还在哭着。时间在不知不觉中就过去了,她不知道她在哪儿,也不知道发生了什么事。她只是为着不可测量的深深的绝望哭着,像孩子一样,为了那知道的不可减轻的、绝望的伤心事哭着。

然而当她在门口和伯金的女房东说话时,她的声音像往常一样轻松。"晚上好!伯金在家吗?我能见见他吗?"

"是的,他在。他正在书房里面。"

厄秀拉从这个女人旁边挤了过去。他的门打开了。他已经听见了她的声音。

"哈啰!"看到她提着手提箱站在那里,脸上还带着泪水,他吃惊地叫了起来。她就像孩子一样,脸上还带着许多泪痕。

"我看起来很丑陋吗?"她向后退着说。

"不——为什么?快进来,"他从她手中拿过手提箱,他们走进了书房。

刚一到那——马上,就像是又想起伤心事的孩子一样,她的嘴唇颤抖着,眼泪涌了出来。

"发生什么事了?"他用胳膊抱住她问。她在他的肩膀上激烈地呜咽着。他就静静地搂着她,等着她平静。

"发生什么事了?"当她平静一点的时候,他又问道。但是她仍痛苦地把脸深深地埋进他的肩膀,像孩子一样不能讲话。

"这究竟是怎么回事?"他问道。

她突然挣脱他的怀抱,擦着眼睛,恢复了平静,她开始坐到一把椅子里去。"爸爸打我了,"她说,坐在那里缩成一团,很像一只受惊的小鸟,她的眼睛非常明亮。

"为什么呢?"他说道。

她向一边看看，没有回答。她那灵敏的鼻尖和她那抖动着的嘴唇红得让人同情。

"为什么？"他重复道，用他那温和的、很奇怪地很有穿透力的声音说。

她有点挑战般地注视着他说："因为我说我打算明天就结婚，于是他就压制我。"

"他为什么要压制你？"

她的嘴又抖动起来，她再次想起那一情景，泪水又流了出来。"因为我说，他根本就不在意我——他就是不在意，只是用他那权威来伤害我——。"她说，她说话的时候，她的嘴一直被她的抽泣拉动着，这让他几乎想笑，因为她是如此的孩子气。然而这不是孩子气，她在激烈的冲突中受到了深深的伤害。

"这不完全是真的，"他说，"就是这样，你也不应该那样说。"

"这是真的——这是真的，"她哭道，"我不会让他假装的爱来压制我——当他假装爱我的时候——他不在意我，他怎么会——不，他是不会的——"

他静静地坐着。她让他忘了他自己。"如果他不在意你的话，那你就不应该激怒他了，"伯金安静地回答说。

"但是我曾经爱过他，我曾爱过，"她哭着说，"我一直都爱着他，但是他总是这样来对我，他——"

"这是一种互相对抗的爱，那么，"他说，"不要放在心上——它会好起来的。没有什么可绝望的。"

"是的，"她哭道，"是这样的，是这样的。"

"为什么？"

"我永远不再见他了——"

"但不是立即。别哭了，你必须离开他，必须这样——不要哭了。"

他向她走过去，亲吻着她那优美的、纤细的秀发，温柔而又动情地轻抚着她哭湿的脸颊。"别哭了，"他重复着说，"别再哭了。"他抱着她的头，紧紧地，静静地抱着。

她最后安静下来了。然后她抬起头，她的眼睛睁得大大的，带着惊恐。"难道你不需要我吗？"她问。

"需要你？"他神色黯淡的眼睛让她感到困惑，他不像是和她开玩笑。

"你不希望我来？"她又一次担忧地问，因为害怕她几乎要失去平衡了。

"不，"他说。"我希望这种暴力行为不要再发生了——如此的丑陋

——但是也许这是不可避免的。"

她静静地望着他。他好像是失去了活力。

"但是我住在哪儿呀?"她问道,感到了羞辱。

他想了一会儿。"在这里,和我住在一起,"他说,"我们明天结婚和今天结婚,都是一样的。"

"但是——"

"我去和瓦莉太太说一声,"他说,"现在不要太放在心上。"

他坐在那里望着她。她能够感觉到他那沉稳的黑眼睛一直都在看着她。这让她感到有点儿惊恐。她不安地把头发从前额上撩开。"我看起来很丑陋吗?"她说道,同时她又一次抽动了一下鼻子。

他眼神里露出了笑意。"不丑,"他说,"很幸运。"

然后他走过去,像抱着属于他的东西似的把她围在双臂中。她如此温柔、如此美丽,他不能看她,他只能把她抱在自己的怀里。现在,泪水洗净了她的脸颊,她就像一朵刚刚开放的花朵一样新鲜和娇柔,一朵如此新鲜、如此柔弱、内心如此完美的花,他不敢去看她,他必须把她藏在怀里让她遮住他的视线。

她被创造得如此完美、如此洁白、透明和天真,像一朵闪着华丽光彩绽放在最幸福的瞬间的花。她是如此的新鲜,如此让人惊愕的纯洁,如此的明亮。但是他却如此的陈旧,沉浸在阴沉的回忆中。她的灵魂是崭新的而他的灵魂是晦暗的、阴沉的,他的灵魂仅靠着一点点希望生活,就像是一粒芥菜种子。但是他身上的这粒充满活力的种子却点燃了她完美的青春。

"我爱你,"他一边吻着她一边低语着,因为他怀着纯净的希望而发着抖,就像是一个复活的人,又获得了远远超过死亡限制的、让人惊奇的充满活力的希望。

她不知道这对他的意义是多么重大,不知道他所说的那几句话的意义有多大。她几乎像是一个孩子一样想得到证实、说明、甚至是夸张的说明。因为对她来说,每一件事都好像是不确切的、不固定的。

但是他在心灵中接受她时所怀的激情和感谢之情,他原本没有想到可以和她结合在一起,他,这个濒临死亡的人,他的余生如此近地沿着死亡的斜坡下滑的人,在心中所有的这种极端的喜悦之情,她是永远不会理解的。他就像是老年人崇拜青年人一样,去崇拜她,他为她而感到骄傲,因为在他信仰的谷粒中,他就像她一样年轻,他是她合适的配偶。和她的这个婚姻让他得以复苏,她就是他的生命。

所有的这一切她都不知道。她想叫他觉得她的重要,让他喜爱自己。

在他们之间有一段无穷的静默的间隔。让他如何去对她说她内在的美，不在于她的形体，或是她的重量，她的外貌，而是像奇怪的金光一样的东西！对于他来说，他又怎么知道她贮藏的美是什么呢。

他说："你的鼻子非常漂亮，你的下巴是可爱的。"但是这听起来就像是在说谎，她感到失望，痛心。甚至是当他真诚地低声说着"我爱你，我爱你"时，这也让她感到很不真实。它是一个超越爱的东西，超越了个人的欢乐，超越了故有的存在。当他是个新的未知人，而根本不是他自己时，他怎么能说"我"？这个"我"，这个陈旧的年龄的公式，只不过是一个呆板的字母。

在这种新的、特别的赐福中，一种和平代替了一切，没有了我和你，只有未被意识到的奇妙的第三者的存在，这个奇妙的存在不是自己，而是我的存在和她的存在所完满地结合成的一个新的存在，从二元恢复到一个新的乐园似的整体。当我终止生命而你也终止生命的时候，我不能够说"我爱你"：我们结合在一起，超越一切成为新的整体，所有的一切都静止了，因为没有可回答的任何事，所有的都是完美的，都是一体的。在这两个单独的个体之间交流着语言。但是在这完美的整体中，是完美的、天赐的幸福的沉默。

第二天他们的婚姻在法律上得到认可，按照他的要求，她给她的父母写了信。但是只有母亲回了信，父亲没有回。

她没回学校。她和伯金呆在他的书房中，或者是和他一起去磨房。但是她不见任何人，除了戈珍和杰拉德之外。她整个人变得陌生了，让人感到疑惑，但是就像是黎明一样，她的心情重又开朗了。

有一天下午，杰拉德和她坐在磨房暖和的书房中聊天。卢伯特还没有回家。

"你感到快乐吗？"杰拉德微笑着问她。

"非常快乐！"她叫道，稍微压抑着她的兴奋。

"是的，人们一下子就能看出。"

"能吗？"厄秀拉诧异地叫道。

他用一种开朗的微笑看着她。"哦，是的，这很明显。"

她非常高兴，沉思了一会儿。"你能看出来卢伯特也非常快乐吗？"

他垂下眼睑，向旁边看着。"哦，是的。"他说。

"是真的！"

"哦，是真的。"他很平静，好像是这样的事情他不应该谈论。他好像有点忧郁。

对于他的暗示她很敏感。她就问了他想向她问的问题。"为什么你不觉得快乐呢?"她说,"你本来应该一样快乐的。"

他沉默了一会儿。"和戈珍吗?"他问。

"是!"她说,眼睛里闪着炽热的光。但是有一种很牵强的奇怪的紧张感,好像是他们都在说着希望,而不是事实。

"你认为戈珍愿意拥有我,我们会快乐吗?"他说。

"是,我确定!"她说。她的双眼喜悦地瞪得圆圆的。但是在心里面她挺不舒服,她知道这只是她的主张。"哦,我感到很高兴。"她又附加说。

他微笑了。"是什么让你高兴?"他说。

"为了她的缘故,"她回答道。"我确定你是——你是她合适的人。"

"你这样想吗?"他说,"你认为她会和你的看法一样吗?"

"哦,是的!"她轻率地说。然后,经过再次考虑,她又心神不安起来:"但是戈珍并不是如此率直,是吗?人们在很短的时间内不会了解她,是吗?在这上面她和我可不相像。"她冲着他奇怪、坦率而又迷人地笑着。

"你认为她和你有很多不像的地方吗?"杰拉德问。

她皱了皱眉头。"哦,在很多地方她像我。但是当有任何新的事情出现时,我从来不知道她打算怎么办。"

"你不知道?"杰拉德说。他沉默了很长时间。然后他试着动了动身子。"我要去问问她,无论如何,都叫她在圣诞节时和我一起走。"他谨慎地低声说道。

"和你一起走,你的意思是在近期内?"

"只要她愿意,多长时间都行。"他说着,做了个表示不赞成的动作。

他们两个都沉默了许久。

"自然了,"厄秀拉最后说道,"她可能也乐意很快地结婚呢。你能看出来吧。"

"是的,"杰拉德说,"我能。但是,万一她不愿意——你认为她会和我一起出国几天——或者是两周的时间吗?"

"哦,会的,"厄秀拉说,"我会去问她的。"

"你认为我们有可能一起去吗?"

"我们大家?"厄秀拉的脸又发出了光彩。"这将会相当有趣,你不这样想吗?"

"太有趣了。"他说。

"到那时你会发现,"厄秀拉说。

"什么呀?"

"事情是如何发展的。我想,最好是在举行婚礼之前去度蜜月——你认为呢?"

她很满意自己的这句话。他大笑起来。

"在某些情况下,"他说,"我宁愿我自己就是这么做的。"

"你愿意?"厄秀拉惊叫道。然后有点怀疑,"是的,也许你是正确的,一个人应当让自己满足。"

伯金回来一会儿之后,厄秀拉就告诉了他有关他们所说的话。

"戈珍!"伯金喊道。"她天生就是一个情妇,正像杰拉德天生是个情人一样——绝对的情人。就像有人说的,女人要么是妻子,要么是情妇,而戈珍就是一个情妇。"

"所有的男人要么是情夫,要么是丈夫,"厄秀拉喊道,"为什么不身兼二职呢?"

"这两者是互相排斥的。"他大笑道。

"那么我想要一个情夫。"厄秀拉叫道。

"不,你是不需要的。"他说。

"但是我就是要!"她悲叹着大叫。

他一边吻着她,一边笑了。

两天之后,厄秀拉打算回贝多弗家中去拿她的东西。父母已经迁走了,家也消失了。戈珍在威利·格林有了自己的房子。

自从结婚之后,厄秀拉就没有见过她的父母。她为这场决裂哭了,发生这种事情有什么好处呀!好也罢,不好也罢,反正她是不能去见他们了。因为她的东西被留在了贝多弗,于是她就和戈珍在一个下午,步行去那里拿回来。

这是个冬天的下午,当她们到那所房子中时,天空已经变红了。窗户黑洞洞地开着,这个地方已经让人感到害怕。两个女孩一走进那荒凉、空洞的前厅,就感到一阵寒意。

"我相信我不敢单独来这里。"厄秀拉说,"它让人感到害怕。"

"厄秀拉!"戈珍叫道,"这多么让人惊异!你能相信你在这里毫无感觉地住下去吗?我很难想象我能在这里住上一天,而没有被吓死!"

她们往大饭厅里面望着。它是一个足够大的房间,但是眼下小一点也许会更可爱。那大大的凸起的窗户毫无遮盖,地板上的漆已经脱下来了,在发白的木板地面的周围,磨出了一道黑边。

在以前放家具的地方,上面那已经褪色的壁纸上有着点点的黑色的斑点。这堵干燥、脆薄、看起来没价值的墙,这好像易坏的、苍白的、带着人们磨出来的黑边的地板,让人减轻了紧张的情绪。每样东西都不能激活人们的感觉,四周围着空洞的物质,因为这面墙又干又白,像纸一样。她们这是站在哪儿,在地球上,或者是浮在一个纸盒子中?在炉子里有一些烧过的纸，有些碎片还没有烧完。

"想象一下我们在这里过的日子吧！"厄秀拉说。

"我知道，"戈珍叫道，"这真是让人震惊。如果我们现在愿意住在这里的话，我们会是什么样子？"

"真可憎！"厄秀拉说，"它可真是这样。"

这时她认出燃烧着的时髦的封面纸——穿着礼服的女人画像正在燃烧——它们躺在炉子下面。

她们走进起居室。这里是另外被隔离起来的一种氛围，没有重量或者是实在的物质，只有像用纸似的东西关押起来的虚无。厨房看上去挺坚固，因为里面铺着红色的地毯，还有炉子，但是这里面又冷森森的，让人感到可怕。

两个姑娘内心空空地爬到了空旷的楼梯上。每一种声音都在她们的心中回响着。她们又走到了同样空旷的走廊上。在靠着厄秀拉卧室的墙边处，放着她的东西：一只箱子，一只针线筐，几本书，胡乱放着的外套，还有一只帽箱，黄昏中，它们站在这虚无荒凉的空空世界上。

"一幅让人高兴的景象，是吗？"厄秀拉说，一边看着她的被抛弃的财产。

"真让人高兴，"戈珍说。

两个姑娘开始动手把所有东西都运到门前面去。她们一次又一次地在空荡荡的屋子里运着东西。整幢房子都像是回响着她们发出的那种虚无空洞的声音。在远处那空落落的看不见的房间里，也发出了这种几乎是猥亵的颤音。她们差不多是拎着最后一样东西跑到了门外。

但是，天非常冷。她们等待着伯金，他将开着车过来。她们又一次进了屋，上了楼，来到她们的父母以前的卧室，从窗户里能看到下面的大路，田野对面的落日像是黑栅栏，又黑又红的被隔绝了，没有一丝光亮。

她们坐在窗台上，等着伯金的到来。两个女孩子扫视着房间。它显得空虚、毫无意义，只是可怕。

"真的，"厄秀拉说，"这屋子没法再变得庄严了，是吗？"

戈珍慢慢地看着房间，"不可能变庄严了。"她回答说。

"我时常会想起他们的生活——父亲和母亲各自的生活，他们的爱和他们的婚姻，我们这些孩子和我们成长的经历——你愿意过这样的一种生活吗？"

"我不愿意，厄秀拉。"

"好像是什么都没有——他们的生活——在这里面什么意思也没有。真的，如果他们并没有相见，没有成婚，没有共同生活——这一切就没有关系，是吗？"

"自然——你不能这样说。"戈珍说。

"是不能。但是如果我的生活也将是像这样过的话——，"她捉住戈珍的胳膊说，"我会逃跑的。"

戈珍静默了一阵子。"事实上，一个人是不能够考虑这种平常生活的——一个人是不能考虑的，"戈珍回答说，"就你来说，厄秀拉，这就十分的不同了。你将会和伯金一起逃离全部的一切。他是一个特别的人。但是就平常的人来讲，他的生活如果不确定在某个地方，婚姻就是不可能的。也许有，并且也真的有成千上百个女人想要这种稳定，她们不会再去想其余的事情。但是这种思想让我发疯。一个人最重要的是要有自由，必须有自由。一个人可能失掉其余的全部，但是他必须有自由——一个人不能成为品切克街7号，或者是索莫塞特街7号——或是肖特兰兹7号。将没有人能够从中获得好处——没有人！结婚，就要找一个自由的人，或者是一无所有的人，一个战友，一个快乐的骑士。在这个群居的世界上找个有地位的人——好了，这根本就是不可能的，不可能！"

"多可爱的一个词儿呀——快乐骑士！"厄秀拉，"这比说'有财富的战士'好多了。"

"是呀，不是吗？"戈珍说，"我乐意和一个快乐骑士共同推翻这个世界。但是一个家，一个确定的工作！厄秀拉，这里面有着什么含意？——你想一下吧！"

"我明白，"厄秀拉说，"我们已经有个家了——这对于我来说已经足够了。"

"完全足够了？"戈珍说。

"'西边灰色的小屋，'"厄秀拉自嘲地引用了一句话。

"它听起来就带着点灰色。"戈珍冷冷地说。

她们被下面的汽车声给打断了。伯金来了。厄秀拉为自己的激动感到很吃惊，她突然就从"西边灰色的小屋"的难题中恢复了过来。

她们听到他在下面的甬道上走路时的脚步声。

"哈啰！"他叫道，他活泼的声音在屋子里回荡。厄秀拉独自笑了。他也害怕这所房子。

"哈啰！我们在这里。"她向楼下叫着。接着她们听到他跑了上来。

"这是一个可怕的地方。"他说。

"这房子里没有鬼——这里没有任何的名人居住，只有在名人住的地方才可能有鬼。"戈珍说。

"我也是这么想的。你们正在为过去哭泣吗？"

"是的。"戈珍冷冷地说。

厄秀拉笑了起来。"不是为它的过去哭泣,而是为它曾经的存在而哭泣。"她说。

"哦,"他回答道,放心了。

他坐了一会儿。他的存在带来了某种东西,厄秀拉想,他闪烁着,活泼泼的。他让这所虚无的房子中空洞的结构消失了。

"戈珍说她不能够忍受婚姻并且被关到家中。"厄秀拉意味深长地说——他们都知道这指的是杰拉德。

他静默了一阵子:"好了",他说,"如果在结婚之前你就知道无法忍受 那你就很安全了。"

"太对了!"戈珍说。

"为什么每一个女人都以为她在生活中的目标,就是要有一个丈夫和一座西边灰色的小屋?为什么这就是生活的目的?为什么它要是这个样子-"厄秀拉说。

"你对你所做出的傻事应该敬重,"伯金说。

"但是在你忠于它之前,你不必对这种愚蠢的行为表示尊敬。"厄秀拉笑着说道。

"那么,要是爸爸做出的傻事呢?"

"加上妈妈做的傻事。"戈珍戏弄似地补充道。

"再加上邻居做的。"厄秀拉说。

他们都放声大笑起来。天已经黑了。他们把东西运到车上,戈珍锁上了空空的房屋。伯金已经打开了汽车上的灯。大家好像很快乐,仿佛他们要出去游玩似的。

"在库尔森斯停一下,你不介意吧?我必须把钥匙放在那儿。"戈珍说。

"好的。"伯金说,然后他们就离开了。

他们在大街上停了下来。商店里刚好亮灯,最后一批矿工正顺着堤道往家走,他们穿着肮脏的制服,带着忧郁的神情走着。但是他们沿着人行道行走时嘈杂的脚步声很响。

戈珍从商店走出来,上了车,黄昏中,明显可感到车子正在下坡,和厄秀拉和伯金在一起是多么让人高兴呀!在这个时间,生活就好像是一场冒险!那么深、那么突然地她感到非常羡慕厄秀拉!对于厄秀拉说,生活是活生生的,向她敞开着一扇大门——她不计后果,好像不仅是这个世界。就是已经过去的和即将来临的世界,对于她来说都是无关紧要的。啊。如果她也能够像她一样,会有多美好呀。

除去这瞬间的兴奋,她始终感到自己内心有一种渴望。她还不能够确定它。她现在感到,最终,在杰拉德强大而又猛烈的爱中,她的生活会是充实的、完满的。但是当她同厄秀拉做比较时,她的心中就感到嫉妒,不能满足了。她不会满足的——她是永远也不会满足的。

现在她缺少什么呢?是婚姻——奇妙而又稳定的婚姻。她真的想要它,如果让她说出她想要的东西的话。她一直撒着谎。有关婚姻的陈旧想法即使是现在,也都是正确的——婚姻和家庭。然而她嘴里说着这些话的时候,她又扮着苦相。她思考着杰拉德和肖特兰兹——婚姻和家!啊,让这一切静止吧!对她来说,他太重要了——但是——!

也许她是不能结婚的。她是被生活抛弃的人,是一个没有根的飘浮着的生命。不,不,生活不可能是这样的。她猛然幻想着有一间玫瑰红的房子,她自己穿着漂亮的睡袍,一个穿着晚礼服的英俊的男人在火光中抱住她、吻着她。她定义这幅图画为《家》。它简直可以送给皇家学院了。

"和我们一起喝茶吧,来吧,"当他们接近威利·格林村庄时,厄秀拉说。

"非常感谢——但是我必须去——"戈珍说。她很想和厄秀拉和伯金一起去,对于她来说,那才像是真正的生活。然而,一种反常的怪想法不让她这样做。

"快来吧——哦,那会多么的美好呀。"厄秀拉恳求着。

"我十分的抱歉——我真的乐意去——但是我不能——真的——"说着,她战栗着,匆忙从车上下来了。

"难道你真的不能来吗?"传来厄秀拉惋惜的声音。

"不能去,我真的不能去。"戈珍可怜地回答说,黄昏中这些话里面透着懊恼。

"可以吗,你一个人?"伯金叫道。

"完全可以!"戈珍说,"再见。"

"再见。"他们叫着。

"只要你喜欢,什么时候都能来,见到你我们会很高兴的。"伯金叫着说。

"非常感谢,"戈珍说。她用奇怪的鼻音说着,这让人感到她的孤独和委屈,对他来说,那真是非常的令人困惑。她转身向她小别墅的大门走去,于是他们开车离开了。当奔跑的车影模糊地消失在远处的时候,她马上站下来望着他们。她走上回到她那陌生的家中的小路,心里充满了不能理解的辛酸。

在她的起居室里有一座长长的时钟,钟面上嵌着一张红润的、圆圆的、高兴的脸,最为荒谬的是当钟表滴答作响时,它斜着的眼睛就抛起了媚眼儿。然后又恢复那张同样可笑的笑脸,等着钟表下一次的滴答声。这张可笑的光滑的红色的脸,一直不断地炫耀着向她送"媚眼"。

她站在那里看了它一会儿,直到她感到发狂般的厌恶淹没了她为止,她空虚地自我嘲笑起来。可这双媚眼仍在来回地摆动,一会儿在这边、一会儿在那边的向她送着媚眼。啊,它可真是幸福呀!它正处在最活跃的幸福之中!而她却是多么地不幸呀!她向桌子上看了一眼:醋栗果酱,还有家做的蛋糕,在里面放了太多的苏达!然而,醋栗果酱还是好的,几乎没有人吃过它。

整整一个晚上,她都想着要到磨房去。但是她冷酷地拒绝了,不允许自己去。她第二天下午去了。当她发现只有厄秀拉独自一个人在时,她很高兴。有一种有趣的、亲近而又秘密的气氛,她们无穷无尽地、欢欣地谈论着。"你在这里不是太幸福了吧?"戈珍对着镜子里闪着明亮眼睛的姐姐说。她总是嫉妒,几乎是带着愤恨,对厄秀拉和伯金周围的气氛,她有一种奇怪的敌对。

"这房子布置得多么漂亮呀,"她大声地说,"这张编的硬席子——颜色多么可爱,多么清雅!"

对于她说,这一切好像是完美的。

"厄秀拉,"她以一种长长的、超然的询问般的语气说,"你知道杰拉德·克里奇提议我们在圣诞节时一起出去走走吗?"

"是的,他对卢伯特说过。"

戈珍的脸颊绯红。她静默了一会儿,好像是受了惊,不知道说什么。"但是,难道你不认为,"戈珍最后说,"这个提议实在是太冷酷了!"

厄秀拉大笑了。"我喜欢他这样做。"她说。

戈珍沉默了。很显然,这让她感到气恼,因为杰拉德随便地就将这个提议告诉了伯金,但是这个建议本身却对她有很强的吸引力。

"我觉得杰拉德相当的直率、相当可爱,"厄秀拉说,带着一种挑衅,"哦,我认为他是非常惹人爱的。"

戈珍很长时间没有回答。她仍然沉浸在杰拉德对她的自由随意冒犯的侮辱中。"卢伯特说了什么——你知道吗?"她问道。

"他说这将会是最为高兴的事。"厄秀拉回答。

戈珍又向下看着,静默着。

"你认为这不会吗?"厄秀拉试着问。她从来都不知道戈珍有多少种保护自身的方法。

戈珍艰难地抬起脸,扭向一边。"我想它可能像你说的那样,会是非常有趣，"她回答说，"但是，你不认为它是不可原谅的无礼行为吗——和卢伯特说这样的事——究竟谁——你明白我是什么意思，厄秀拉——他们这两个男人可能安排好了这次外出，顺便带上什么类型的人。哦，我想这是不可宽恕的，完全不能！"她用法语说了"类型"这个词。

她温和的脸红了，阴沉沉的，眼睛里闪着怒火。厄秀拉看着她，感到相当害怕，怕的是戈珍太庸俗了，因为她真的很像那一类人中的绝大多数。但是她又没有足够的勇气这样想——这不正确。

"哦，不，"她结巴着说，"哦不——根本不是那样的——不！不，我想在卢伯特和杰拉德之间有着相当美好的友谊。他们都很率直——彼此之间什么话都说，就像是兄弟。"

戈珍的脸变得更红了。她不能够忍受杰拉德出卖她——即使是对伯金。"但是，你认为即使是兄弟间也有权去交换这一类的秘密吗？"她问道，更加的生气。

"哦，是的，"厄秀拉说，"他们之间从来没有什么不能直接地说出来的事。不过，杰拉德最令我惊奇的事是——他能够做的非常天真和直率！你要明白，伟大的人才是这样的。大多数人说话都是间接的，他们都是很懦弱的人。"

但是戈珍还是生气地沉默着。她想对她的行动完全的保密，对她的举动非常注意。

"你不去吗？"厄秀拉说，"去吧，我们都会非常的开心的！杰拉德有招人喜欢的地方——但是他比我想的要更加可爱。他是自由的，戈珍，他真的就是这样。"

戈珍的嘴愠怒而又难看地仍是紧闭着，很长时间她才开了口。"你知道他计划到哪里去吗？"她问。

"是的——去悌罗尔，他在德国时经常去那里——一个学生们爱去的，不大而险峻、有趣的、进行冬季运动的可爱地方。"

但是戈珍的头脑里生气地想着——"他们知道一切。""是的，"她大声说，"离因斯布鲁克估计有四十英里，是吗？"

"我对那里知道的并不清楚——但是一定很有趣，你不这样想吗，高处美丽的白雪——"

"太有趣了！"戈珍讽刺地说。

厄秀拉不安了。"当然了，"她说，"我想杰拉德这样对卢伯特说，好像不是要和什么类型的伙伴旅游。"

"当然了，我知道的，"戈珍说，"他通常都要带着这种类型的伙伴。"

"他真这样！"厄秀拉说，"你怎么知道？"

"我认识赛尔西的一个模特儿。"戈珍冷淡地说。

现在,厄秀拉静默着。"哦,"她最后笑着,怀疑地说,"我希望他和她一起玩得愉快。"听到厄秀拉这样说,戈珍看起来更阴沉了。

第二十八章 戈珍在庞巴多酒馆

圣诞节临近了，四个人全部都做好了出行的准备。伯金和厄秀拉正忙于包着他们的一些个人的东西，准备运走，运到他们最终选择的任何一个国家和任何一个地方。戈珍非常兴奋。她喜欢去旅行。

她和杰拉德，最先准备好了，于是就动身了。他们将经过伦敦和巴黎去因斯布鲁克，在那里与厄秀拉和伯金相聚。在伦敦他们暂住了一夜。他们去了音乐殿堂，接着到了庞巴多酒馆。

戈珍厌烦小酒馆，然而她总得回到这里，她认识的那些艺术家们大部分都在这儿。她厌恶这里的气氛，充满了卑鄙的恶行、嫉妒和微不足道的艺术。然而当她来到这个城市时，她总会被再次吸引到这里。好像是她必须得回到这个狭小的、迟钝的、瓦解和分散的漩涡中心：就只是为了看它一眼。

她和杰拉德坐在一起，喝着甜酒，用忧郁而沉闷的眼神望着坐在桌子旁边的各种各样的人群。她不向任何人问候。但是那些年轻的男人都带着一种嘲弄的亲密感，频繁地冲她点头。她把他们所有的人都刺痛了。她坐在那里，感到很开心，脸颊绯红，眼神里面透着忧郁和阴沉，她从容地看着他们，仿佛把她自己置于一边，就像是看着动物园里那些退化的模仿着人类灵魂的动物。她觉得非常快活。

上帝呀，他们是多么肮脏的一个群体呀！她的血在血管里带着愤怒和讨厌沉重地撞击着，挤在一处。但是她只能坐在那里注视着，注视着。有一两个人走过来和她打招呼。从小酒馆的每一面都有眼睛转过来暗暗地、嘲笑地盯着她，男人们扭过头看她，女人们从帽子下面盯着她。

她那一群故交们都在这儿。卡里昂坐在角落里，和他的学生以及女朋友在一起，还有海里戴，里比德尼科夫和米纳蒂——他们全都在这里。戈珍注视着杰拉德，她发觉他的目光在海里戴，还有海里戴那群人身上游移着。这些人也不断地看着他——他们向他点点头，他也向他们点了点头。他们哈哈地笑着，他们中有几个人低语着。杰拉德明亮的眼睛沉稳地看着他们。他们正在催促米纳蒂干什么事。

最后,她站了起来。她穿着一件古怪的黑绸子衣服,上面印着不同颜色的斑点,给人以奇怪的混杂的感觉。她更加消瘦了,她的眼神也许更加热烈,更加不诚实了。除了这些,她和以前一样。当她从对面走过来时,杰拉德仍然用那同样明亮而沉稳的眼睛看着她。她向他伸出了又瘦又黑的手。

"你好?"她说道。

他和她握了握手,但是他仍然坐着,让她挨着桌子站在他身旁。她向戈珍微微地点了点头,她不知道该说些什么,但是一看就知道戈珍非常有名气。

"我非常好,"杰拉德说,"你呢?"

"哦,我也很好。卢伯特怎么样了?"

"卢伯特?他也很好。"

"我知道,我说的不是这个意思。他是否结婚了?"

"哦——是的,他已经结婚了。"

米纳蒂的眼睛闪着热辣辣的光。"哦,他真的这样做了,是吗?他什么时间结的婚?"

"大约一两周之前。"

"真的!他从来没有写过信。"

"没有?"

"没有。难道你不认为这太坏了吗?"

最后这句话带着挑衅的语气,这从米纳蒂的语气里面透出来了,因为她意识到戈珍正在听。

"我想他不愿意这样做。"杰拉德回答说。

"但是为什么?"米纳蒂继续问。

她得到的是一阵沉默。这个短头发的有着漂亮外貌的矮小女人站在杰拉德旁边,语调中带着让人厌恶的口吻继续说。"在城里你会住很长时间吗?"她问。

"只今天晚上。"

"啊,只今天晚上。你打算过来和裘里斯谈话吗?"

"今天晚上不能去。"

"哦,好吧。那么我告诉他。"然后又开玩笑似地摸着他说:"看上去你很健康。"

"是的——我能感觉到这一点。"杰拉德十分平静从容,在他的眼睛里闪着讽刺、消遣的光芒。

"你生活的还好吧?"

这句话直接打击了戈珍,她说得很平静,单调,冷漠而又随便。

"是的。"他毫无感情地回答。

"你不能过来,我觉得非常的遗憾。你对你的朋友太不忠实了。"

"是不太忠实。"他说。

她向他们两个人点了点头,说了声"再见",然后就慢慢地走回她的座位上去了。戈珍注视着她,发现她很古怪地走着,身子僵硬,却扭着腰。

他们听到她用平静单调的声音很清楚地说:"他不会过来——他正忙着别的呢。"那个桌子上的人们笑声更大了,说话声更低了。

"她是你的朋友吗?"戈珍说,平静地望着杰拉德。

"我和伯金曾经在海里戴家里住过。"他迎着她那沉稳而又平静的眼睛说。她知道米纳蒂是他的一个情妇——他也知道她知道这件事。

她四处看了看,叫过来了一个侍者。在所有的东西中,她只想喝冰镇鸡尾酒。这让杰拉德感到很好玩——他想知道这到底有什么事。

海里戴这伙人喝醉了,话语中带着恶意。他们正在高声地谈论着有关伯金的事,在每一点上奚落他,尤其是他的婚姻。

"哦,不要和我说起伯金,"海里戴尖叫着抱怨说,"他让我觉得非常厌恶。他就像基督一样的坏。'上帝啊,我要做些什么才能够被拯救啊?'"

他醉醺醺地哈哈笑着。

"你还记得吗,"传来俄国人那快速的说话声,"他过去写给我们的信。'欲望是圣洁的'。"

"啊,是的!"海里戴大叫着,"哦,说得多么辉煌啊。哎,在我的口袋里还有一封呢。我肯定有。"

他从他口袋里的小笔记本中拿出各种各样的纸来。

"我确定有一封——呃!天啊!——有一封!"

杰拉德和戈珍专心致志地看着他们。

"啊,是的,多么美妙呀——呃!——好极了!不要让我笑了,米纳蒂,它让我老是打嗝儿,嗝儿!"他们都哈哈地笑起来。

"他在那里面都说了什么?"米纳蒂向前倾着身子问,她柔软的黑发落了下来,在她的脸上跳动着。她那又小又长的长着黑发的头古怪地很不象样,有点猥亵,尤其是耳朵露出来的时候。

"等一等——哎,都等等!不——不,我不会把它给你的,我大声地读一读。我会给你们选择最好的那一点读——嗝儿!啊,亲爱的!你想我喝一点水,就能不打嗝儿了是吗?嗝儿!啊,我是完全无能为力了!"

"信中是不是说黑暗与光明的联合——和腐蚀流?"马克西姆用他那快而准确的声音问道。

"我相信就是这些。"米纳蒂说。

"是吗?我快忘了——嗝儿!——它就是那一封,"海里戴说着打开了信。"嗝儿!是的。说的多么辉煌啊!这是绝好的一封信。'在每个民族中都引用过这句话——'"他唱歌一样,就像是牧师念《圣经》那样,慢慢地、清楚地读着信,"'破坏的欲望会征服其它所有欲望。在单个人身上,这种欲望就是要最终破坏自己'——嗝儿——"他停下来抬起头。

"我希望他带个头,先破坏自己。"那个俄国人迅速地说。海里戴傻笑着,暧昧地把头懒懒地靠在后面。

"在他身上没有多少可破坏的,"米纳蒂说,"他已经够瘦弱了,只有劳累到死去再重新开始。"

"哦,它太好了!我喜爱读这封信!我相信它已经治好了我打嗝的病了!'海里戴尖利地叫道。"让我继续读下去。'这在一个人身上是缩步不前的欲望,是一种回归到原点,一种沿着腐蚀流回归、回归到人类原始状态中的欲望——!'啊,可是我觉得它太奇妙了。它几乎可以取代《圣经》了——"

"是呀——腐蚀流,"那个俄国人说,"我已经记住这个句子了。"

"哦,他一直都在谈论着什么流,"米纳蒂说,"他自己一定非常的腐败,所以才会在他的头脑里有这么多这样的东西。"

"太正确了!"那个俄国人说。

"让我继续读下去!哦,这一段非常美妙!但是听着这些。'在这巨大的衰退中,在这被创造的生命体的衰退中,我们收获了学问,并且超过了学问,获得了一种敏锐的感觉,它散发着迷人的光芒。'哦,我想这些句子实在是愚蠢得让人惊奇。哦,难道你们对它不是这样认为的吗——它们和耶稣说的话一样。'假如,裘里斯,你想和米纳蒂一起达到这种迷人的衰退,你必须行动,直到实现它。但是在你身上也的确有,在某些地方,绝对有一种现存着的创造的欲望,这关系到你最终的信仰,当所有活跃的腐蚀之花都落入泥中,这就是超越,或多或少地你已经完成了——'我真想知道什么是这落入泥中的腐蚀之花。米纳蒂,你就是这种落入泥中的花。"

"谢谢你——那么你又是什么?"

"啊,我就是另外一朵,根据这封信我肯定是的!我们都是落入泥中的花——腐蚀之花——嗝儿!有病的花!这简直太奇妙了,伯金是一座悲惨的地狱——让人痛苦的庞巴多——嗝儿!"

"继续——继续,"马克西姆说,"接下来是什么?这真的非常有趣。"

"我想这样写太让人害怕了。"米纳蒂说。

"是呀——是呀,我也是这样想的,"那个俄国人说,"他是一个自夸自大的人,当然了,这是他狂热宗教的一种表现形式。他认为他就是人类的救世主——继续读。"

"当然了,"海里戴拉长声音道,"'当然了,我一生中的每一天都有善良和仁慈跟随着我——'"海里戴中断了,傻笑着。随后他像个牧师一样又开始吟叹着。

"'肯定地,这种欲望在我们身上将会出现和消失——因为这种不变将会分离,——因为这种激情会破裂——每一样东西——包括我们自己,我们在退化过程中也会破裂成碎片——亲密的作用只是为了破坏——利用性作为还原的媒介,把男人和女人这两种主要的因素从高度综合的统一中还原——还原到旧的思想中,返回我们感情的原始状态中,——一直搜寻着,在最后的黑暗感知中迷失我们自己。盲从而又无穷——只是被破坏的火焰燃烧着,狂怒地烧着,直到希望被完全烧毁——'"

"我要离开了,"戈珍对杰拉德说,一边向侍从打着手势。她的双眼闪着光,脸颊通红。海里戴一句接着一句,像牧师一样用唱歌般的声音读着伯金的信,又清楚又洪亮,这产生了一种奇怪的作用,她仿佛要发疯一样,血朝着头上涌去。

在杰拉德去付账单的同时,她站了起来,向海里戴的桌子走了过去。他们都抬起头看着她。

"打扰了,"她说,"你正在读着的是一封真实的信吗?"

"哦,是的,"海里戴说,"十分真实。"

"我能看一看吗?"

海里戴好像是入迷了似地,傻乎乎地笑着把信给了她。

"谢谢你。"她说。

然后她就转身拿着信走出了小酒馆,她在桌子中间穿过,步子标准而又时尚,一直到走出这间灯光灿烂的房间。过了好长时间,人们才意识到发生了什么事。

从海里戴的桌子上传来不太清晰的叫声,然后有人发出"嘘"声,于是这个角里的所有人都朝着戈珍的背影嘘起来。她穿着深绿色和银灰相间的时尚的衣服,她的帽子是浅绿色的,就好像是一只昆虫发光的壳,但帽沿儿则是软边的浓绿色的,下垂的帽沿处镶着一圈银边,她的外套是墨绿色的,闪着光泽,灰色的毛领子高高地立着,袖口带着皮毛,衣服边上镶着银色与黑色的柔软的绸子。她的长袜和鞋子是银灰色的。

她慢慢地，带着高傲的、漠不关心的神情朝门口走去。侍从殷勤地替她打开门，在她的点头示意下，赶忙走到人行道路边，吹声口哨叫来一辆出租车。出租车上的两盏灯就像是两只眼睛一样，几乎是马上向着她转过头来。

杰拉德在一片嘘声中惊奇地追了出来，他不知道她有什么错，竟被人捉住了，他听到米纳蒂的声音说：

"去从她那里把它拿回来。我还从来没有见过这样的事情！去从她手中拿回来。告诉杰拉德·克里奇——他现在走了——去叫他回来。"

戈珍站在出租车门边，侍从替她开了车门。

"到旅馆去吗？"当杰拉德匆忙地出来后，她问道。

"你喜欢哪儿就去哪儿。"他回答说。

"好吧！"她说。随后转向司机，"瓦格斯塔夫——巴顿大街。"

司机点了点头，然后放下了空车的标记。

戈珍上了出租车，故意像是穿戴华丽的妇人那样带着冷漠和轻蔑的表情。然而她的心情紧张得就像是冻结了一样。杰拉德跟着她上了出租车。

"你把那个仆人忘记了，"她冷淡地说，她的帽子轻微地点了一下。杰拉德给了侍从一个先令。那个人敬了一个礼。他们就坐着车走了。

"这一群人在干什么呢？"杰拉德惊奇地，兴奋地问道。

"我拿着伯金的信离开了。"她说，他看见了她手中揉烂的信。

他的眼睛里闪着满意的光。

"啊！"他说，"好极了！一群傻子！"

"我真想把他们杀了！"她充满激情地叫着说，"狗！——他们都是狗！卢伯特这么傻，为什么要给他们写这样的信?！为什么他要把自己的思想流露给这些贱民？这真是一件不能忍受的事。"

杰拉德对她这种奇怪的激情思索着。

她再也不能够呆在伦敦了。他们必须早点离开这个混乱的地方。当他们在火车通过大桥时，她看着铁桥支架间的河水喊道：

"我再也不会看到这座污秽的城市了——回到这里我就无法忍受。"

第二十九章 大陆

在离开前的最后几个星期中，厄秀拉心中有着一种不真实的焦虑。她不再是她自己——她什么都不是。她是即将获取生命的东西——快了——快了——会很快的。可是，这马上就会逼近的。

她去探望她的双亲。这是一次相当拘谨、悲哀的会面，它不象是团圆的见证，倒更像是分离的见证。他们彼此间都显得很茫然和模糊，在分离的命运面前他们显得很僵硬。

一直到她坐上了从多佛开往奥斯坦德的船，她才真正地恢复过来。她朦朦胧胧地和伯金一起来到伦敦，伦敦还是一片模糊，他们又坐上了到多佛的火车。所有的一切就像是做了一个梦。

现在，她终于站在那艘船的船尾上，在一个漆黑、而且风相当大的夜里，能感到海水在移动，注视着英国海岸上那小小的，好像荒无人烟的灯光闪烁着，在海岸上到处都是，注视着它们沉没在浓重而又活跃的漆黑之中，越来越小，她才感到她的灵魂从麻醉的睡眠之中活跃地清醒了过来。

"我们到前面去吧，行不行啊？"伯金说道。他想到船头去。于是他们就离开了船尾，不再眺望远处叫做英国的地方到处闪着微弱的火光的地方，于是他们把头转向了前方未知的黑夜。

他们一起来到了船头，它温柔地向前行进着。在这完全黑透的地方，伯金发现了一个有遮掩的比较隐蔽的地方，那里盘着一大堆绳子。这里离船头尖顶非常近，在黑暗处有一处空地。他们互相拥抱着坐了下来，拿一条毯子把自己盖了起来，他们彼此依偎得越来越近，一直到他们好像是互相进入到对方的身体中，成为一个实体。天很冷，黑得仿佛可以伸手触知。

船上的一名水手也来到了甲板上，他就像夜一样黑，无法看清他。一会后他们才看清他苍白的脸。他感到了有人在这里，于是停住了，犹豫着——他向前弯下了腰。当他的脸接近他们时，他也看清了他们苍白的脸。然后他就像是一个幻影一样返回去了。他们望着他，没有发出任何声音。

他们好像是坠入了深深的黑暗中。没有天空，没有地球，仅有的是打不破的黑暗。在这里，他们就好像是一粒生命的种子似的，通过黑暗的、深不可测的空间掉了下去，被关闭着，温柔地沉睡着。

他们已经忘了他们是在什么地方，忘了现在的一切和所有发生过的一切，在他们的心中只意识到，仅仅只是意识到这条穿过黑暗的抽象的轨道。船头劈开水面，发出微弱的分水声，向着黑暗冲去，它没有知觉、没有视觉，仅是汹涌着向前。

在厄秀拉的感觉中，所有的东西都被前面那看不见的世界战胜了。在这深深的黑暗的中心地带，还不明确的天堂里的灿烂光芒在她的心中发着光。这最奇妙的光充满了她的心，就像黑暗中金色的蜂蜜一样甜美，像白天一样的温暖，这一束光不是照着全世界的，它只照着她要去的未定的天堂，那是一个甜蜜的住所，有着未知的生活喜悦，但是她的想像是绝对无误的。

她在欢喜中猛地向他扬起了脸，于是他亲吻了她的脸。她的脸很冷、很新鲜，她的脸就像是海水一样光滑，亲吻她的脸仿佛是吻着海浪上的浪花。

但是他不能知道她所意识到的那种超前的迷人的幸福。对于他来说，这种转变的奇迹是无法抵抗的。他正在一个无穷黑暗的深渊中下落，就像是一块陨石从世界的裂缝中掉了下去。世界被分成了两半，于是他就像是一颗没有光亮的星星一样，从无法言说的裂口处滑了下去。那些远处的东西并不是他的。他被这条轨线征服了。

迷迷糊糊中他紧紧地拥抱着厄秀拉。他的脸挨着她纤细的、柔弱的头发，他能闻到它夹杂着海水和深夜的芬芳香气。他的心安静了下来，他沉入了未知的平和中。这还是平和安静第一次全然绝对地进入到他的心灵中，现在，它在他整个生命中穿行。

这时甲板上传来一阵骚动，他们被惊起了。他们站了起来。在黑暗中他们是如此的费劲难辨！然而她心中仍然发着天堂似的光，可是在他心中却依然是不能表达的黑暗的安宁，这就是所有的一切。

他们站起来朝前面看去。这是又一个黑暗的世界。这不是她心中的幸福，他的心中也不再有安宁。这是一个浅薄的虚幻的真实世界。但是这也不是旧的世界。因为在他们心中是永恒的安宁及赐与的幸福。

这里所有的东西都很奇怪，非常荒凉，像这样在黑暗中靠岸，就像是从神话中的冥河来到了荒芜人烟的地狱。在巨大的黑暗的地方，有着生疏的隐蔽着的半明半暗的灯光。脚下面垫着木板，每一处都是荒芜的。厄秀拉看见了那站立在黑暗中的大大的、苍白的、神秘的字"奥斯坦德"。

每一个人都盲目地忙碌着,就像是昆虫那般在黑暗灰白的空气中穿行,搬运工们用很差劲的英语叫喊着,搬着笨重的行李疾走着,当他们消失时那无色的宽上衣看起来非常可怕;厄秀拉和几百个像鬼怪似的人一起站在长长的、不高的白色栅栏里,所有的路上都铺满了陌生的黑影,他们是已打开的行李和鬼怪似的人。而在栅栏的另一面,则是戴着尖尖的帽子、留着胡须脸色苍白的官员,他们不断地翻看着行李中的内衣,接着用粉笔在上面潦草地划上标记。

这一切都结束了。伯金拿过行李,他们就离开,搬运工紧跟在他们后面。他们经过一条大门道,又来到了空旷的黑暗中——啊,一座火车月台!在黑灰的夜中人们仍在发出野蛮而又兴奋的声音,鬼怪一样的人们仍然在黑暗的火车之间奔跑。

"科隆——柏林——",厄秀拉辨认出挂在高高的火车一侧的木牌。

"我们到了,"伯金说。接着她看到了在她旁边的牌子:"阿尔萨斯——罗斯林金——卢森堡,麦兹——巴塞尔。"

"就是那辆车,到巴塞尔!"

搬运工急忙走了上来。

"去巴塞尔的车,二等车厢?就是它了!"接着他就爬上了高高的火车。他们跟着他也上去了。有些车厢已经有人坐了。但是仍然有许多空车厢,里面的光线昏暗。放好了行李,他们付了搬运工报酬。

"火车什么时间开?"伯金说,他看了看表和搬运工。

"再有半个小时。"穿着蓝上衣的搬运工说完,就离开了,他不仅长得丑陋,而且傲慢无礼。

"走吧,"伯金说,"天太冷了,让我们去吃点东西吧。"

在月台上有一辆提供咖啡的小推车。他们喝着清淡的热咖啡,吃着中间夹着火腿的长长的圆面包。厄秀拉那一口咬得太大了,差点儿让她的上下颚脱臼,他们在高高的火车旁走着。这里的一切都是奇怪的,非常的荒凉,灰暗,灰暗,到处都是尘土的灰暗,就像是没有人烟的、荒凉的地狱——到处都是灰色和沉闷。

最后他们又在火车上穿过黑暗。黑暗中厄秀拉认出了这是平坦的原野,大陆上的潮湿、单调和沉闷的平原。他们都惊讶了——这么快就到布鲁支了!然后火车又是在一片黑暗中穿行,能够瞥见沉睡中的村庄和干瘦的白杨树以及被荒弃的大路。她有点惊恐地和伯金手握着手坐着。他的脸色苍白,沉着,就像是他自己的灵魂,有时看看窗外,有时闭着眼睛。然后又猛地睁开他那如夜一般黑的眼睛。

黑暗中闪过几点亮光——根特站!月台上有几个鬼样的人影在移动

——然后车铃响了——然后火车又穿行在一大片黑暗中。厄秀拉看见一个提着灯笼的人，从铁路边的一片农田中走出来，向黑暗的农庄走去。她回想起了玛斯庄，想起考塞西旧日熟悉的农村生活。天哪，她离她的童年已经有多远了啊，她还要走多远的路呀！一个人的一生都要永远的穿行在旅途中。

她童年在考塞西和玛斯庄熟悉的乡村生活，与现在已经有了一个巨大的裂缝——她仍然记得那个女仆蒂丽，她过去在那间老起居室里给她吃涂了黄油和红糖的面包，在那里有外祖父的钟，在钟面上绘着放有两朵红玫瑰的篮子——而现在她却和伯金这个完全陌生的人，一起向着那个未知的世界旅行——这之间是多么远啊，她好像不再是那孩子时的同一个她，那个在考塞西教堂院子里玩耍的孩子，仅仅是历史中的一只小动物，而不是她真正的自己。

他们到了布鲁塞尔——有半个小时的早餐时间。他们下了车。车站的大钟表上显示了现在是六点整。他们在巨大的空荡荡的饮食厅里喝了咖啡、吃了涂了蜂蜜的面包圈，这里很沉闷，总是那么沉闷，肮脏，如此的空旷，是非常荒凉的一个地方。但是她在这里用热水洗了脸和手，还梳了梳头发——算是有福气了。

他们很快又重新上了火车，继续走着。黎明灰白的颜色出现了。在车厢里有几个高大的、脸色红润的比利时商人不断地谈着话，他们穿着华丽，留着褐色的长胡子，那满嘴难听的法语让厄秀拉几乎不能忍受。

火车好像是从黑暗中穿过，先是进入了微弱的亮光中，接着一点点地进入了白天。噢，多么疲劳呀！最后，树木像影子一样露出来了。接着是一座白房子，清楚得有点古怪。这是怎么了？然后她就看到了一个村庄——从窗户那儿看，不断有房子一闪而过。

她仍然在冬日阴暗沉闷的一个旧世界中旅行。窗外是新翻过的耕地，光秃秃的杂树丛，矮灌木林和毫无遮盖的家园。没有新的世界出现在面前。

她注视着伯金的脸。它苍白、镇定，让人感到永恒。她的手指在毯子下面恳求地抓住他的手。他的手指做出了回应，他转回眼睛看着她。他的眼睛多么黑呀，就像黑夜一样，像是另一个不可超越的世界！啊，如果他就是整个世界，并且整个的世界就是他有多好！要是他能够唤醒另一个世界——那么这就是他们自己的世界了！

比利时人下了火车，火车继续奔跑着。经过了卢森堡，阿尔萨斯—洛林——麦兹。但是她什么也没看见，她根本就没有看，她的心灵就没有向外面看。

他们最后到了巴塞尔,住到了一家旅馆。她仍觉得漂流一般的迷糊,从来就没有清醒过。他们在早上下了车。她站到桥上面望着街道和河流。但是这一切什么意思也没有。她只记得一些商店——有一家里面挂满了图画,有一家卖桔红色的天鹅绒和白色的貂皮。但是这些有什么意思呢?——没有什么意思。

一直到他们又坐上了火车她才安下心来。只有这样她才放心。只要他们一直在行进,她就感到满意。他们到了苏黎世,然后,不久火车就穿行在覆盖着厚厚的白雪的群山中。她最后就要快到了。这里是另外的一个世界。

因斯布鲁克奇妙地覆盖在厚厚的白雪中,笼罩在夜幕下。他们乘着雪橇滑行,火车里一直都很热,让人感到闷气。在旅馆的门廊下亮着生气勃勃的金色灯光,好像一个家一样。

当他们站到大厅里时,愉快地笑了。这里的人似乎非常多,很热闹。

"您知道来自巴黎的英国人克里奇夫妇是不是已到这里了?"伯金用德语问道。

搬运工想了一会,正打算回答,这时厄秀拉一下子就看见戈珍正悠闲地走下楼梯,她穿着闪闪发光的黑色外套,领子是灰皮毛的。

"戈珍!戈珍!"她冲着楼梯夸张地挥舞着手,叫喊着。"哎——哎!"

戈珍站在扶手上向下看,马上就失去了她那副悠闲、从容的神态,她的眼睛亮了起来。

"真是你,厄秀拉!"她大叫。于是她开始向楼下跑而厄秀拉向楼上跑。

她们在一个转弯处会面了,大笑着,亲吻着,发出激动而又口齿不清地惊叫。

"但是!"戈珍克制住叫道,"我们本来以为你们明天来呢!我本想到车站去接你们的。"

"不,今天我们就到了!"厄秀拉叫着,"这里真的是很美!"

"可爱极了!"戈珍说,"杰拉德有点事刚离开。厄秀拉,你们一定非常疲劳吧?"

"不,不是很累。但是我看上去很脏很丑,不是吗?"

"不,你不是的。你看起来非常的鲜艳。我很喜爱你这个大皮帽子!"她从上到下地看着厄秀拉,她穿着一件暖和的大外套,镶着金色皮毛的厚厚的软领子,戴着柔软的金色毛皮帽子。

"你呢?"厄秀拉大叫道,"你愿意知道你是什么样子吗?"

戈珍装出一种冷漠的毫无表情的神态。

"你喜爱它吗?"

"这样很好!"厄秀拉说,或许带着讽刺的语气。

"上楼去呢——还是下楼呢?"伯金说。因为这一对姐妹站在那里,戈珍挽着厄秀拉的手臂站在通向第一层平台的楼梯的阶梯处,阻碍了别人的路,并且给下面大厅里的人提供了一个取笑机会,从门口的搬运工,到穿着黑衣服的胖胖的犹太人都在望着她们笑。

两个年轻女子慢慢地朝上走,后面跟着伯金和侍从。

"是二楼吗?"戈珍回过头问道。

"在三楼,太太——进电梯!"侍从回答说。接着他在这两个女子之前进了电梯。但是她们没有理睬他,毫不在意地一边谈话一边朝着三楼走,于是那个侍从相当气恼地跟着他们。

这一对姐妹见面时彼此是那么的高兴,这真让人觉得奇怪。她们就好像是两个被流放的人,两股孤独的力量团结在一起,共同对抗着整个世界。伯金有些怀疑地从一边看着她们俩。

当她们沐浴过,换好了衣服,杰拉德进来了。他就像是从严寒中升起来的太阳。

"你同杰拉德一起抽烟吧,"厄秀拉对着伯金说,"戈珍和我想谈一会儿话。"

随后姐妹俩就坐在戈珍的卧室中,说着她们的衣服和她们的经历。戈珍告诉了厄秀拉在小酒馆中伯金那封信的经历。

厄秀拉相当震惊,她被吓坏了。

"那封信在哪儿?"她问。

"我保存着呢。"戈珍说。

"你把它给我,好吗?"她说。

但是戈珍在回答之前静默了一阵子。

"你真的想要回它吗,厄秀拉?"

"我只是想读一读。"厄秀拉说。

"那自然可以。"戈珍说。

即使到现在,她对厄秀拉都不愿意承认,她想保存这封信,作为一个纪念品或者是作为某种象征。但是厄秀拉明白,她觉得很不高兴,就转到了别的话题上。

"在巴黎你们做了什么?"厄秀拉问道。

"哦,"戈珍简洁地说——"是些平常的事情。在芬妮·巴斯的工作室里,有一天晚上,我们举行了一个极好的晚会。"

"真的吗?你和杰拉德都在那儿?还有别的人吗?告诉我。"

"好吧，"戈珍说，"没有什么特别可讲的。你知道芬妮爱着那个叫做比利·麦克法兰的画家，非常爱他。有他在那儿——于是芬妮什么都不会让给别人，她自由地玩得精疲力尽。那晚会太精彩了！自然了，每一个人都喝醉了——但是这是很有趣的玩法，不像伦敦那一群污秽的人。事实是我们都是有地位的人，这就和那有着根本不同。有一个挺好的罗马尼亚人。他完全喝醉了，于是他爬到画室的一架高梯子顶端，做了一篇最为绝妙的演讲——真的，厄秀拉，非常的奇妙！他开始是用法语讲的——生活，就像是关闭着的心灵——用着一种很美的声音——他是一个长得很好看的家伙——但是他还没有讲完，就说起了罗马尼亚语，没有一个人能理解。但是唐纳德·吉尔克里斯特听得却发起了狂。他把玻璃杯往地上一掷，公然说，上帝啊，他能活着是多么高兴啊，上帝作证，活着真是个奇事。你知道吗，厄秀拉，就这些了——"戈珍笑得很空洞。

"但是杰拉德在他们中间有什么样的感觉呢？"厄秀拉问道。

"杰拉德，哦，我的天，他一出现就像是太阳光下面的蒲公英！他一旦振奋起来，整个人就狂闹起来。我真不愿意说还有谁的腰他没有去搂的。真是这样的，厄秀拉，他收获女人就好像是收取果实那样。没有哪一个女人愿去反抗他。多么让人惊异！对此你能理解吗？"

厄秀拉想了想，突然在她的眼睛里跳出了亮光。

"是的，"她说，"我能够理解。他就是一个极端的人。"

"极端的人！我想也是这样的！"戈珍喊道，"但这是事实，厄秀拉，房间里的所有女人都准备着向他投降。那时詹提克利尔不在——就连真诚地爱着比利·麦克法兰的芬妮·巴斯也被他迷住了！在我的一生中我还从来没有比这更惊异过！你要知道，从那以后——我觉得我就是一房间女人的代表。对于他而言，我已不再是我自己，我变成了维多利亚女王。我马上成了房间内所有女人的代表。多么让人惊骇啊！而在我的眼睛里，那时我捉住的是一个苏丹王——"

戈珍的眼睛发着光，脸颊热辣辣的，她看起来有些怪异，带着挖苦的神气。厄秀拉马上就让她迷住了——然而她又有点不舒服的感觉。

他们准备吃晚餐了。戈珍下来的时候，大胆地穿着一件鲜亮的绿色丝绸礼服，上面缀着薄薄的金丝线，罩着光滑的绿坎肩，在她头上系着一根奇异的黑白相间的发带。她美得简直是灿烂极了，每一个人都注视着她。杰拉德气色很好，脸上发着光，他正处在最漂亮的阶段。伯金很央地笑着看了他们一眼，眼神中有点险恶。厄秀拉十分迷茫。好像有一种让人眩目的符咒，笼罩着他们的餐桌，仿佛他们这个地方比餐厅其它地方的灯光更为明亮。

"难道你们不喜爱这里吗？"戈珍喊道，"这里的雪多么美呀！你注意到了没有，它让这里所有的一切都变美了？多么简单而又多么了不起呀！它真的让人感到了伟大——超过了人类。"

"真是如此，"厄秀拉大喊道，"但是，是不是因为我们离开了英国？"

"哦，自然了，"戈珍大喊着，"在英国，一个人从来不会有这样的感觉，因为在那里人们被简单的原因制约着，从来不会高兴起来，根本不可能让你放松下来，我敢肯定就是这样的。"

说完她又转向她吃着的食物。她正激动着，鲜活而又强烈。

"完全正确，"杰拉德说，"在英国从来就没有这同样的感受。但是在英国或许我们不想这样放松——在英国放松就像是在离弹药库旁边很近的地方点上火，对它完全不管不问。假如每一个人都这样放松的话，我担心可能会发生危险的事情。"

"我的天哪！"戈珍叫着，"但是，假如所有英国人都像放烟火那样突然消失，这不是太奇妙了吗？"

"这是不会的，"厄秀拉说，"他们太意气消沉了，它们里面的火药都太潮湿了。"

"对此我不确定。"杰拉德说。

"我也不确定，"伯金说，"当英国真正地开始爆炸时，就是你捂着耳朵逃跑的时候。"

"不会发生的。"厄秀拉说。

"我们看着吧。"他回答说。

"多么绝妙呀，"戈珍说，"太感激了，从我们的国家里出来了。我不能相信我自己，我的脚一踏上这国外的土地，我就狂喜异常。我自言自语说：'一个新的生命走进来了'。"

"不要对我们可怜的陈旧的英国太刻薄，"杰拉德说，"但是我们可以诅咒它，因为我们是真的爱着它。"

在厄秀拉看来，这些话里面好像有一些玩世不恭的意味。

"我们可以爱它，"伯金说，"但是这是一种可恨让人不舒服的爱：就像是对正经受着复杂病症、忍受着可怕痛苦的年老的双亲的爱一样，因为这没任何希望。"

戈珍看着伯金，黑眼睛睁得大大的。

"你认为没有希望了吗？"她一针见血地问道。

但是伯金逃避了。他不乐意回答这样的问题。

"只有上帝知道，英国的希望是否会是真的。现在说这些实在是不切合实际，这是一个不存在的集合体。假如没有英国人的话，它也许可能变成真的。"

"你想英国人会消失吗?"戈珍坚持问着。真是奇怪,对于他的回答,她颇感兴趣。也许她追根究底问的就是她自己的命运。她大大的黑眼睛紧盯着伯金,好像她能够像施魔术那样地使用一种预言的工具,从他身上看出关于将来的真理。

伯金脸色苍白。然后,他不情愿地回答道:

"唔——在他们前面除了消亡其余的还有什么?不管怎样,他们都得带着他们自己特有的英国的烙印消亡。"

"但是,你所说的'消亡'是怎么样的一个方法呢?"——她坚持问道。

"是呀,你的意思是不是换一换思想?"杰拉德插了一句道。

"我并没有所指。我为什么要那样?"伯金说,"我是个英国人,我已经为它付出了代价。我不能够再谈英国——我仅能说说我自己。"

"是的,"戈珍慢慢地说,"你无限地热爱英国,无限地爱,无限地爱,卢伯特。"

"但是我却离开了它。"他回答说。

"不,这不是永久的。你会回去的。"杰拉德郑重地点了点头说道。

"他们都说虱子也会爬着离开将要死去的身体,"伯金的眼中闪着痛苦说,"于是我才离开了英国。"

"呵,但是,你会回去的。"戈珍带着讽刺的微笑说。

"那是我的不幸。"他回答说。

"他这是和他的祖国母亲生气呢!"杰拉德开心地笑着说。

"嘀,一个爱国者!"戈珍说,像是有些嘲笑。

伯金谢绝再去回答任何问题。

戈珍仍然注视了他几秒钟。接着她转过身来。都结束了,她在他身上的魔咒不起作用了。她觉得她现在非常地愤世嫉俗。她看着杰拉德,对于她来说,他就像是一块让人惊奇的镭。她觉得她能够通过这块毁灭性的活金属来毁灭她自己,从而去得到所有的知识。她为她的想象力微笑了。当她消灭了她自己的时候,她会如何来处置她自己呢?因为假如说精神和完整的人类是可以消灭的,那么物质就是不可毁灭的。

他看上去欢快和心不在焉,又有些迷惑。她伸出那裹着柔软的绿色薄纱的美丽的胳膊,用精细的、艺术家的手指去摸他的下巴。

"那么它们是什么呢?"她问道,奇怪地、狡猾地微笑着。

"什么呀?"他猛然惊奇地睁大了双眼,回答道。

"你的想法。"

杰拉德看上去就像是一个刚睡醒的人。

"我想我是没有什么想法的。"他说。

"是真的!"她用低沉的声音笑着说。

对伯金来说,她摸一下杰拉德就好像是杀了他。

"啊,好了,"戈珍喊道,"让我们来为大不列颠干杯吧——为了大不列颠干杯!"

她的声音好像是有一种疯狂的绝望。杰拉德笑着,倒满了杯中的酒。

"我认为伯金的话意味着,"他说,"作为国家的英国必须消亡,这样作为个人的英国人就能够生存下来,并且——"

"超级国家——"戈珍插了一句,说着举起酒杯,扮了一个轻微的讽刺的鬼脸。

第二天,他们在小山谷铁路的尽头处霍亨浩森车站下了车。到处都是白雪,极像是白雪的摇篮,这里一片清新、冰冷,路两边都是绵延不断的黑色峭壁,银白色的群山一直伸展到淡蓝色的天边。

当他们行走到周围和上面只有白雪的赤裸的月台时,戈珍打着颤,好像是她的心都已经冻硬了。

"我的天啊,德国人,"她说着,猛然亲昵地向杰拉德转过身说,"你现在已经做到了。"

"什么呀?"

她指着四周的世界,打了一个软弱无力的手势。

"你看看吧!"

她好像害怕得不敢向前面走了。他大笑了。

他们处在山的中心。从两面的高山顶上一直到下面都被白雪覆盖着,这样就让人在这个纯净而有形的天堂中显得很渺小,所有的一切都发着奇怪的光,肃穆而又沉静。

"这里让人感到非常的渺小和孤单。"厄秀拉转过身来捏住伯金的胳膊说。

"到这里来你并不遗憾,是吗?"杰拉德对戈珍说。

她看上去还有点怀疑。他们走出了两边都是雪的火车站。

"嘀,"杰拉德兴奋地呼吸了一下空气,"这真是太美了。我们的雪橇在那边。我们要走一会——跑上那边的公路。"

戈珍向来犹豫不定,但是这一次她却按着杰拉德说的做,把笨重的外套抛到雪橇上,他们就一起动身了。猛然间她抬起了头,顺着雪路奔跑起来,同时把她的帽子取了下来。她明亮的蓝衣服在风中舞动着,她猩红的厚袜子在白雪中闪着光芒。杰拉德注视着她;她仿佛是在向着她的命运跑去，反而把他给留在了后面。他让她先奔出了一段距离，然后，他放开步子，追赶着她。

到处都是厚厚的寂静的白雪。窗口已埋进雪中的梯罗尔的房屋的宽大房顶上，在雪檐上沉重地挂着大的冰琉璃。农妇们穿着宽大的裙子，每个人都围着围巾，穿着厚厚的雪靴子，她们停在路中间，转过身来看着这个温柔又有主见的女孩子，从已经追上她的那个人身边又快速地向前奔跑着，但是那人却奈何不了她。

他们跑过涂着油漆的有百叶窗和阳台的客栈，几处一半已经埋在雪中的村舍；然后又从桥上跑过去，这座桥位于埋在雪中的沉寂的锯木厂旁边，他们从上面穿过了被遮盖的河流，越过它之后他们跑进了还没有被踩踏过的雪被中。这是一片让人欢喜得发狂的寂静和透明的洁白。但是这里彻底的沉寂让人的灵魂感到了恐怖和孤单，冷冰冰的空气包围着人的心。

"无论怎样，这都是一个绝妙的地方。"戈珍说，用她那奇怪的、颇含深义的目光看着他的眼睛。他的心跳变快了。

"好极了。"他说。

仿佛是有一股猛烈的电能流遍了他的周身，他的肌肉充满了力量，双手感到有力的坚硬。他们很快就走上了铺满白雪的公路，每间隔一段，在路上就插着已经枯死的树枝做为记号。他和她就像一股凶猛电流的两个对立着的电极，分开走着。但是他们感到有充足的强大的力量，跳过生活禁地的疆界，然后再回来。

伯金和厄秀拉也踏着雪向前跑着。他很兴奋，他们已经越过了几个滑雪橇的人。厄秀拉又兴奋又高兴，但是她仍然不时地拉着伯金的胳膊，以便确定他的存在。

"我从来就没有盼望过有这样的景致，"她说，"这里是一个不同的世界。"

他们来到了白雪覆盖的草地上。有几个雪橇在静寂中发出"叮当"的脆响超过了他们。他们又跑了一英里路，才在位于陡峭的崖边的、一半掩藏在雪中的红色神殿旁边赶上了戈珍和杰拉德。

他们进到了一条溪谷中，那里有着黑色的石壁和堆满了积雪的河流，上面是寂静无声的蔚蓝色的天空。他们通过了粗糙的木板搭成的桥，又一次穿过雪地，然后他们就慢慢地向上爬去。马拉着雪橇跑的很快，赶车人在旁甩动着"嘎嘎"作响的长长的鞭子，同时他的嘴里面还发出让人奇怪的"嚯嚯"声。一直到他们又一次进入满是白雪的斜谷之中，才慢慢看不到石壁了。他们在阴影中一步一步地向上爬，阴影中闪烁着下午的冷冷的光，山脉危险地沉静着，从山上到山下都反射着白光，它明亮得让人感到晕眩。

最后他们到了一块铺满白雪的很高的平台上，这里耸立着几座顶上积着白雪的高峰，看上去好像是一朵盛开着的心形玫瑰花。在这一片荒芜的山谷中，孤独地矗立着一座建筑物，它的墙是用棕色的木材制成的，屋顶上面铺满了积雪，那厚厚的积雪给人以沉重感，就像是个梦一样。它站在那里，仿佛是一块从最陡峭的斜坡上滚落到山谷中的岩石，而这块岩石就是一座房子的形象，现在它的一半已被埋进了雪中。这真是让人难以置信，人竟然能够在这可怕的白雪和空旷沉寂、狂叫着的寒冷的风中生存下去。

雪橇仍然优雅地上来了，人们兴奋地大笑着来到门边，旅馆的地板被旅客们踩得发出空洞的声音，通道上面被雪弄得很湿，但是屋内让人感觉到非常真切和温暖。

新到的客人跟着女服务员踏着光秃秃的木楼梯上了楼。戈珍和杰拉德占了第一间卧室。很快他们自己就看到，这是一间木制的小房子，里面没什么摆设，房内所有的一切都闪着金色的木质光彩：地板、墙壁、天花板、门，都是油漆过的松木，它们闪着金色的暖暖的光芒。有一扇窗户正对着门，但是由于房顶是个斜坡，因而窗户开的非常低。在倾斜的天花板下面是一张桌子，上面放着洗手盆和水壶，对面的另一张桌子上放着一面镜子。门的两旁各有一张床，上面放着厚厚的带着蓝色方格的被子，这种被子很大。

这就是全部——没有碗碟橱，没有生活的愉快感。在这里他们就被关在了一起，关在了这个闪着金色光彩的木制小房子中，这里面只有两张铺着蓝方格床垫的床。他们彼此看着笑了起来，就这样近乎毫无保护的隔离起来，真是太让人恐怖了。

一个男人敲开门带着行李进来了。他是一个很强壮的家伙，脸颊宽大，脸色苍白，留着粗糙的黄胡须。戈珍注视着他在静默中放下行李，然后步子沉重地走了。

"这里不是太差，是吗？"杰拉德问道。

卧室里并不是很暖和，戈珍有些轻微地打着颤。

"很好，"她模棱两可地说。"看这墙板的颜色——太奇妙了，我们就像被关进了坚果里面。"

他站在那里注视着她，抚摸着他剪的很短的胡子，身子稍微地后倾着，用他渴望而又勇敢的目光看着她，他被一种坚定的激情控制着，对于他而言，这就像是一种毁灭。

她走过去非常好奇地蹲伏在窗户前面。

"啊，但是这——！"她几乎是痛苦地不知不觉地叫了起来。

前面是一座封闭着的天穹下面的山谷，山坡上面盖着没有边际的白雪和黑色的岩石，在尽头处是一面合拢的白墙，就像是地球的中心点，在快要来临的夜色中两座最高峰发出微弱的光芒。在正前方是静悄悄的白雪谷，在巨大的斜坡的两面边缘处，长着参差不齐的松树，就好像是环绕在这雪谷底部的毛发。但是雪谷一直延展到很远的地方，在那尽头的地方是一堵雪墙和坚硬得难以渗透的红色岩石，几座最高峰就像是与天空直接挨着一样。这里是全世界的中心、焦点和肚脐，这里的土地属于天空，它完美得让人不能亲近、不能通行。

这让戈珍充满了奇异的狂喜。她蹲伏在窗户前面，发呆地用她的手托住她的脸颊。她终于到这里来了。这里是她结束冒险的最后的地方，她就像是一块水晶一样固定在雪的中心里，并且融入了里面。

杰拉德在她上面弯下腰，由她的肩膀上往外看着。他已经感觉到了孤单。她离开了，她彻底地离开他了，在他的心头上环绕着冰冷的蒸汽。他望着看不清的被大雪遮盖着的山谷和苍穹之下山脉的最高峰。那里没有任何的出路。骇人的寂静和严寒，还有这薄暮中迷人的白光包围着他，她仍然蹲伏在窗户前面，就像神殿里面的阴影。

"你喜爱这里吗？"他用一种漠然的陌生的声音问道。至少她应该意识到他是和她在一起的。但是她仅仅是从他盯着她的目光中，转开了她温柔的沉默的脸。他知道在她的眼睛里面含着眼泪，这是来自她那奇异信仰的泪水，在她的信仰前面他什么也不是。

十分突然地，他把手放在她的下巴上，让她抬起脸庞看着他。她瞪大阴暗的蓝眼睛，里面盈满了泪水，她好像是在心中受到了震惊，眼睁得更大了。她的双眼通过泪水恐怖而又惊骇地看着他。他浅蓝色的眼睛很敏锐，小小的瞳孔里面透着不自然的幻影。她的嘴张着，好像是呼吸很困难似的。

激情一次又一次地撞击着他，就像是敲打着铜钟一样撞到了他的血管，如此的强烈、顽固和不屈不挠。当他望着她温柔的脸时，他的膝盖绷得像铜钟一样刚硬，她的嘴唇张开着，她的眼睛带着奇怪的神情瞪得大大的。在他紧握的手中，她的下巴不可言说地非常地柔软、顺滑。他觉得他就像冬天一样强大，他的双手就像活生生的金属一样不可战胜也不能被推向一边。在他身体内部，他的心就像叮当作响的钟一样响着。

他抱起她。她很柔软但是很迟钝的静止着。她的眼睛一直瞪着，里面的泪水仍然没有干，她的眼睛睁得很大，里面含着一种中了魔般的惊讶和无助的神情。他非常的强壮和顽固，好像注入了一股神奇的力量。

他紧紧地把她抱起来搂着。她软弱而又一动不动,重重地压在他的身体上,这沉重的愿望很有力地压迫着他青铜似的肢体,假如他的要求不能实现,他就会被毁灭掉。她痉挛地向后动着她的身子,想离开他。他的心里升起了像冰一样冷的火焰,于是他像钢臂一样的手臂抱紧了她。他就是毁了她也不能够被拒绝。

但是对于她来说,他身体里的那骄傲的力量太强大了。她又一次软了下来,散乱而又柔和地躺着,昏昏然地重重地喘着气。对于他来说,她太美好了,她是如此的迷人,他愿意一生中永远受着折磨,也不愿意错过这一秒钟的无法超越的幸福。

"我的天呀,"他的脸奇怪地扭曲着对她说,"下一步会是什么呢?"

她十分安静地躺着,她的脸就像个孩子似的,黑黑的眼睛望着他。她迷失了方向。

"我会永远爱你的。"他盯着她说。

但是她没有听见。她躺在那里注视着他,好像是在看她从来就不能够理解的东西,从来就不理解,好比是一个孩子看着一个成年人,根本就没有理解的希望,只有屈服。

他吻着她,吻着她的双眼,以便让她闭上眼不再看他。他现在想要什么,希望她承认他,对他有所表示接受他。但是她只是像孩子一样静静地躺在那里,好像离他很远地躺着,仿佛一个被征服的孩子,屈服了他但仍无法理解他,她只是感到迷茫。他再一次地吻了她,向她屈服了。

"我们一起下楼去喝些咖啡,吃块蛋糕好吗?"他问道。

窗户上的微明已经变暗。她合上了双眼,关闭上那没有变化的无感觉的奇想,重又打开了日常的世界。

"好吧。"她简洁地说,振作精神。然后她又走向了窗户。蓝色的夜已经笼罩了雪的摇篮和苍白的巨大的山坡。但是那几座几乎是没入天空中去的白雪的峰顶却是玫瑰红色的,好像是容光焕发的、刺穿了上面天空中闪着光的出众的花朵,那么美好,远不可及。

戈珍欣赏着它们的美丽,她知道这玫瑰色彩的雌蕊,还有这在黄昏的蓝色天空下闪着红火焰般的光的白雪,它们的美是多么地永恒。她能够看懂,但是她却不在其中。她的心被排除在这美景之外。

她依依不舍地看了最后一眼,转过身,开始梳理她的头发。他把行李打开了,一边等着她,一边注视着她。她知道他正在注视她,这让她变得草率仓促,脸上还有一点发烧。

他们下了楼,两个人的脸上都带着奇怪的来自另一个世界的神情,他们的眼睛里闪着光。他们看见伯金和厄秀拉坐在墙角处的一张长桌子前,等着他们俩。

"他们在一起看起来是多么的好，多么的纯真呀。"戈珍有点嫉妒。她羡慕他们那种自发性的孩子般的自足，可是她从来就不能接近这一点。对于她来说，他们就像是孩子。

"多好的蛋糕！"厄秀拉有些贪吃地喊道，"非常的好！"

"是啊，"戈珍说。她又对侍从补充说："我们能要点咖啡和蛋糕吗？"

她坐在长椅子上的杰拉德身旁，伯金望着他们两人，替他们俩感到一种亲切的痛苦。

"杰拉德，我想这个地方还是相当好的，"他说，"灿烂辉煌、奇异、美妙、不可想象，德语里的所有形容词都能用在这里，来表达这里的美。"

杰拉德微微地笑着说："我爱这里。"

这个房间里的三面都放着桌子，木制的桌子已被磨出了白色的木头茬儿。伯金和厄秀拉靠着油漆过的木头墙坐着，而杰拉德和戈珍坐在他们边上的角落中，离火炉很近。这个房间很大，还有一个小小的酒柜，像是农村的旅馆，但是这里十分的简朴，很是空旷，里面的天花板、墙壁和地板都是用油漆过的木材做的。里面只有三件家具，环绕着墙摆放的三面桌子和长凳子，一只很大的绿色炉子，酒柜和另一面的门。双层的窗户没有挂窗帘。这时已经是傍晚了。

咖啡送来了——又热又好——和一块圆形的蛋糕。

"一块整个儿的蛋糕！"厄秀拉喊道，"他们给你们的这块比我们的大得多！我想分吃你们的。"

在这个地方还有其他的十个人，伯金已经弄清了：两个艺术家，三个学生，一对夫妻，一位教授和他的两个女儿——全是德国人。作为新来的四个英国人，他们坐在突出的有利的座位上观察着一切。德国人在门口隐约看了一下，和一个侍者说了一句话，然后又走了。吃饭的时间还没有到，因此他们都没有来到这个厅里；但是他们都换上了靴子，在娱乐厅里玩。

这几个英国游客能够听到偶尔飘过来的齐特拉琴声、杂乱的钢琴声、笑声、喊叫声以及歌声，声音传过时颤动着，显得非常的无力。这座建筑完全是用木材造的，仿佛是每一种声音都能够传过来，它好比一面鼓一样，但是它与之不同的是每个特别的噪音都不会越来越大，反倒是在逐渐减弱。因此齐特拉琴声听起来很微弱，就像是从遥远的地方发出轻微的声音。钢琴声仿佛也很小，有点像是极小的古钢琴。

当他们喝完咖啡时，店主人来了。他是一个悌罗尔人，有一张宽大平坦的脸，脸色苍白，上面长着麻子点和浓厚的胡子。

"你们愿意到娱乐厅去被介绍给其他的女士和先生们吗?"他向前弯着腰,笑着问,露出了他那又大又硬的牙齿。他蓝色的眼睛很快地从一个人身上又转到另一个人身上——对于住在他店里的这几个英国人,他不知道他们有何想法。他觉得很难堪,因为他不会讲英语,并且他也不知道是不是试着用法语和他们讲话。

"我们去娱乐厅,和别人认识一下吧?"杰拉德笑着,重复着说。

他们出现了一阵踌躇。

"我认为我们最好——最好是先打破沉默。"伯金说。

两位女士站了起来,脸色绯红。那个黑色的甲壳虫似的宽肩膀的店主,颇为殷勤地在前面带着路,他们向着那噪声走去。他把门打开并把这四个陌生人引到了娱乐厅里。

房间里立即安静了,那一群人觉得有些轻微的困窘。新到的几个人感到有几张白色的脸拦着他们的路。然后,店主人弯着腰对一个精神很好、留着大胡子的矮个子小声说:

"教授先生,允许我来做一下介绍吗——"

那教授先生迅速地活跃起来。他对这几位英国人微笑着弯下了身子,马上就表现出朋友似的热情。

"先生们是否乐意和我们一起娱乐?"他说,在这个问题里,他的声音中含着一种很有精神的柔和的语气。

这四个英国人微笑着,站在屋子的中央,带着一种很专注而又不安的闲散神情。杰拉德作了他们的发言人,说他们欣然乐意参加到他们的娱乐表演中。戈珍和厄秀拉兴奋地笑着,她们觉察到全部的男人都用眼睛盯着她们,她们就抬起了头,到处看着,觉得好像是女王一样。

教授向他们说了所有在这里的这些人的名字。人们彼此鞠着躬。每个人都在这里,除了那一对夫妇之外。教授的那两个女儿就像运动员一样,都是非常高的个子,皮肤很光滑,她们穿着裁剪得很简洁的深蓝色上衣和深橄榄色的裙子,她们的脖子很长并且很有力,蓝眼睛很清亮,头发梳得很精细,她们的脸羞得透红了,鞠了个躬就回到原位上去了。

那三个学生很谦逊地深深地弯下了腰,带着想要留给人们一个很有内涵的愿望。接着是一个很奇怪的瘦子,皮肤很黑,双眼很大,非常的灵敏,像个孩子又像是个侏儒,他与人们不太合得来。他只是轻微地弯了一下身子。他的同伴,是一个大个子的漂亮青年,衣着时尚。他深深地鞠着躬,眼睛里面带着羞色。

一切结束了。

"洛克先生刚刚正在给我们用科隆的方言朗诵呢。"教授说。

"请原谅,因为我们妨碍了他的朗诵。"杰拉德说,"我们很乐意听一听。"

人们马上又是鞠躬又是让座位。戈珍和厄秀拉,杰拉德和伯金都坐在靠着墙放着的厚厚的沙发中。房间里四面都是用漆刷过的镶板,就像其余的房子一样。有一架钢琴,几对沙发和椅子,几张桌子上放着几本书和杂志。除了那一个蓝色的大炉子外,在房间里一点也不存在别的装饰,不过这让人觉得很安逸和舒适。

洛克先生是那一个矮小的孩子似的人,他的头又圆又大,看起来非常灵敏,老鼠一样的眼睛迅速地转动着。他把这些陌生人很快地看了一眼,露出了很冷淡的神情。

"请你接着向下朗诵吧。"教授柔和地说,里面透着些威信。洛克耸着肩膀坐在钢琴凳子上,眨着眼睛却没回答。

"我们会非常的高兴。"厄秀拉说,这一句话她一直都在用德语准备着,已经有好几分钟了。

然后这个脸上没有表情的矮子很突然地,迅速转过身,向着他以前的听众,准确地接着他刚才被打断的地方,大讲起来。他用一种有意控制着的声音,讽刺地模拟着一个科隆老妇人和一位铁道看路工人争吵的情形。

他的身子瘦小,没有得以充分发育,很像个小男孩儿,但是他的声音却很成熟,口气中有点讽刺。他的动作有着能量充足的弹性,这说明他理解事情很深刻。对于他的解说,戈珍连一个单词也听不明白,但是她却像中了符咒一样的盯着他。他肯定是一个艺术家,没有别的人能够像他那样独具匠心和活灵活现。德国人听着他那奇怪滑稽的话,他那逗趣的方言句子,笑得越来越厉害。

在他们这突发的笑声中,他们带着很尊敬的眼神看着这四位刚来的陌生的英国客人。戈珍和厄秀拉被他的讲述逗得大笑起来。整个房间里充满了高兴的笑声。教授的两个女儿,笑得蓝眼睛中都有了泪水,光滑的脸颊也变红了。她们的父亲笑得最让人感到惊异。那几个大学生笑得把腰弯了下去,把他们的头埋到双膝中。

厄秀拉奇怪地向周围看着,忍不住也笑了。她看看戈珍,戈珍又看了看她,于是这两个姐妹爆发出了大笑声。洛克很快地看了大家一眼。伯金也不知不觉地吃吃地笑了。杰拉德·克里奇坐得笔直,在他的脸上闪着快乐的光芒。

人们又一次爆发出了大笑声,发疯般地笑着,教授的两个女儿笑得根本就无法控制颤抖。教授脖子上的青筋胀得老高,笑得脸都发紫了,到最后他只能无声地抽动着,几乎要扼死了。那几个学生大声地不清楚地喊了起来，但是话的末尾被狂笑声淹没了。这时艺术家猛然终止了急速的说话声，人们的欢笑声才慢慢地平息下来，厄秀拉和戈珍擦着眼里笑出来的泪水。教授大喊道：

"真是太精彩了，太精彩了——"

"的确是非常精彩。"他的两个女儿笑得有气无力地应和着。

"但是我们却听不懂。"厄秀拉喊道。

"哎呀，太不幸了，太不幸了！"教授大喊着。

"你们听不懂吗？"大学生叫着，最后他们总算是放松了，并和这几个陌生人说话了，"真是非常的不幸，可敬的夫人，你要明白——"

大家总算是融合在了一起，刚到的英国人就像是新的因素一样加入到了这个聚会中，整个房间里活跃起来。杰拉德自然要属于这样的环境，他自由地、高兴地谈着话，脸上闪着奇怪的快乐光芒。最后即使是伯金，也大谈了起来。他刚才很害羞，但是他一直都在注意着人们。

在教授的号召之下，厄秀拉被要求唱一首《安妮·罗丽》。大家都尊重地、非常高兴地静静地候着。在她一生中从来没有受过这样的奉承。戈珍用钢琴凭着记忆为她伴奏。

厄秀拉有一副优美的清脆的嗓音，但是她总是不自信，每一次她都唱得很糟。今天晚上她觉得非常的自信、能够放得开。伯金在做好的后盾，因此她的反应也很好。德国人给她以很好的感觉，让她觉得很可靠，她简直是自信的有些自负，很是放松。

她觉得当她高声地唱着歌的时候，她就像是一只在空中飞翔的小鸟，她沉浸在自己极端的平衡和歌声的飞扬中，觉得自己仿佛是一只在空中随风扇动着双翅的小鸟。她非常的陶醉，很用心地唱着那首歌，歌声中充满了感情和力量，歌曲让所有这些人沉醉，让她自己也沉醉了。她很满意自己的发挥，对于德国听众也深感满意。

最后德国人都被这支优美而又沉郁的歌感动了，他们用柔和尊敬的声音称赞着她，敬佩之情难以言表。

"太好了！太感人了！啊，把苏格兰式的苦难表达得如此逼真。夫人的嗓音真是没有人能够比得上。夫人真是一个艺术家，伟大的艺术家！"

她瞪大了双眼，神采奕奕的，就像是早阳下的一朵花。她觉得伯金在注视着她，好像是他在嫉妒她，她的心里颤抖起来，她的血沸腾起来。她幸福得就像刚刚冲出乌云的太阳。每一个人好像都很钦佩，脸上发着光，一切都太好了。

晚饭以后，厄秀拉想到外面一会儿。人们试图劝阻她——外面冷得可怕。但是她说她只看一下。

他们四个人裹得暖暖和和的,发现他们处在一个模糊不清、虚幻的世界中。户外暗淡的雪和上面的天空,都在星星出来之前显出奇怪的阴影。真的是非常冷,这是透入骨髓的、恐怖的、出奇的冷。厄秀拉几乎不能相信她的鼻孔中是空气。好似是上天有意恶毒地、想杀人似的造成这种强烈的冷。

然而这太让人惊奇和沉醉了。阴暗的没有知觉的雪静默着,明显地,在她那些闪着光的星星之间插着一道看不见的屏幕。她能够看见猎户星座正斜着升上来。它是多么的美呀,实在是太美了,简直让人想大喊大叫。

四面都是厚厚的雪。脚下面的雪非常的坚硬,那可怕的寒冷透过了她的鞋底。夜沉静了下来。她想象着她能够听到星星的说话声,幻想着她能够清楚地听到天上的星星伴着音乐跳舞的声音,近得就在她的手中。她好像是一只在它们协调的动作中间飞舞着的小鸟。

她紧紧地挨着伯金。猛然间她觉察到她不知道他正在想什么,她不知道他的心飞到哪儿去了。

"我的爱!"她说着,停下来注视着他。

他脸色苍白,眼睛很黑,里面闪着几点暗淡的星光。他发现她温柔的脸向上看着他,离他非常近。他就柔和地亲吻了她。

"什么事?"他问道。

"你爱我吗?"她问道。

"非常的爱。"他平静地回答。

她离他又近了一点。

"还不够多。"她恳请道。

"爱得太多了。"他几乎有点忧伤地说。

"我就是你的全部,难道这让你感到忧伤吗?"她渴望地问道。他紧紧地搂着她,吻着她,用几乎听不到的声音说:

"不,但是我觉得我像是一个乞丐——我觉得很穷。"

她沉默着,看着星星,然后她吻了他。

"不要做乞丐,"她渴望地恳求道,"你爱我,这并不可耻。"

"但是觉得贫穷就是可耻的,是吗?"他回答说。

"为什么?为什么会是这样?"她问。他只是静静地站着,在由山顶上吹下来的冷风中抱着她,看不见风,但是冷得有些可怕。

"如果没有你,我就受不了这个寒冷而永恒的地方,"他说,"我不能忍受它,它会很快地把我给杀了。"

她猛然又吻了他。

"你恼恨这里吗?"她困惑地问。

"假如我不能走近你,假如你不在这里,我会恨这里的。我不能忍受这种地方。"他回答。

"但是这里的人们很好。"她说。

"我所说的是这里的沉静,这里的冰冷,这里冷酷的永恒。"他说。

她思索了一阵子。然后她的心灵进入了他的身体内,无意识地如婴儿般偎依着他。

"是的,我们是温暖的,我们在一起,这就非常的好。"她说。

然后他们向回走去。他们看见旅馆里那黄色的灯光,在沉寂的雪夜中闪动着,在山谷中显得很小,就像是一串串黄色的小浆果。又像是一束细小的桔红色的太阳花,在漆黑的雪中燃烧着。在它的后面,是高高的群山的阴影,它们就像一个魔鬼一样遮住了星星。

他们接近旅馆时,看见一个人手里提着在风中晃动着的金色灯笼,从黑暗的房子中走了出来,那金色的灯光,在他雪中行走着的黑暗的双脚上镶上了一道光圈。在黑暗的雪中这个人的黑色的影子很小。他打开了外屋的门,他们一瞥,只看见里面有两头牛,然后门就又关上了,没有一丝光透出来。这又让厄秀拉回想起了家,回想起了玛斯庄,回想起了她的童年,还有到布鲁塞尔的旅行,很奇怪地,她还回想起了安东·斯克里宾斯基。

啊,天呀,一个人怎么能够忍受,那已经沉入深渊中的过去?她能忍受这曾经过去的一切吗?!她向四面看着这沉静的地方,这上面的雪和星星的世界,这强大的寒冷。就像是一个幻灯机一样,又出现了另一个世界;在一种不真实的庸俗的灯光下,出现了玛斯庄、考塞西和伊开斯顿,还有一个虚幻的影子似的厄秀拉,这整个就是一个不真实的皮影戏。就像有魔力的幻灯所展出的那样,这都是不真实的。她渴望所有的幻灯片都破碎。她希望这永远消失,就像是破碎的幻灯片一样。

她只希望没有过去。她只想和伯金一起从天上掉到这个斜谷中,不想从她童年和成长中的肮脏的黑暗中慢慢地爬出来。她感到记忆和她开了一个肮脏的玩笑。这是什么天命呀,她不能够回忆!为什么不洗一个澡,完完全全地遗忘掉,忘掉回忆或者是过去肮脏的生活,然后诞生一个新的生命?她现在和伯金在一起,她才刚刚步入生活:就在这座布满星星的高高的雪山上。

她和她的父母和先辈有何联系?她只知道她自己是一个新的、不属于任何人的生命,她无父,无母,和以前的亲戚没有关系,她就是她自己,纯粹光洁,她仅仅属于和伯金一起构成的那个统一体。他们在一起奏出强有力的音符,响彻在世界和现实的中心,一个她从来就没有生活过的地方。

在她这个新的真实的世界中,即使是戈珍也是一个分开的个体,分离的,单独的,与她这个厄秀拉没有关系的个体。那个沉旧黑暗的世界,那个过去的真实的世界——哦,让它滚开吧。她张开自由的翅膀要飞到她新的生活中去了。

戈珍和杰拉德没有进来。他们直接走到了门前面的山谷中,而不是像厄秀拉和伯金那样,走上了右边的一座小山。戈珍被一种奇怪的欲望驱动着。她总是想不断地向前走,向前走,一直到她来到了雪谷的末端处。然后她又想爬上那白色的绝壁,爬过去,来到那像尖利的花瓣一样的、神秘的冰冻的世界的中心,来到那积雪覆盖着的最高峰。

她觉得在那里,在那个陌生的神秘的地方,在这个布满岩石和白雪的恐怖的峭壁后面,在这个神秘世界的中心地带,在这密集的最高峰之间,那里,在所有群山环抱的中间,是她最为完美的去处。如果她能单独一个人去那里,并且融入到那永远布满白雪、岩石和积雪的耸立着的最高峰处,那么她将会和它们完全融合为一体,她自己将会成为整个世界中心,她就会总是那么永恒不变,总是无穷无尽地沉寂着。

他们返回了旅馆,来到了娱乐厅。她满是好奇地想瞅一瞅人们正在干什么。那里的男人让她警惕,唤起了她的探奇心。对于她来说,这是一种新的生活体验,他们对她很崇拜,一个个充满了活力。

聚会很是喧闹;他们正在跳舞。他们跳的是来自悌罗尔省的休普拉腾舞。这种舞是一种拍手舞,在高潮到来时,舞伴要被掷到空中。这几个德国人都非常的精通这种舞蹈——他们大多数都来自慕尼黑。杰拉德跳得也不错。

在墙角处有三把一直在响着的齐特拉琴,这是一个活泼而又混乱的场景。教授把厄秀拉带到舞场中,不断地跺着脚,拍着手,在高潮到来时,他又带着让人惊异的力量和热情,非常高兴地把她高高地抛了起来。在高潮到来时,即使是伯金也像个男子汉那样,把教授的一个鲜艳强壮的女儿抛了起来,那个女孩子跳的非常幸福。每一个人都在跳着,极为狂欢。

戈珍很兴奋地在一边看着。坚固的木制地板回响着男人们鞋后跟的咚咚声,空气中震颤着拍手的声音和齐特拉琴的响声。在吊灯周围,飘浮着金色的灰尘。

突然舞会结束了,洛克和好几个学生奔出去买饮料。然后屋里响起了兴奋的叫喊声,杯子相撞的叮当声,人们大声叫着"干杯——干杯!"洛克像一个侏儒一样马上四处走动着,向女人们敬酒,和男人开着晦涩的、有些危险的玩笑,侍者们都被他弄得很糊涂、困惑。

他很想和戈珍一起跳舞。从他看见她的第一眼，他就想制造个机会和她联系上。本能地，戈珍对此有所感觉，她等着他走上前。但是她总是不高兴的样子，让他远离了她，于是她想他可能是不喜欢她。

"夫人，你愿意跳舞吗？"洛克的同伴，那个大个子、白净的年轻人说。戈珍感到他太软弱、谦卑了。但是她又想跳舞。这个叫做雷特纳的年轻、白净的人很英俊，但是他表现得很不自在，有些可怜的样子，这种谦卑掩饰着他心中的担心。她就接受他作为她的舞伴。

齐特拉琴声再一次响起来了，舞会又开始了。杰拉德带头笑着和教授的一个女儿跳起来。厄秀拉同一个学生跳，伯金同教授的另外一个女儿跳，教授与克莱默夫人跳，剩下的男人们在一起跳着，虽然没有女舞伴，他们也跳得非常热情。

因为戈珍是同身材很好、舞姿柔和的小伙子跳舞，洛克比以前更加的狂暴恼怒，甚至根本不看她是不是在这个房间中。这让戈珍很愤怒，但是她通过和教授跳舞来掩饰她自己，这个教授就像一头成熟的、有经验的公牛一样强壮，充满了粗鄙的力量。

她对他持批评的眼光，她不能忍受他，然而她又沉浸在快速的旋转中，被强有力地抛向空中。教授也沉浸其中，他又大又蓝的眼睛很奇怪地盯着她，里面充满了电流似的火焰。她恨他这种看着她的老练而又有点像父爱的兽性的目光，但是她很赞赏他那强大的力量。

房间内充满了兴奋和兽性般的强大的情绪。洛克离戈珍很远，他想和她说句话，但是他们之间好似被一道树篱隔着，他感到他对他的年轻同伴怀着仇恨，总想无情地讽刺他。雷特纳很贫穷，全依靠着他呢。他刻薄地奚落和嘲笑他，这让雷特纳羞红了脸，但只是怀着无力的仇恨。

杰拉德现在跳得已经非常好了，他又和教授的那个比较年轻的女儿跳上了，那个纯洁的姑娘，几乎快要兴奋死了，因为她认为杰拉德如此的漂亮，如此的相貌堂堂。他用力量收服了她，她仿佛是一个扇着翅膀跳动的小鸟，红着脸，又像一个不知所措的小动物。当他必须要把她抛向空中的时侯，她激烈地在他的手上摆动着，这让杰拉德笑了起来。最后她被她对他的爱弄得发狂了，明显地，她兴奋得根本就不能说话了。

伯金和厄秀拉在一起跳着。在他的眼睛里闪着奇特的小火花，他好像变得有点邪恶，捉摸不定、讥讽人、爱挑逗、让人难以忍受。厄秀拉很害怕他，但是又对他极为入迷。好像是在幻想中似的她很清晰地看着他，她能够看出来他眼中的讥讽，放肆的嘲笑，他就像一个动物一样狡猾地，不为人所知地向着她移动过来。

他的双手很有点奇妙，它们诡诈地、迅速地触摸到她胸部下面的重要地方，接着，就用那一种嘲笑的、挑逗的力量把她抛到空中去，好像是他根本就没有用力，用的只是符咒。她由于害怕快要晕了。过了一会之后她开始反抗，这很让她讨厌。她打算破除他的符咒。但是在这个决心下定之前，她就再一次地服输了，这让她很担心。他知道他一直正在干什么，她从他微笑着的、很有精神的眼睛中能够看出来。这是他的事，她对他放任自流。

当他们在漆黑中单独在一起时，她就感到在他身上有一种奇怪的、放肆的东西在她身上盘旋着。她不能平静，感到很讨厌。为什么他会变成这个样子？

"怎么回事？"她担心地问。

但是他看着她，他的脸上只是闪着让人看不懂的、恐怖的光。但是她被迷住了。她想猛烈地回击他的这种厌恶，想和嘲笑人、符咒般的带着兽性的他决裂。但是她被他弄得完全入迷了，她只是想着屈服于他，她只是想知道，他会对她做些什么？

他既吸引人，又让人厌恶。他的脸上和缩小的眼睛中闪烁着讽刺的、挑逗的神情，这让她只想躲着他，把她自己躲藏起来，从一边看不见的地方注视他。

"为什么你变成这个样子？"她突然鼓起勇气，抗议地问道。

他一双眼像一团火凝视着他。然后他又低垂着眼睑，露出挖苦人的轻视的表情。随后他又睁开眼睛，同样是不屈不挠的挑逗的神情。于是她屈服了，就让他按着他可能做的那样去吧。他的放肆，冷冷地吸引着她。但是他要为他做的事负责，她会等着看将要发生的事。

他们有权力做他们所喜欢的——她在上床前意识到了这一点。任何能够满足人们的事怎么可以被拒绝呢？羞耻是什么？谁还会注意？堕落的事确实有，可那是另一回事。他是如此的不知可耻和没有控制。这不是相当恐怖吗，一个如此高尚和如此有思想的男人，现在却是这样的——她不肯再想和再回忆了：然后她又想——如此像野兽？如此像野兽，他们两个都像！——如此的堕落！她退缩了。

但是毕竟，为什么不呢？她又高兴了起来。为什么不做野兽，去把这所有的一切经历都走过？她对此又欢跃了。她就是野兽。做一次真正不体面的事有多么好啊！她所经历过的事没有什么不体面的。然而她是不知羞耻的，她是她自己。为什么不能这样呢？她是自由的，当她什么都知道了，就没有什么让她感到隐秘的不体面的事了。

当戈珍站在娱乐厅中注视着杰拉德时，猛然想道：

"他将会占有所有他能够占有的女人——他的天性就是这样。叫他去遵守一夫一妻制真是可笑——他天生就是一个混杂的人。他的本质就是这样。"

这种想法是不知不觉地来临的。她对这个想法都有点震惊了。她好像看见在墙上写着危险！危险！然而这绝对是正确的。好像是有个声音对她很清晰地说了，在那一瞬间她相信这是灵感。

"这绝对是正确的。"她再次自言自语说。

她明白她将会一直十分地相信。她内心知道这话是真的。但是她必须保密——就是对她自己也要保密。她必须完全保守这个秘密。这只有她一个人知道，即使是对她自己也几乎是不愿确认。

她在内心深处下定了决心，要和他抗争。他们当中必须有一个战胜另一方。哪一个会胜利呢？她的心中有钢铁般的力量。她有了信心，自己几乎都要笑了。她现在对他怀有一种半恨半怜的柔情：她是如此的残忍。

每个人都很早就休息了。教授和洛克走进了一个小休息间喝酒。

他们两个看到戈珍扶着楼梯走上了楼。

"一个美人儿。"教授说。

"是的！"洛克立刻证实说。

杰拉德迈着奇怪的大步子穿过卧室来到窗户前面，弯下腰去向外面看着。然后又站了起来，转向戈珍，他的眼睛里面闪着深奥的微笑。他比她好象高很多，她看到他的眉毛间的眉心处闪着白光。

"你觉得怎么样？"他说。

不知不觉中好像他内心里面在笑着。她打量着他。对于她来说，他是个圣人，他不是人类，他是一只贪婪的动物。

"我非常喜欢。"她回答说。

"你最喜欢楼下的哪一个人？"他问道，他站在那里显得很高，闪亮的硬硬的头发直竖着。

"谁是我最喜欢的？"她重复说着，想去回答他的问题，接着发现对她来说很难做出选择。"我不确定，我对他们还不足够了解，因而我不能说。谁是你最喜欢的呢？"

"呃，我不在意——对于她们中的任一个，我都无所谓喜欢还是不喜欢。对于我来说没有关系。我想知道你的看法。"

"但是为什么呢？"她脸色十分苍白地问。杰拉德眼神中那种深奥的无意只的笑意越来越强了。

"我想了解一下。"他说。

她把身子转到一边，破坏了这种魔力。她感觉到他用一种奇怪的方法用力地征服了她。

"好了，我现在不能告诉你。"她说。

她走到镜子前从头上摘下发卡。她每个晚上都要有好几分钟的时间站到镜子前，去梳理她美丽的黑发。这已经成了她生活中必然的一个部分。

他跟着她，站在她后面。她正低着头忙碌着，摘下发卡，摇动着头把那温馨的头发散开。当她把头抬起来时，在镜子中看到他站在她的身后，有意无意地注视着她，然而看起来，他的眼中好像是有一丝笑意，但是它并不是真的笑意。

她吃了一惊。她鼓起了所有的勇气和以往一样继续梳着头发，因为她试图装出一种很安逸的样子来。但是和他在一起，她却永远不能装出安逸的样子。她用力地强迫她的大脑去和他说话。

"明天你有什么计划？"她漠不关心地问，同时她的心却在猛烈地跳着，她的眼睛由于前所未有的紧张而变得如此明亮。她感到他能够看出来她的紧张，但是他并不说出来。她也知道他、只是盲目地像狼一样地看着她。这是在她的普通意识和他离奇的魔咒般的意识之间的一场斗争。

"我不清楚，"他回答说，"你愿意干什么？"

他空虚地说，他的思想飘得很远。

"哦，"她很轻松地说，"我愿意干任何事——对于我而言，任何事都是好的，我肯定。"

但是在心里她对自己说："我的天，为什么我如此紧张——为什么你要这样紧张——你这个傻子。要是让他看出来，我就完了——你知道你就会永远完了，要是让他看出你现在这种可笑的情形。"

她又对着自己笑了，好像这都是孩子玩的游戏。然而同时她的心却在急促地跳着，她几乎要晕过去了。从镜子中她能够看见他，他站在她的后面，高大的身子弯着——金色的头发，蓝色的眼睛，让人感到十分的恐怖。她偷偷摸摸地从镜子里瞥一眼他的幻影，尽量不让他知道她能够看到他。他并不知道她在镜子中能够看到他的影像。他无意识地看着她，眼里含着光芒。

她向下梳理着她的头发，想让头发膨松一些，于是她用力地用紧张的手梳着。她的头偏向一边，发狂般地梳理着头发。为了她的一生，她不会转过来面对着他。为了她的一生，她决不会。这种想法几乎快让她晕倒在地上了，她无助而又精疲力尽。她意识到他恐怖的身体就站在她的后面，她意识到他那实在、强大、坚硬的胸腔紧紧地贴着她的后背。她觉得她再也不能忍受了，再有几分钟的时间她就会在他的脚下摔倒，向他屈服，让他破坏她自己。

这种想法刺激着她敏锐的智力，大脑镇定了下来。她不敢向他转过身

——他一动不动地站在那里,继续振作他所有的力量。她强迫自己收集所有残存的自我控制力,用一种冷淡的声音说:

"哎,你不介意看一下我身后的小包,给我把我的——"

在这里她的力量被击倒了。"我的什么——我的什么——?"她在心里面沉默地叫喊着。

但是他已经转过了身,很是诧异和震惊,她会叫他去看她的包,她总是很秘密地保护着她自己的私人物品。

现在她转过身,她的脸色发白,她的眼睛里闪着过度紧张的兴奋的离奇热光。她看见他向着包弯下了腰,无意识地解开包上松散的有扣子的带子。

"你的什么呀?"他问道。

"哦,一只小的珐琅盒子——黄颜色——上面有一个在啄胸毛的鸬鹚图案——"

她向他走过去,弯下她很好看的赤裸的手臂,灵巧地打开她的东西,拿出了那个小盒子,上面绘着精巧的图案。

"就是这个,你看。"她说着,从他的眼皮底下拿走了那个盒子。

现在他感到很困惑。在他系紧小包的时候,她很快地完成了今天晚上她梳头发的过程,她坐下来解开她的鞋子。她不能再背对着他了。

他感到困惑、沮丧,但是他却不知道是怎么回事。现在是她支配着他。她知道他没有意识到她糟糕的恐慌。她的心仍然在沉重地跳动着,傻子,她真是个傻子,竟然会出现这样的情况!她很感谢上天让杰拉德这么愚蠢迟钝,感谢上天让他什么也没有看见。

她坐在那里慢慢地解开鞋带,他也着手脱着衣服。感谢上帝让这危险期过去了。她觉得她现在几乎是喜欢他,几乎是爱上他了。

"啊,杰拉德,"她笑着,柔和地嘲笑着他,"啊,你和教授的女儿玩得是多么地好——你不知道吗?"

"玩了什么?"他转过脸来问道。

"她不是爱上你了吧——哦,天哪,她真的是爱上你了!"戈珍用高兴的、很具有吸引力的语气说道。

"我想不会是这样的。"他说。

"你不这样想!"她嘲笑着,"那个可怜的女孩正躺在床上,在那一瞬间她就被你的爱给淹没了。她认为你是非常奇妙的——哦,太了不起了,超过了所有的男人。真是这样的,是不是很有趣?"

"这有趣?什么是有趣?"他问道。

"就是看着你和她在一起跳舞,"她半带着责备说,这搅乱了他男人式的自负想法。"真是这样的,杰拉德,那可怜的姑娘——!"

"我对她什么也没有做。"他说。

"哦,你完全把她的脚给抱离地面,这已经够不体面的了。"

"这就是休普拉腾舞的跳法。"他回答说,欢快地咧着嘴笑着。

"哈——哈——哈!"戈珍大笑起来。

她的嘲笑在他的身上奇怪地引起颤抖。当他睡觉时好像是蜷缩着身子,在他的体内仍然积聚着力量,但是他很空虚。

戈珍睡得扬眉吐气,这是一个胜利者的睡眠。突然,她几乎是猛地一下惊醒了。小木屋里已充满了黎明的光线,是从开得很低的窗户上照进来的。当她抬起头时能够看到下面的山谷:白雪上带着红色,好似有魔力一样,在山谷的底部边缘上有一圈松树。一个微小的身影从模糊中向着明亮的地方移来。

她瞥了一下他的手表:正好七点。他仍然睡着。但是她是如此的清醒,这差不多让人有点惊恐——这是一种刚硬的,金属般的清醒。她躺在那里看着他。

他的睡眠征服了他的力量并且打败了它。她得胜似的诚挚地望着他。一直在这之前,她都是怕他的。她躺在那里思索着他。他是一个什么样的人?他象征着世界上的哪一种人?他有着很强的意志和主见。她想着他在一个很短的时间内,就对煤矿进行了革命。她知道,假如他面临任何难题,任何艰苦的实际困难,他都能去克服。如果他已经持有了某种想法,他一定会付诸实施。他有让混乱变得有秩序的本能。只要让他紧紧地掌握一种形势,那么他将会带着它渡过危机,必然能够干出结果来。

在这一时之间,她的雄心狂野的飞涨起来。杰拉德意志强大,有理解真实世界的能力,应该让他带领着去解决当今的问题,解决在这个现代化世界中的工业制度难题。她知道他会的,在一定的时间中,他会实现他所渴望达到的变化,他能够重新创办工业制度。她知道他是能够这样做的。在这些事情中,他作为一种工具,是非常了不起的,她从来没有见过任何一个男人有他这样的潜力。他没有意识到这一点,但是她知道。

他仅仅需要被套住,他需要在他的手上有可以去实行的任务,因为他并没有这方面的意识。但是她能够做到。她会嫁给他,他将会进入国会,在国会中维护保守党的利益,他将会清除劳动力和工业之间的巨大混乱。他是如此雄伟如此无所畏惧,如此的强横,他知道他能解决任何难题,在生活中的难题和几何中的是同样的。他既不会照顾自己也不会照顾其他人,但是他完全用心地去解决难题。他非常的纯粹,真是这样的。

她的心急速地跳着,她设想着未来,感到兴高采烈。他将会是一个和平时期的拿破仑或者是俾斯麦——她就是站在他身后的那个女人。她曾经读过俾斯麦的信,那些信深深地打动了她。杰拉德比俾斯麦更加的自由狂放、不屈不挠。

尽管她躺在床上狂乱地幻想着,沐浴在奇怪、虚假的未来生活的希望之光中,但是仍然好像是有一种东西猛咬着她的心,一种骇人的冷嘲热讽、像是一阵狂风般的心情重又占据着她的内心。对她来说每一样东西都是可笑的:每一样东西在最后都变得有着嘲弄的滋味。这时她感到了她真实的悲痛,这是一种当她知道她的希望和理想,都是如此强烈地具有讽刺意味时的悲痛。

她躺在那里看着睡眠中的他。他是如此的漂亮,他是一件理想的完美工具。在她的头脑中,他是一件抽象的、野蛮的、几乎是超人的工具。他的手段如此强烈地顺应了她,她希望她就是上帝,像工具一样地利用他。

几乎是同时,她产生了一个具有讽刺意味的问题:"他适合作什么呢?"她回想起了那些矿工的妻子,她们的油毯和带着花边缎带的窗帘,她们的穿着高帮靴子的小女儿。她回想起了矿井经理的妻子和他们的女儿,她们的网球聚会,她们在社会的等级中,彼此之间为了高傲的争斗。肖特兰兹和它没有意义的显赫,克里奇家中那群没有意义的人。伦敦,众议院,现实存在的社会。我的天呀!

虽然她非常年轻,戈珍也号准了整个英国社会的脉搏。她没有在这个世界中向上爬的想法。她知道,凭着她所走过的玩世不恭的痛苦的少年时代,要想在这个世界上飞黄腾达,就意味着用一个假装的世界代替另一个世界,仿佛是拿了一个假便士,非要假装是两个半先令的银币一样。全部的评价制度都是欺骗性的。不过当然了,她的玩世不恭让她也足以了解到,在这个世界上假币是通用的,一个坏的金镑和一个好的便士相比,要好得多。但是不管是富裕,还是贫穷,她都轻视它们。

她已经嘲弄着她自己的梦了。它们很容易就能够被实现。但是她也承认,她的心中受着嘲弄的推动。这和她有什么关系,杰拉德把一家破败的旧企业康采恩转变成为一家富裕的大企业?这与她又有什么关系?那家破败的康采恩和这个飞速壮观地创办起来的工业,都是为了劣质的钱币。然而当然了,她表面上非常地关心——表面现象是极为重要的,尽管在内心里面认为这是一个有害的玩笑。

对她来说,每一件事都是值得讽刺的。她倚在杰拉德的身上,满是同情地自言自语说:

"哦,亲爱的,亲爱的,这种游戏你不值得去演。你真的是一个好人——为什么你要去上演这样可怜的戏呢?!"

她的心由于对他的同情和不幸而碎裂了。但是同时，一抹苦笑又出现在她的嘴角，这对她自己没有说出口的演说进行着嘲笑。唉，这可真是一场滑稽的闹剧！她想起了帕奈尔和凯瑟琳·奥谢。帕奈尔！

毕竟，有谁能够真诚地接受爱尔兰的国有化呢？无论政治上的爱尔兰做些什么，有谁会实在地认真地对待它呢？又有谁会认真地看待政治上的英国呢？有谁会？有谁会去稍微真正地关注一下，那多么陈旧的被补缀起来的宪法是否又被修补过？与关心我们国家的圆顶旧礼帽相比，有谁会更关心我们的民族观念？哈，都是一顶旧帽子，全部都是一顶旧礼帽！

这就是全部，杰拉德，我年轻的英雄！无论如何，我们不会去分享那让人作呕的混乱的老肉汤了。你真是漂亮，我的杰拉德，但是你却不计后果。多么美好的时光啊。醒来，杰拉德，醒来吧，让我确信有完美的瞬间。哦，让我确信吧，我需要它。

他睁开了眼睛，望着她。她带着极大的快乐嘲弄地、迷一样地微笑着，来作为对他的致意。在他的脸上也浮现出了同样的一丝微笑，完全是无意识的。

看到在他的脸上有来自她的微笑反映在上面，她特别的兴奋。她觉得它就像是一个婴儿的笑容。这真是让她容光焕发，充满了非凡的喜悦。

"你已经做到了。"她说。

"做了什么？"他迷惑地问。

"让我深信你。"

接着她弯下身子，热烈地吻着他，很热烈，这让他感到非常的迷惑。他没有问她，她相信了他的什么，虽然他有问的意思。他很高兴她亲吻了他。她好像在感觉着，想触到他内心敏锐的地方。而他想让她接触到他生命的敏锐处，他太想这样了。

外面，有个浑厚的男声在优美地唱着：

"把门给我打开，开门，你这个高傲的人，把火用木柴给点起来，雨已经把我浇得湿淋淋的。"

戈珍知道这具有男子汉气概的、无忧而又嘲笑的歌声，会永远自始至终地回响在她的心头。这标志着她最美好的瞬间，这是她极大紧张的痛苦和满足心情的标志。这首歌将永远固定在她的心里。

天气很好，天色蔚蓝。山顶上吹着轻微的冷风，但是它到过的地方却像长剑一样锋利地削下精细的烟一样的雪花。杰拉德精神饱满地走了出来，脸上带着盲目的满意。戈珍和他在今天早上相处的安静而又和睦，但是他们并没有意识到，也不知内部的原因是什么。他们乘着平底雪橇出去了，厄秀拉和伯金在后面跟随着。

戈珍全身都是猩红色和品蓝色——猩红色的运动衫和帽子，品蓝色的裙子和长袜子。她欢快地走在白雪中，杰拉德跟在她的旁边，他穿着灰白色的衣服，拉着小雪橇。他们爬上一个陡峭的斜坡，他们的身影在远处的雪中变得越来越小。

戈珍觉得自己仿佛是完全进入了一个雪的洁白世界中，她成了一块洁白的没有思想的水晶体。当她到达山崖之巅时，在山风中，她向四处看着，看见布满白雪和岩石的山峰一座高过一座，蓝莹莹的耸立在苍天之下。对于她来说，这好像是一个开满了纯洁的山峰之花的花园，她的灵魂真想去采集他们。她完全没有意识到杰拉德的存在。

当他们从陡峭的斜坡全速向下滑的时候，她紧紧地挨着他。她感到她的感觉器管就好像在精良的磨机上磨擦着，那磨机就像火一样灼热。雪花在身子两边飞溅着，就象是磨刀时迸发出来的火星，周围的白色下滑得越来越快，越来越快，在这洁白的火光中，那白色的山崖向她扑面而来，她就像是保险丝那样溶化了，飞速地象个跳动着的球一样滚进了强烈的白光中。随后在山下拐了一个大弯；一下掉到了地上，渐渐地慢了下来。

他们停了下来，但是当她想站起来时，却不能站。她发出了一声奇怪的叫喊，转过身子抱着他，把她的脸埋到了他的怀里，在他的怀里晕了过去。她晕在他的怀中那几分钟，完全没有了自我意识。

"出了什么事？"他说，"对你来说滑得太快了吧？"

但是她根本听不见。

当她苏醒过来之后，站起来四处看着，感到非常的惊讶。她的脸色苍白，双眼明亮而又很大。

"你是怎么了？"他重复问道，"你感觉到不适了吗？"

她用她那闪着亮光的眼睛望着他，她的眼睛好像有些变形，她接着带着可怕的欢喜大笑起来。

"不，"她带着胜利的喜悦喊道，"它是我生命中最快乐的瞬间。"

她看着他，笑得眼花缭乱，非常夸张，就像是着了魔似的。这就好像是有一把刀子插入了他的心中，但是他没有在意，或者说是不予理睬。

但是他们又接着向另一面山坡爬去，然后他们又一次很壮观地，飞速滑下来，仿佛是从火焰般的白光中穿过。戈珍一直都在笑着、下滑着，她的身上溅满了小雪粒。杰拉德滑得非常的好，他感觉他能够驾着小雪橇通过非常狭窄的地方，他几乎能够驾着它直接地刺入空中，恰好刺入天空的中心。他觉得这飞速滑动的雪橇正好可以展现他的力量，他仅仅让他的双臂动起来就行，雪橇就是他自己。

他们探寻了好几处斜坡，又去找另外的一面斜坡了。他觉得这里一定有一个比他们所知道的要更好的地方。最后他找到了他想去的地方,一个很长的斜坡,非常的陡峭,完全是从一块岩石的底部穿过来的,接着又直接穿过坡底的树林。他明白这非常危险,但是他知道他也可以仅用手指来驾驭雪橇。

最初的几天是在迷人的体育运动中度过的:滑雪橇、滑雪、溜冰,用一种强烈的飞速的速度穿行在白光中,这已经超过了生命本身,带着人类的精神超越了现实而进入了非人类的世界,这里有着高度上升的速度、重力和永远的冰冻的白雪。

杰拉德的眼神变得刚强、奇怪起来,当他在滑雪板上飞行时,与其说他是一个人,倒不如说他是一声有力的、致命的叹息,他那有弹性的肌肉以一种很美的、翱翔的姿态,而同时他的身体以一种抽象的飞跃、放松地旋转着划出一道非常完美的力的弧线。

幸运的是,那一天下雪了,这样他们就必须呆在室内:要不然,伯金说他们将会丧失理智,开始让他们自己完全处于一种大喊大叫的状态中,就像是那种不为人所知的雪地中奇怪的动物。

那天下午很偶然地,厄秀拉坐在娱乐厅里和洛克谈着话。洛克最近几天好像是不太快乐,但是他仍和往常一样的活泼和充满恶作剧般的幽默。

但是厄秀拉想,他可能是为了某些事生气。他的同伴,也就是那一个高大的、金发的漂亮年轻人,他很不安稳,四处走动,好像是属于任何地方,他好似是被人征服了什么,好像在反抗着。

洛克几乎没有和戈珍说话。另一方面,他的同伴却不断温柔而又恭顺地向她献殷勤。戈珍很想和洛克谈话。他是一个雕塑师,她想听一听他对他的艺术的观点。另外他的外形也引起了她的注意。他身上稍微有一种流浪汉的气息,这激起了她的好奇,但是他还有一种成熟的表情,这让她很感兴趣。除了这些,他有一种离奇的自我行事的独处性格,这种品质在其他人身上是找不到的,对她来说,这就是艺术家的标志。他是个像鹊一样饶舌的人,是一个淘气玩笑的制造者,有时这让他显得很聪明,但是并不总是这样。通过他那褐色的魔鬼一般的眼睛,戈珍能够看出他藏在小小的滑稽玩笑后的、没有生机的痛苦表情。

他的体形也让她感兴趣——他的外形像一个小男孩儿,几乎就是街上流浪的人。他并不试图隐藏这一点。他总是穿着朴素的深橄榄色的衣服,长及膝盖的马裤。他的腿非常瘦,可是他并不努力去掩饰这个事实:这就是在一个德国人身上显著的地方。他无论在何处都不会迎合人,即使是轻微的也不,而是保持着他自己,尽管在表面上他完全是嬉戏的样子。

他的同伴雷特纳,是一个很棒的运动家,他的四肢和蓝色的眼睛,都非常美。雷特纳会去滑平底雪橇或者是去滑冰，但他只是稍微地涉足，这些对也无关紧要。他的鼻孔很好看，又细又长，只有在街上流浪的人才会有。当他观看雷特纳的体操表演时，他的鼻孔就会轻微地颤动着表示轻蔑。很明显，这两个旅游和生活在一起的、同住一间房子的人，现在已经达到了嫌恶的边缘了。雷特纳由于受了洛克的委屈，因此非常的恼恨洛克，他的心中翻腾着无力的憎恨。洛克对待雷特纳总是非常轻视，对他进行挖苦。这两个人很快就要分裂了。

他们已经很少在一起了。雷特纳总是与别人一起，表现得非常礼貌。洛克总是一个人出入。在室外时，他就戴一顶威斯特菲伦式帽子，这种褐色的紧紧地包着头的柔软的帽子，是用褐色的天鹅绒做的，帽边很宽，遮住了他的耳朵，这让他非常像一个垂耳兔，或者是一个爱开坏玩笑的侏儒。他的脸呈褐红色，皮肤干燥得发着光，好像是只要他做一个动作，它就会起皱一样。

他的眼睛很引人注意——眼睛呈褐色，很大，就像是兔子的或者是侏儒的眼睛，抑或说是一双迷惑的眼睛，里面闪着奇怪的、无声的、堕落的神情，还有离奇的激情的火花。只要是戈珍试图和他说话，他就会闪开双眼，没有反应，只是用他的黑眼睛注视着她，但是和她一句话也不说。他让她觉得他是在厌恶她迟钝的法语和缓慢的德语，他对于他自己不地道的英语，用的也是非常的笨拙，根本不敢去试。但是他对于别人所说的话大部分都能理解。于是戈珍就很愤怒，把他扔在了旁边。

然而，那天下午她走进休息室的时候，看见他正和厄秀拉说话。他那漂亮的黑发，不知何故就让她想起了一只蝙蝠，因为他的头发都集中在看起来很有灵感的头上部，头发很稀，在鬓角处都秃掉了。他弯着腰坐在那里，好像他的灵魂就是一只黑蝙蝠。戈珍能够看出来，他正同厄秀拉说着他心中的话，但是有点不愿意，很缓慢，很吝啬似的，说的也不充分。戈珍走过去坐在了她姐姐身旁。

他看了看她，就又向别处看去，好像是他根本没有注意到她。但是事实上，她深深地引起了他的兴趣。

"真是有趣，戈珍，"厄秀拉转向她的妹妹说，"洛克先生在为科隆的一家工厂建一个柱子中楣呢，这根大柱子要放在外面的大街上。"

她望了望他那又瘦又黑的、神经质的手，那双手紧握在一起，好像魔爪，又像是"虎爪饰"，不像人的手。

"用什么材料做的？"她问道。

"用的是什么材料？"厄秀拉重复问道。

"花岗岩石。"他回答。

下面就是两人之间简洁直接的提问与回答。

"浮雕是什么样子的?"

"很高的浮雕。"

"它有多高?"

戈珍想到他正在为科隆的一家花岗岩石工厂雕塑一座柱子中楣,就觉得很有意思。从他那里她了解了他的一些设计想法。那是一个有着漂亮外形的雕塑,上面绘着一个纵酒狂欢的热烈场面:农民和技工们喝着酒,穿着古怪的衣服,可笑地来回到处跑着,坐在包厢里看戏,亲吻,蹒跚地摇摆着撞在一起,愉快地在船形的秋千上摇荡,或是玩枪,一片狂乱没有秩序的景象。

他们又立即讨论着专业性的问题。戈珍对他的设想留下很深的印象。

"但是有这样的一座工厂是多么地让人惊奇啊!"厄秀拉喊道,"这个建筑全部都是这样美吗?"

"哦,是这样的,"他回答说,"这根中楣仅仅是整个建筑的一个部分。是的,它是一个巨大的建筑。"

然后他停了一下,耸耸他的肩膀,接着向下说:

"雕塑和建筑本来就是在一起的。那和雕像无关的建筑就象壁画一样早过时了。实际上,雕塑一直就是建筑体系中的一个部分。既然教堂里面填满了博物馆的材料,既然工业就是我们的事业,那么现在,就让我们把有工业的地方都变成我们的艺术——把我们的厂区变成我们的巴台衣神庙吧!"

厄秀拉沉思着。

"我想,"她说,"没有必要把我们的大工厂变得那么丑陋。"

他马上就做出了强烈的回应。

"你说得太正确了!"他叫道,"说得太正确了!我们不只是不需要把我们工作的地方变得难看,它们的丑陋最终会阻碍我们的工作。并且人们不应该继续在这种让人难耐的环境中工作。它最终会严重地伤害我们,因为它的丑陋会让我们衰退。这也会让工作衰退。他们会认为工作本身就是丑陋的:那些机器和大量的劳动。然而,机器和劳动是极其让人为之发狂的美好的东西。但是当人们因为工作太让人难以忍受时,人们将不会再去工作,这将会是我们的文化的终结,因为工作让他们感到作呕,他们宁可挨饿。那么我们将会看到人们用锤子猛烈地捣毁机器,我们是会看到这一幕的。然而我们现在——我们现在还有机会让我们的机器变得美起来,让我们的厂房变得美起来——我们现在有机会——"

戈珍仅能够听懂一部分。她着急得几乎想大喊起来。

"他说了什么?"她问厄秀拉。厄秀拉口吃似地说了大概意思。洛克注视着戈珍的脸,想看看她的评论。

"那么你是怎么想的呢,"戈珍说,"艺术应该服务于工业吗?"

"艺术应该对工业进行解释,这就好像从前艺术是宗教的解释一样。"他说。

"但是你的农民集市对工业解释了吗?"她问他道。

"当然解释了。当人在集市上时,做些什么呢?他们在完成劳动力的交换——机器为他工作,而不是他为机器工作。他自己的身体正在享受着机器的劳动。"

"但是除了工作——机械似的工作没有别的了吗?"戈珍说。

"除了工作什么也没有!"他重复着,身体向前倾着,他的两只黑眼睛只有针尖似的亮点。"没有,除了这什么也没有。服务于机器,或者是享受机器的劳动——劳动,这就是全部。你从来就没有为了饥饿而去工作过,要不然的话,你就会明白上帝是怎么支配我们的了。"

戈珍颤抖了一下,脸也红了。不知道是何原因,她几乎要哭了。

"没有,我没有为饥饿去工作过。"她回答说,"但是我曾工作过!"

"工作过——什么工作?"他问道,"是什么工作——你做过什么工作呢?你真正辛苦地做过吗?"

他用意大利语和法语杂合着说。同她说话时,他本能地用外语和她讲话。

"你从来没有像社会上的工人那样工作过。"他带着讽刺的语气对她说。

"是的,"她说,"我像他们一样工作过。我现在就是——现在,我就为了我日常的生计工作着。"

他停了下来,静静地看着她,然后把这个话题全然放到了一边。她好像对他已经不重要了。

"但是你曾经像社会上的工人那样工作过吗?"厄秀拉问他。

他心虚地望着她。"是的,"他用粗暴的咆哮声回答说:"我已经知道躺在床上三天是什么滋味了,因为我没有东西吃。"

戈珍用她那大大的阴郁的眼睛望着他,好像要从他的骨头缝中抽取什么,来让他承认。他天生就是一个不会坦白的人。但是她那盯在他身上的大大的阴郁的双眼,好像是打开了他的血管,不知不觉地就让他讲了出来:

"我的父亲是一个不喜欢工作的人,我们没有母亲。我们住在被奥国统治着的波兰,我们如何生活?嗨——有办法!通常是和另外三家住在一个房间里——一家住一个屋角——厕所就在房子中间——就是上面盖着木板的坑——哈！我还有两个弟弟和一个妹妹——也许有个女人和父亲住在一处。他是一个到处闲荡的人，只要妨碍了他——他就有可能和镇上任何男人打架——那个镇子是个要塞——但是他是个小人物。但是他却不愿意为任何人工作——他的灵魂反对这样，他是不会的。"

"那么你们是如何生活的呢？"厄秀拉问道。

他望了望厄秀拉，然后，猛然地又看着戈珍。

"你理解吗？"他问道。

"非常的理解。"她回答说。

他们的眼睛在一瞬间相碰了。随后他向远处看去，他不愿再说了。

"那么你是如何成为一个雕刻家的？"厄秀拉问。

"我是如何成为雕刻家的——"他停了一下，"因为——"他换了一种口气开始用法语说道——"我已经长大了——我过去在市场上偷东西。以后我又去工作——在泥陶瓶子烘焙以前，在上面烙上花纹。那是一个陶器工厂，我开始在那里学造型。有一天我做的太累了。我就躺在太阳下面不去干活。然后我步行来到了慕尼黑——然后步行到意大利——一路讨饭，走了下来。

"意大利人友好地对待我——他们对我非常好，很敬重我。从波赞到罗马，几乎每个晚上，我都会和几个农民在一起吃饭，还有草铺睡。我是全身心地爱着意大利人的。

"而现在，现在——大概说——我一年赚一千英镑，或是赚两千英镑——"

他向下望着地板，声音越来越弱，终于静默了。

戈珍望着他那细细的、瘦瘦的、黑得发亮的皮肤，已被太阳晒成了红褐色，他太阳穴处的皮肤紧绷着，她又看着他那稀薄的头发——和他好动的很不成形的嘴巴上方的胡须，它们被剪得像一把刷子，浓稠而又粗壮。

"你有多大年纪了？"她问。

他抬起头，用他那孩子似的眼睛震惊地望着她。

"多大了？"他重复着，他很是踌躇。非常明显他对此不想回答。

"你有多大了？"他没有回答，反问道。

"我二十六岁了，"她回答说。

"二十六，"他重复着，盯着她的眼睛。他犹豫了。然后他说：

"那么你的丈夫，他有多大年纪了？"

"谁？"戈珍问道。

"你的丈夫。"厄秀拉用一种讽刺的语气说。

"我还没有丈夫呢,"戈珍用英语说。接着她又用德语回答说:"他三十一岁了。"

但是洛克用他那离奇的、充满了怀疑的目光紧紧地盯着她。他感觉到在戈珍的身上有些什么东西和他很符合。他真像一个没有灵魂的"小精灵"一样,在人类中发现了他的配偶。但是他为他的发现也遭受着痛苦。戈珍也被他迷住了,他好像是一种奇怪的动物,一只兔子,或是一只蝙蝠,或是一头褐色海豹,他开始和她说话了。

但是她也知道他没有意识到他所具有的东西:他极强的理解力,他能领会她的现实生活。他不知道他的这种力量。他现在也不知道,他那深不可测的机警的双眼,能够看透她,理解她,看出她是个什么样的人,看出她的秘密。他仅仅是想看透她本人——他肯定他很理解她,这是靠下意识和险恶的用心,根本没有虚幻和希望。

对戈珍而言,在洛克的身上有着所有生活的基石。其他的人都有他们的幻想,他们必须有幻想,对于他们过去和将来的幻想。但是他,却是一个完全的苦行僧,对于过去和将来不产生任何的幻想。在最后的问题上他不欺骗自己。最终他什么也不会去关心,他不为任何事困扰,他努力把任何事都看作细微的小事。他完全独立地存在着,他的意志是自由的,坚韧的,无所牵挂的。他仅有他的工作。

这也真奇怪,他早期如此贫穷低贱的生活,竟吸引着她。那些正常地通过学校和大学而成为自觉得有身份的人,对她来说是平淡无味的。然而,对于这个流浪的孩子,有一种强烈的同情上升到了她的心中。他好像是用来自底层生活的原料做成的。没有东西能超越他。

洛克也引起了厄秀拉的注意。他博得了这一对姐妹的敬意。但是有的时候,厄秀拉感到他身上好像有一种不可名状的低劣、狡诈和粗俗。

伯金和杰拉德都不喜欢洛克。杰拉德轻蔑地对他不予理睬,伯金也被他激怒了。

"这个小子被女人们发现了什么深刻的地方?"杰拉德问道。

"只有上帝知道了,"伯金说,"如果不是他对她们进行某种巴结,奉承她们,让她们感到满意。那么她们是不会喜欢他的。"

杰拉德诧异地抬起了头。

"他对她们进行奉承了吗?"他问。

"是这样的,"伯金回答说,"他完全是一个下贱的人,就像一个罪犯那样的存在着。但是女人们像是空气流被真空吸去了那样,都匆忙地奔向他。"

"她们如此地匆忙,真是让人感到可笑。"杰拉德说。

"这也叫人恼怒,"伯金说,"但是他有这个魔力,既让她们同情,又让她们厌恶,他是黑暗中一个猥亵的小怪物。"

杰拉德静静地站着,陷入了深思。

"女人们最终想要什么?"他问道。

伯金耸了耸肩膀。

"上帝才知道,"他说,"我感到似乎是,她们需要的是满足她们的厌恶。她们好像是沿着让人恐怖的黑暗隧道爬行,在她们爬到尽头之前,她们是决不会感到满意的。"

杰拉德向外看着被风吹起的雪的薄雾。现在到处都是一片昏黑,让人恐怖的昏黑。

"在尽头处是什么?"他问。

伯金摇了摇头。

"我没有到过那儿,因此我不知道。问一问洛克吧,他离的非常近了。他的进程,比你和我所能够走的都要远得多了。"

"是这样的,但是这远远超出的路程是什么呢?"杰拉德生气地喊着。

伯金叹息一声,愤怒地皱起了眉头。

"超出的路程是在社会的仇恨上,"他说,"他就像一只掉到堕落的河流中的老鼠,它在那儿坠入了无底的深渊中。他比我们掉得深得多了。他强烈地憎恨理想。他恨这种绝对完美的东西,然而他却仍然被他自己控制着。我想他是一个犹太人——或是具有犹太血统。"

"或许是吧。"杰拉德说。

"他是一个不断地啃啮着生命之根的蛀虫,他不断地啃啮着。"

"但是为什么还要去关心其他人呢?"杰拉德喊道。

"因为在他们的内心中也憎恨这种理想。他们想去探究那个暗沟,而他就是在人们面前游荡的有巫术的小老鼠。"

杰拉德静静地站在那里,盯着外面昏暗的雪雾。

"我真的不理解你用的术语,"他用一种单调的、没有感情的声音说,"但是听起来有一种古怪的想法。"

"我认为我们想要的是同样的东西,"伯金说,"可是我们想在一种狂热之中迅速地向下跳——他则是随着潮流而下。"

与此同时,戈珍和厄秀拉正等着寻找下一个机会和洛克谈话。男人们在的时候,是没法开始的,这个时候她们和小雕刻家被隔离开来,不可能接触。他必须要单独和她们在一起才能说话。并且他渴望厄秀拉也在那儿,作为他和戈珍间的传送人。

"除了建筑上的雕刻之外你别的什么也不干吗?"有一天傍晚戈珍

问他。

"现在没有干，"他说，"我各类事都干过——除了人的雕像——我从来没有做过人的雕像。但是其他的——"

"哪一种？"戈珍问他。

他踌躇了一会儿，随后站了起来，走出了房间。他很快就拿着一小卷纸返回来了，他把它递给了戈珍，她展开了它，那是签命名为F·洛克的、用照相凹版做成的一幅小雕刻像的再现品。

"那是一件很早的东西了——还不是很机械。"他说道，"比较受欢迎。"

小雕像是一个裸女，小巧玲珑，做得很是精细，她坐在一匹高大的没有装饰的马背上。那个女孩子年纪很小，很柔弱，就像是一株萌芽。她斜坐在马背上，用手捂着脸，好像是有点害羞和忧伤，还有一种狂热。她那亚麻色的短发松散地披落下来，有一半头发盖住了她的手。

她的四肢很柔嫩。她的腿，几乎还没有发育成熟，正在向残酷的妇女阶段过渡，它们在强悍有力的马的一侧天真地摇摆着，哀婉动人，她那两只小脚一个放在另一个的上面，好像是想掩饰什么，但是这根本不能掩饰住。她就那么暴露地、裸体地坐在没有装饰的马背上。

那匹马静静地站立着，处于一种奔跑前的紧张状态。这是一匹结实的高大的骏马，刚硬的肌肉内积聚着能量。它的脖子像镰刀一样吓人地拱着，双腹向后紧压着，充满了刚性的力量。

戈珍脸都变白了，眼前一黑，像是有些害羞。她带着一种恳求的神气仰起头，几乎就像个奴隶。他匆匆看了看她，把他的头扭向了一边。

"它原来多高？"她用一种单调的声音问道，试图表现出一种不经意的、没有被感动的样子。

"有多高？"他回答道，又很快地看了看她。"不说这个底座——就很高——"他用手打着手势。"——加上底座，非常高——"

他注视着她。在他那迅速的手势中，有一种对她粗暴、夸大的轻蔑，她好像感到有点畏缩。

"那它是用什么制成的？"她询问说，她装作一副冷淡的神情，仰着头盯着他。

他仍然凝视着她，他的优势并没有被打破。

"铜——青铜。"

"青铜！"戈珍再三地说，冷淡地承受着他的挑战。她现在正想着那个苗条的、不成熟的、四肢柔弱的女孩子，用青铜做成的平滑、冰冷的躯体。

"是的，非常美丽。"她低声说，带着内心的敬意抬起头看着他。

他洋洋自得地闭上双眼，向一边看着。

"为什么，"厄秀拉说，"为什么把那匹马做得如此的僵硬？简直就象块石头。"

"僵硬吗？"他重复着，马上交叉着胳膊。

"是的。你看看它是如此地僵硬、笨拙和残忍。马是有灵感的，十分灵敏的，这是真的。"

他耸着肩缓慢地伸开了双手，表达着他的不关心，他就像是在告诉她，她仅是一个业余爱好者，完全的外行。

"你知道吗？"他用一种带有蔑视般的忍耐和谦逊的声音说，"那匹马只是某一种外形，整体结构的一个组成部分。它只是艺术作品的一个局部，仅是某种形态。它不是一匹你能够给它一块糖的友善的骏马，你明白吗——它只不过是艺术作品的一个组成部分，它和这件艺术作品之外的任何东西都没有关联。"

对于这种如此傲慢的对待方式，厄秀拉感到非常的生气，她被从那深奥的艺术之巅降到了普通业余的一般水平上。她昂起头，红着脸，激烈地辩论道：

"然而无论怎样，它是一幅马的图画。"

他又一次耸了耸肩膀，说：

"你喜欢怎样想就怎样想——当然了，它不会是牛的一幅图画。"

这会儿戈珍插嘴了，她满面通红，渴望消除这种情形，不让厄秀拉再愚蠢地坚持下去，要让她屈服。

"你的'一幅马的图画'意味着什么呀？"她对着她的姐姐喊道，"你说的马意味着什么呀？这就意味着在你脑袋中的马，你想的是把它再描绘出来。总而言之，除此之外还有另外的一种思想，一种十分不同的思想，如果你喜欢你可以叫它作马，或者你也可以说它不是马。我绝对有权说你的马不是一匹马，那是你编造的一匹虚假的马。"

厄秀拉有些困惑地犹豫着，随后她又有话说了：

"但是他为什么会有马的概念呢？"她说，"我明白这是他的思想，我明白这是他自己的化身，实在是真的——"

洛克愤怒地喘着粗气。

"我的化身！"他用一种嘲笑的语气重复着，"你知道吗，夫人，那是作品，一件艺术品。它只是艺术品，它根本不是图画，绝对不是其他的什么东西。除了它自己，它和任何事情都没有关系。它和平凡的社会中的这个或是那个没有一点关系，它们之间没有关联，完全没有关联，它们是不一样的两个明显相反存在着的对立面,把它们当中的一种形式转变成另一种形式,这是错误和愚蠢的,这完全让所有的讨论失色,这是到处制造混淆。你了解吗,你绝对不能把一种相比较而言的艺术作品与真正的艺术世界搞混了。你一定不能这样做。"

"完全正确,"戈珍发狂地喊道,"这是两个根本永远不同的个体,它们彼此之间毫无关系,我和我的艺术,它们彼此间根本就没有关联。我的艺术生活在另外的一个世界中,我则生活在这个世界中。"

她的脸红通通的,容貌都有点变形了。洛克一直低着头坐在那里,像是一只走进绝路的动物那样,这时他很快地抬起头来看看她,几乎是偷偷地看着她,低声说:

"是——就是如此,就是如此。"

厄秀拉喊了一阵子,静默了下来。她非常的狂怒,她简直想在他们身上戳一个大洞。

"你向我说的那些夸张的话,不是一个真实的世界,"她平淡地回答说"那匹马就是你自己僵硬、麻木而又残忍的化身,那个女孩儿就是你曾经爱过并且折磨过,又把她抛弃掉的女孩儿。"

他抬起头看着她,眼神中露出一丝轻蔑的笑意。他不愿意回答这个最后挑战般的问题,而让他陷入麻烦。

戈珍也愤怒地、轻视地静默着。厄秀拉是个让人难以忍受的无理取闹的人,她竟然莽撞地冲入了这个天使都不敢踏足的地方。但是这样——一个白痴要么是高兴,要么是一定受苦了。

但是厄秀拉也是个不甘屈服的人。"就你的艺术世界和真实世界来说"她回答说,"你必须得把它们分离开,那是因为你不能够忍受和了解你是个什么样的人,你不愿意明白你真的是一个多么无能、僵硬、呆板和残忍的人,因此你才说'这是艺术世界'。但是艺术世界也只不过是与真实世界有关的真理,所有一切都是这样——但是你走得太远了,以至于你竟看不到这一点了。"

她的脸色苍白,身子颤栗着,故意说了这些话。戈珍和洛克直直地坐在那里,很不喜欢她。在谈话刚开始就过来的杰拉德,站在那里看着她,他完全不同意并也反对她。他觉得她这是自损尊严,把这用来分出人们等级的深奥的东西变得粗俗了。他加入了他们两个人里面。他们三个人都想让她离开。但是她默默地坐在那里,她的心正在流泪,激烈地跳动着,她用手指缠绕着手帕。

这另外的三个人都死一样的静默着,把厄秀拉更加突出地放在了一边。这时戈珍用一种很冷淡的、不经意的声音,好像继续着一个偶然的谈话似的问：

"这个女孩儿是模特儿吗？"

"不是，她不是的。她是美术学院读书的一个学生。"

"一个学艺术的学生！"戈珍回答道。

事情向她透露出了原本的情形！她看着那个学艺术的没有发育好的女孩子，她太鲁莽了，根本不想害处，她太年轻了。她那剪得很整齐的亚麻色的短发，正好垂到她的脖子上，向里面轻微地弯曲着，这是因为她的头发太厚了；遇上这个有声望的雕刻大师，那个女孩，她可能也接受过良好的教育，并有一个上等家庭，认为她做了他的情妇就非常的伟大了。啊，她对所有这些庸俗无情的事了解得太清楚了。德累斯顿，巴黎，或伦敦，哪里没有这样的事？她明白这一点。

"现在她在哪里呢？"厄秀拉问道。

洛克耸了耸肩膀，表达着他对此全然不知和漠不关心。

"那已经是六年以前了，"他说，"她现在该有二十三岁，不可能再大了。"

杰拉德把图画拿起来看着。它也引起他的注意。在底座上，他看到那里有张纸片上写着：戈蒂娃女士。

"但是它不是戈蒂娃女士，"他说，很诚实地微笑着。"她是一个伯爵或是别的什么人的中年妻子，她长着很长的头发。"

"像莫德·阿伦，"戈珍一脸讽刺相地说。

"为什么是莫德·阿伦呢？"他问道，"不是这样吗？我总想着那是一个传说。"

"是的，亲爱的杰拉德，我十分确定这个传说你记得非常清楚。"

她嘲弄着他，还带着一点轻视的爱抚。

"真心说，我宁愿看清这个女人而不只是她的头发。"他大笑着回答她。

"是你的真心话嘛！"戈珍嘲笑地说。

厄秀拉站起来走开了，就剩下了他们三个人了。

戈珍从杰拉德那里拿过图画又更近地看了起来。

"当然了，"她说，现在她转向洛克，揶揄着他，"你非常地了解这位艺术学院的可爱的女孩儿了。"

他以一种自满的神情挑着眉毛，耸耸肩膀。

"就是这个小女孩吗？"杰拉德指着图画问道。

戈珍把图画放到她的膝盖上。她注视着杰拉德的眼睛，这样让他似乎不敢睁眼了。

"难道他不是非常了解她了吗?!"她对杰拉德说,用轻微的、讽刺的、诙谐有趣的语气说。"你仅需要看看她的双脚——它们多么可爱,多么漂亮和柔软呀——啊,它们真是太奇妙了,真的——"

她慢慢地抬起眼睛,以一种火热的惊人的目光看着洛克的眼睛。他的心中充满了她火样热情的赞赏,他好像是变得更加的傲慢和不可一世了。

杰拉德盯着那一双雕刻得小巧的脚。它们交错在一起,彼此可怜、害羞、担心地遮掩着。他注视它们很长时间,对它们着迷了。

然后,他痛苦地把图画放到了离他很远的地方。他感到心中满是无聊。

"她叫什么名字?"戈珍向洛克问道。

"安妮特·冯·威克,"洛克回想着答道,"是的,她很漂亮。她很漂亮——但是她很烦人,她是个讨厌的人,——她不愿意保持一分钟的安静——直到我重重地打她一巴掌,让她去哭——然后她才能够坐上五分钟。"

他一直都在考虑着他的作品,对于他来说,他的作品才是最重要的。

"你真地打了她一巴掌?"戈珍漠然地问道。

他瞥了她一眼,看出了她的挑衅。

"是的,我真的打了,"他冷淡地说,"在我的一生中我从来没有那么重地打过任何东西。我必须得这样,必须这样。这是我完成我的作品的仅有方法。"

戈珍那一双又大又黑的眼睛注视了他一会儿。她好像是在思考着他的心灵。接着她静静地向下看着。

"当时你为什么要做这样一个年轻的戈蒂娃?"杰拉德问道,"她实在是太小了,并且,坐在马背上面——更加小了——还是一个孩子。"

洛克的脸上掠过一阵不舒服的痉挛。

"是的,"他说,"我不喜欢那些比她再大再老的。在她们十六、十七、十八岁时,是很美丽的——比这再大的,她们对我来说就没有价值了。"

出现了一阵沉默。

"为什么呢?"杰拉德问道。

洛克耸了耸肩膀。

"在她们身上我没有找到兴趣——或者说她们不漂亮——她们对于我,对于我的作品没有价值。"

"你的意思是女人在二十岁以后就不美丽了?"杰拉德问。

"不,只是对我而言如此。在二十岁以前,她小巧而鲜嫩、柔弱而轻灵。在她过了二十岁——无论她长得如何,对于我来说可就没有价值了。米洛的维纳斯是一个中产阶级的女人——超过二十岁的女人都是这样的。"

"对于所有超过二十岁的女人你就不在意了吗?"杰拉德问道。

"对于我来说她们没有什么不好,但是在我的艺术上就没有用了。"洛克不耐烦地重复说,"我认为她们不美丽。"

"你是一个会享受的人。"杰拉德说,带点轻微嘲弄的笑意。

"那么关于男人呢?"戈珍猛然问道。

"噢,在所有的年龄上他们都是好的。"洛克回答说,"一个男人应是高大有力的——不管他是年纪大或者是年纪小,只要他有块头,有种力量——有粗笨的体格就可以了。"

厄秀拉一个人走到了外面雪的纯洁新鲜的世界之中。但是那让人晕眩的一道白光好像一直在抽打着她,伤害了她,她慢慢感到严寒正在撕裂她的灵魂。她的头感到昏沉沉的,好似失去了知觉。

她猛然想起要离开这里。她的这个念头,就像奇迹一样突然,她要离开这里到另一个世界中去。在这永远不灭的雪中,她感到像是被定了死罪,好像是她再也不能超脱了。

猛然间,就如奇迹一样,她回想起了外面那个世界,那个躺在她的脚下、盛产果实的地球,那一直向着南方伸展的黑土地,在土地上面是桔树、柏树和青灰色的橄榄树,在蔚蓝色天空的荫庇下,是高举着的奇妙的长着丛毛的冬青树枝干。这是神奇中的神奇!——这个完全沉静的、冰冻的高山之巅的世界根本就不是全部的世界!人们能够离开这里、能够对付它,人们能够走开。

她想马上把这个奇迹变成现实。她想离开这个雪的世界,这座骇人的、寂静的冰冻的高山,刻不容缓。她想去看看那黑黑的土地,去闻一闻那肥沃土地的气味,去看一看那抗寒的冬天的植物,去感觉当花蕾受到阳光的触摸时的反应。

她高兴地走回屋子,心中充满了希望。伯金躺在床上正在看书。

"卢伯特,"她急急地对着他喊道,"我想离开了。"

他慢慢地抬起了头望着她。

"真的吗?"他柔和地回答说。

她在他身旁坐下来,搂着他的脖子。他对这一点也不吃惊,倒是让她为此感到吃惊了。

"你不愿意离开吗?"她烦乱地问。

"关于这个我还没有考虑过,"他说,"但是我确定我会这样想的。"

她忽然笔直地坐了起来。

"我讨厌这里,"她说,"我讨厌这里的白雪,讨厌它的不自然,这惨白的魔鬼般的光,它让每一个人也都散发着矫揉造作的光。"

他仍然躺在那里思考着，笑了起来。

"唔，"他说，"我们能离开——我们明天就能离开。我们明天去维洛，在那里找到罗蜜欧和朱丽叶，坐在圆型剧场上——可以吗？"

她忽然把脸埋到他的肩膀上，感到迷乱和害羞。他躺在那里，满是得意。

"好吧，"她温柔地说，声音中满是哀怨。她感觉到她的心灵生出了新的双翅，而他却不予关注。"我真的希望成为罗蜜欧和朱丽叶！"她说，"我的爱！"

"但是在维洛刮着冬天的大风，"他说，"这风来自阿尔卑斯山。我们的鼻子还能闻到雪的气息。"

她坐在那里望着他。

"你乐意走吗？"她发愁地问道。

他的眼神让人不能猜测，露着笑意。她把脸藏进他的脖子中，紧紧地贴着他，恳求说：

"不要嘲笑我——不要嘲笑我。"

"你为什么这样呢？"他一边笑着，一边抱着她。

"因为我不想让别人嘲笑我。"她低语道。

他笑得更响了，一边还吻着她那带着好闻的香水味的美丽的头发。

"你爱我吗？"她认真地低声问。

"是的，"他笑着回答说。

突然间她抬起头，要他吻她的双唇。她的双唇紧紧地闭着，紧张地颤抖着，他的双唇很轻柔、灵敏。他吻了好长时间。然后一片悲伤的阴影笼罩在他的心头。

"你的双唇很硬。"他轻微地责备着说。

"你的非常柔和，很细腻。"她欢喜地说。

"但是你为什么总是紧紧地闭着双唇？"他惋惜地问道。

"没有什么，"她很快地说，"这就是我的方式。"

她知道他爱着她，她对他很有把握。然而她不能够让她自己轻松下来，她不能够容忍他对她的询问。被他爱着，她自己是感到非常快乐的。她知道当她对自己毫无约束的时候，尽管他很喜欢，但是他同时也有点伤感。她本来能够把自己全部给他，让他放纵。但是她不能够放纵自己，她害怕自己赤裸裸地和他面对，把所有的都放弃、对他完全信任。

她对他要放松自己，她要控制着他并从他那里抓住她的乐趣。她要充分地享受他。但是他们从来就没有真正地合为一体过，与此同时，一个人对另一个总是要剩下点什么。不过她仍然很高兴，在心中怀着信心、开朗和自由，充满了活力和洒脱。他一直都安静地躺着，柔和而又有耐性。

他们做着第二天离开的准备。首先，他们到了戈珍的房间，戈珍和杰拉德正好已经穿好了要去参加室内晚会的衣服。

"戈珍，"厄秀拉说，"我想明天我们就要离开了。我不能再忍受这里的雪了，它伤害了我的肌肤和心灵。"

"它真的伤害了你的心灵了吗，厄秀拉？"戈珍诧异地问道，"我怎能相信它伤害了你的肌肤——太吓人了。但是我认为这雪倒能美化人的心灵呢。"

"不，对于我的心来说不是这样。它恰恰伤害了我。"厄秀拉说。

"是真的？"戈珍大喊着说。

房间里一片静寂。厄秀拉和伯金能够感觉到，戈珍和杰拉德对于他们的离去非常兴奋。

"你们打算去南方吗？"杰拉德说，他的声音中透着一丝不安。

"是的，"伯金说，转过了身子。近来在这两个男人之间，有一种奇怪的说不清楚的对抗。自从他来到国外之后，伯金整个人就变得悲观和冷漠，模糊不定地漂流着，很容易改变，对什么都不关注、忍耐着。同时，杰拉德则很紧张，被这白光紧抓着，非常苦闷。这两个男人彼此对立着。

杰拉德和戈珍对这两个将要离去的人非常亲切，渴望着他们能够幸福，好像他们是两个孩子似的。戈珍拿着三双非常有名的彩色袜子走进厄秀拉的卧室，她把它们放在床上。这几双厚厚的丝绸袜子，有朱红的，有矢车菊蓝和灰色的，都是在巴黎买的。那一双灰色的是用针织成的，沉甸甸的没有一丝缝隙。厄秀拉高兴极了。她知道戈珍送给她的这些珍品都是戈珍所钟爱的东西。

"我不能拿走它们，戈珍，"她叫着说，"我可不能把它们从你手中夺走呀——这些宝石。"

"可它们不是宝石呀！"戈珍说，眼中满是爱惜地望着她的赠礼，"它们多让人怜爱呀！"

"是的，你必须得保存着。"厄秀拉说。

"我用不着它们了。我另外还有三双呢。我想让你留着——我想让你拿着。它们是你的了，给你——"

戈珍用她那由于兴奋而发抖的手，把这几双让人觊觎的袜子放到了厄秀拉的枕垫下面。

"一个人能够从一双真正可爱的袜子上得到最大的乐趣。"厄秀拉说。

"是这样的，"戈珍回答说，"非常大的乐趣。"

然后她就坐在了椅子上。很显然，她是来做最后一次谈话的。厄秀拉不知道她在想着什么，静静地等着。

"你感觉到了吗，厄秀拉，"戈珍开始有点疑惑地说，"你将会永远的离去，不再回来了，你有几分这样的感觉吗？"

"哦，我们会返回来的，"厄秀拉说，"坐火车旅行这不是个问题。"

"是的，我知道。但是从精神上来说，你们是要和我们分开了，对吗？"

厄秀拉颤抖了一下。

"我根本不知道会有什么事情发生。"她说，"我仅仅知道我们要去的一个地方。"

戈珍等待着她往下说。

"你高兴吗？"她问道。

厄秀拉考虑了一会儿。

"我想我是高兴的。"她回答说。

戈珍从她姐姐的脸上能看出一种未被她意识到的幸福光芒，而不是如她语气中所表达的那种不确定的幸福。

"但是你没有想过你与旧世界的关联吗——父亲和我们这些余下的人，所有别的东西，象英国和思想领域——你认为这些对你没有必要，真的要去创造一个世界吗？"

厄秀拉静默着，正在思索。

"我想，"很长时间以后，她不知不觉地说，"卢伯特是正确的——一个人要想在一个新的环境中生活，就得和旧的世界决裂。"

戈珍用她冷漠无情的脸和眼睛注视着她的姐姐。

"一个人需要在一个新的环境中生活，对此我十分赞同，"她说，"但是我想新世界是由旧世界发展而来的，仅隔离般地和一个人呆在一起，是不能够发现新世界的，只能算是把自己安全地放在了幻想中。"

厄秀拉望着窗外，在她的内心里，她开始作起了斗争，她担心了。她永远害怕别人的闲言碎语，因为她知道仅仅是语言的力量，就能够让她确信她本来不相信的东西。

"或许是吧，"她说。对自己和别人她都充满了猜疑。"但是，"她又补充说，"我的确以为在一个人注意着旧世界的时候，他是不能够发现任何新的东西的——你明白我所说的含义吗？——甚至是必须要和属于旧世界的东西作斗争。我知道，一个人留在这个世界上，是因为他对它感兴趣，就是为了和它作斗争。然而有时这是不值得的。"

戈珍自己也在想着。

"是的，"她说，"在某种程度上说，如果一个人活着他就属于这个世界。但是你想去抛弃它，这难道不是一个梦想吗？毕竟，一座在阿部鲁吉的农舍，或者它可能在别的什么地方，都不是一个新的世界。不是，仅有的应付这个世界的方法，就是去看透这个世界。"

厄秀拉往旁边看去。她非常惧怕辩论。

"但是还有其余的方法，不是吗？"她说，"在世界通过现状看清它自身之前，人们在他的灵魂中早已经看清它了。那时，当一个人看清他自己的心灵时，他就是别的东西了。"

"通过心灵，人能够看清世界吗？"戈珍问，"假若你说的含义是你能够把将要出现的事一直看到尽头，那么我不能赞成你的话。无论怎样，你不会突然飞到另外一个新的星球上，就因为你自认为你看清了这一切。"

厄秀拉猛地直起身。

"是的，"她说，"是的——一个人知道这。一个人和这里不再有联系，他就会有另外的一个自己，他就是一个新的星球上的人，而不再属于这里。你一定要从这个世界上逃开。"

戈珍沉思了片刻。然后在她的脸上出现了一丝嘲笑，几乎是轻蔑的讥笑。

"当你发现你自己身处在空中后，将会发生什么呢？"她嘲笑地叫道，"毕竟，这个世界的伟大思想在那里也是同样的。在上面的每一个人都不能够逃避这一事实，例如爱，无论在地球上还是在空中，它都是最高尚的。"

"不，"厄秀拉说，"不是这样。爱太具有人类的情感，并且它太短暂。我相信超人类的东西，而爱仅仅是它的很少的一部分。我相信我们要实现的东西来自我们未知的世界，它比爱要深远得多，它不太有人性。"

戈珍用顽固的、平稳的目光注视着厄秀拉。她对姐姐是如此的钦佩又是如此的轻视，这两者都有！然后猛然地，她把头转过来，冷冷地、凶巴巴地说道：

"行了，可是我还没有超脱爱呢。"

厄秀拉马上想到："因为你从来就没有爱过，所以你不可能超脱它。"

戈珍站起来走到厄秀拉的身旁，用手搂着她的脖子。

"走吧，去寻找你的新世界吧，亲爱的，"她说，她的声音中带着一种虚假，"毕竟，最快乐的旅行就是找到卢伯特的幸福岛。"

她的胳膊搂着厄秀拉的脖子，并用手指摸着她的脸，这样有好长时间。然而厄秀拉却觉得非常的不舒服。戈珍作为一个保护人的身份对她是一种污辱，真的伤害了她。戈珍察觉到了姐姐的反抗，于是她很笨拙地收回双手，翻转着枕垫，又把那几双袜子拿了出来。

"哈——哈!"她无聊地大笑着,说:"真是的,我们讨论的是什么呀——新世界与旧世界——!"

她们又接着说起了世俗事情来。

杰拉德和伯金提前走了,去等载送往来客人的雪橇过来接他们。

"你们打算在这里逗留多长时间?"伯金问道,扫视了一下杰拉德那红通通的几乎没有表情的脸。

"哦,我也说不准,"杰拉德说,"直到厌烦再走。"

"你不担心雪先融化了吗?"伯金说。

杰拉德大笑着。

"这雪会融化吗?"他说。

"那么你感觉事情还都好吗?"伯金问。

杰拉德紧紧地闭着眼。

"都好?"他说,"我从来就不知道这些常用词有什么含义。都好,还是都坏,在某些地方,它们不就是同义的吗?"

"我认为是这样。什么时候回去?"伯金问道。

"噢,我不知道。我们可能再也不回去了。前面和后面我都不看。"杰拉德说。

"也不追求无望的东西。"伯金说。

杰拉德像老鹰一样把眼眯得很小,里面闪着光,向远处注视着。

"是的。关于这一切应是决定的时候了。对于我来说,戈珍好像就是我的末日。我不明白——但是她好像那么柔和,她的肌肤就如丝绸般滑涯,她的双臂丰满而温和。但是不知何故,这些却腐蚀着我的思想,灼烧着我灵魂的最深处。"他接着向前走了几步,眼睛一动也不动,目不转睛地看着前方,他那张脸就仿佛是野人在恐怖的宗教聚会中戴着的面具。"它把我灵魂上的双眼损坏了,"他说,"让我成了个盲人。然而你却想要失明,你想要被人损坏双眼,任何别的你都不想要。"

他恍恍惚惚地说着,随口而出,没有表情。猛然,他又带着一种狂想振作起来,用他那复仇性的、可怕的眼睛瞪着伯金,说:

"当你和一个女人在一起的时候,你知道你要遭受什么样的折磨吗?她是如此的漂亮,如此理想化,你发觉她是如此的好,就像是想要撕破丝绸那样去撕破你自己,每一下都猛烈地敲打和啃咬着你自己——哈!那种绝对的美!当你损害自己时,那是一种绝对的美,你也就毁了你自己!随后——"他停在了雪地中,忽然松开握紧的拳头——

"——没有什么——你的大脑也可能像是一块旧布一样被烧掉了——还有——"他用一种奇怪的戏剧性的动作,环视着天空——"这是破灭

——你理解我的含义吗——这是崇高的经历，某种最后的经历——接下来——你就像是被电击中了一样枯萎了。"他在沉默中走着。他好像是在说着大话，但又像一个在绝境中吹牛般说出实话的人。

"当然了，"他继续说，"我不愿意有这样的经历！这是一个全部的经历。她是一个绝妙的女人。但是——我不知道为什么恨着她！真是奇怪——"

伯金望着他那一张怪异的、几乎是没有意识的脸。杰拉德好像是对他前面所说的话没有什么感觉。

"你现在已有充足的经验了吗？"伯金说，"你是过来人。为什么你还要重走老路？"

"唉，"杰拉德说，"我也不明白。它还没有结束——"

两人接着向前走。

"我一直爱着你，也爱着戈珍，不要忘了。"伯金悲痛地说。杰拉德惊奇而又迷惑地望着他。

"你是这样吗？"他用一种冷淡的、怀疑的语气说。"或者是你认为爱着？"对于他说的话，他几乎是一点也不负责。

雪橇过来了。戈珍也出来了，他们彼此辞别。他们就要分离了。伯金坐在他的位子上，然后雪橇就离开了，戈珍和杰拉德站在雪地中，向他们挥着手。看着他们站在那与世隔绝的雪中，孤单的身形变得越来越小，伯金的心几乎冻上了。

第三十章 雪葬

　　当厄秀拉和伯金一离开，戈珍感觉到她自己就能够任意地和杰拉德争斗了。因为他们对彼此看得越来越清楚，他好像是越来越压制她了。开始她能够设法控制他，因而她的心里总是感到非常的舒服。但是不久，他就开始不理睬她那种女人的小战术了，他对于她的奇想和她的秘密不那么敬重了，他开始发挥他自己那盲目的力量，不肯让她安静。
　　这场至关重要的斗争发生了，他们都感到害怕。然而他只是独自一个人，而她已经开始四处寻找外部的力量了。
　　当厄秀拉一离开，戈珍就觉得她的存在变得呆板和荒凉了。她总是独自一个人蜷缩在她自己的卧室里，望着窗户外面那很大的、闪着光芒的星星。前面是山脉暗淡模糊的影子。那里是世界的中轴点。她有一种非常怪异和必然的感觉，仿佛她被迫要位于这个所有生命的中轴点上，此外再没有别的事实了。
　　就在这时杰拉德推开了门。她知道他很快就会回来的。她很少单独一个人呆着，他就像是严寒一样压制着她，真让她受不了。
　　"你就单独呆在黑暗里吗？"他说。从他的声调中她能够听出来，他讨厌这样，他讨厌她在她自己周围弄出的这种隔离。然而，她感觉到了安静，感到一切都不可避免，因此她对他也就很友好。
　　"你愿意把蜡烛点亮吗？"她问道。
　　他没有回答，但是在黑暗中他走过来，站在她的身后。
　　"你看，"她说，"看一看上面那一颗有趣的星星吧，你知道它叫什么吗？"
　　他在她的旁边蹲下来，通过低低的窗户向外面看着。
　　"我不知道，"他说，"非常好看。"
　　"它难道不是非常漂亮吗?！你看到了吗，它发出的光是彩色的火焰，与别的不一样——它的光芒真是壮丽啊——"
　　他们保持着沉静。沉默中，她把她的手重重地放到他的膝盖上，并抓住了他的手。

"你替厄秀拉感到遗憾吗?"他问道。

"不,绝对不,"她说。接着,她心情很不好地问道:

"你对我的爱有多少?"

他对她的态度变得更加的僵硬了。

"你想我爱你有多少呢?"

"我不了解。"她回答说。

"但是你对此的观点是什么?"他问道。

一阵沉默。最后,她的声音在黑暗中传过来了,坚硬而又淡漠:

"真的,想的非常少。"她说,她的声音是冷淡的,差不多就是轻率的。

听到她的这种声音,他的心变得冰凉。

"为什么我不爱你呢?"他问,好像是他认同了她的谴责,然而她这样说却让他发恨。

"我不明白你为何不爱——我对你总是很友好的。然而当你刚来到我的面前时,你就是一个让人惊恐的人。"

她的心跳得非常厉害,快把她闷死了。但是她非常坚定,一点也不服输。

"我何时让你感到害怕过?"他问道。

"当你最初来的时候。我对你很同情,但是那从来就不是爱。"

那一句"那从来就不是爱",进到他的耳朵里几乎让他发疯了。

"为什么你一定要经常重复说着我们没有爱情?"他狂怒地说。

"你并不认为你爱着我,是吗?"她问道。

他冷冷地压着愤怒,静默着。

"你认为你不会爱我,是吗?"她几乎是冷笑着重复说。

"是这样。"他说。

"你明白你从来就没有爱过我,不是吗?"

"我不明白你所说的爱是什么含义。"他回答说。

"不,你是明白的,你明白你一直就没有爱过我。是吗,你是这样想的吗?"

"不是,"他迅速地说,他直率、顽固。心里面很空虚。

"所以说你将来决不会爱我,"她最后说道,"是吗?"

她冷酷得就像是魔鬼一样,简直让人无法忍耐。

"是的。"他说。

"那么,"她说,"那你怎么老是反对我呢?"

他没有感觉似的静默着，狂暴而又失望。"要是我能杀了她，"他在心里面低声重复着，"要是我能够杀了她——那我将会获得自由。"

　　好像只有死，才能使他解决这个棘手的问题。

　　"为什么你总是让我受苦？"他说。

　　她用手臂搂着他的脖子。

　　"哦，我从来就不想让你受苦，"她同情地说，好像是在劝慰一个小孩子。这个鲁莽的动作让他的血管都变凉了，他变得麻木了。她带着成功之后的同情心搂着他的脖子。然而，她对他的同情就像是石头一样的冰凉冷淡，她最深处的目的仍然是对他的仇恨，还有对他能够控制她的力量的害怕，她必须在心里永远保存着这种仇恨。

　　"说你爱我，"她恳求说，"说你会爱我到永远——好吗——好吗？"

　　但是她的这种声音只不过是哄哄他。她的心却离他很远，冷漠而有毁灭性。这是她傲慢的意志在坚持着这样做。

　　"你不会对我说你将永远爱我吗？"她哄骗他说，"说吧，即使它不是真的——说吧，杰拉德，说。"

　　"我会永远爱着你的，"他重复着说，他带着极大的痛苦强迫自己说出了这句话。

　　她飞快地吻了他。

　　"假设你已经这样说了吧。"她带着开玩笑似的语调说。

　　他好像被人打了一样，站在那里。

　　"试着去爱我多一点，想我少一点。"她用半是侮辱，半是哄骗的语气说。

　　黑暗似乎是波浪一样漫过他的头脑，巨大的黑色波浪在他的头脑里卷过。他好像感到他人格全无、分文不值了。

　　"你的意思是你不需要我？"他说。

　　"你太顽固了，在你身上没有一点廉耻，没有一点优雅。你太粗鲁。你只是在损耗我——对于我来说，这太恐怖了。"

　　"对你太恐怖了？"他重复着说。

　　"是的。你不是这样想的吗，现在厄秀拉离开了，我可能会自己住一间房子了？你就能对他们说，我们想要一间更衣室。"

　　"你喜欢怎样就怎样吧——如果你喜欢，你可以离开。"他总算是把这句话说清楚了。

　　"是的，我明白这个，"她回答说，"当然你也能这样做。何时你想要离开我——根本就不必在意我的存在与否。"

　　一股巨大的黑色波浪卷过他的头脑，他几乎不能站稳了。一阵可怕的疲劳涌上了他的全身,他觉得他一定要躺到地板上。他脱下衣服,上了床,就好像一个醉汉似的猛然倒在了上面,他在黑暗中被举起来,好像他就正睡在黑色的、让人头晕的汹涌海面上。很长时间,他就这样静静地、可怕地躺在床上,头脑里面旋转着,一点意识也没有。

最后,她从她的床上走到他身旁。他笔挺地躺着,背对着她。他全然没有了意识。

她伸开胳膊抱着他那可怕的、没有感觉的身躯,把她的脸放在他坚硬的肩膀上。

"杰拉德,"她低语着,"杰拉德。"

然而他没有反应。她紧紧地抱着他,把自己的胸脯贴在他的肩膀上。她隔着他的睡衣亲吻着他的双肩。她对他的刚硬的、没有活力般的躯体感到奇怪。她觉得非常迷惑,然而,她的意志力坚持要让他和她说话。

"杰拉德,我亲爱的!"她低语着,低下头去亲吻着他的耳朵。

她那温暖的气息在他的耳朵边有节奏地浮游着,吹拂着,就好像是要缓和他的紧张。她能够感觉到他的身体正慢慢地放松了一点,没有了原来那种吓人而又不自然的僵硬。她的手抓住他的肢体,他的肌肉,不断地在他身上揉搓。

热血再一次在他的血管里奔腾起来,他的肢体又松弛了下来。

"扭过来对着我,"她小声说道,固执而又绝望,却仍认为自己是成功的。

最后,他再一次让了步,他那温暖而又柔韧的身体扭了过来,并把她抱到他的怀里。他觉得她软软地贴着他,是那样特别而出奇的柔软而又富有感性,而他的胳膊就紧紧地搂住了她。她好像在他的怀抱里被压垮了,失去了力气。他的思想非常的坚硬而又无法战胜,就跟一颗宝石似的,没有什么能阻挡得了他。

对她来说,他的激情真的很可怕,紧张而又不像是一个人的激情,就跟一种把一切都全部毁掉的力量一样。她感到那会把她杀死。而她也正在被宰杀着。

"我的上帝,我的上帝,"她在他怀抱里面苦闷地大叫了起来,觉得她心中的生命正在被杀死。而当他亲吻着她,抚慰着她的时候,她的呼吸都变慢了,就好像她真的精疲力尽、奄奄一息了。

"我是不是要死了啊?我是不是要死了啊?"她再三问着自己。

而在这黑夜之中,在他的怀抱里面,没有这个问题的答案。

然而,次日,她身上那些没有被毁掉的部分依然跟他没有关系,仍然与他敌对。她并未离去,她留了下来度完这个假期。而他几乎从来都不把她单独留在一边，总是跟着她，就跟一个影子似的。他就跟降临到她身上的厄运一样，一直不断地说"你应该这样"，"你不应该那样。"有的时候，他似乎是最为强大的，而她则差不多跟一阵无力的风一样贴着地皮吹过；有的时候就正好相反。不过，也总是这种拉锯战，使一个人毁掉了，而另一个人就可能会生存，一个人存活了是因为另一个人无能为力。

"到最后，"她对自己说道，"我将从他这儿离开。"

"我能够从她那儿解脱出来。"在他那突如其来的痛苦之中，他对他自己说道。

而且他为他自己寻求自由。他甚至准备要离开了，将她留到这个困境之中。不过在他的意志中头一回出现了毛病。

"我到什么地方去呢？"他问他自己。

"难道你没法养活自己吗？"他为自己感到骄傲地回答他自己。

"自力更生！"他重复道。

对他来说，戈珍好象是足够养活自己的，很封闭而且很完善，就跟一件装到一个盒子里面的东西似的。在他那沉着而平静的理智的前提下，他认识到了这一点，承认她的自我封闭，自我完善，没有任何索求，这些都是正确的。而他也认识到了这一点，他也承认了这一点，而它仅仅需要他的最后一丝努力，就可以为他自己赢得同样的完善。他很清楚，它只需要他意志中的一点震撼，从而可以把他自己改变，来完善他自己，就像一块石头完善它自己那样，而且不受影响，自我完善，这是一件孤立的事情。

这种认识把他抛到一种可怕的混乱之中。因为，无论他在意志上有多么的想要不受干扰并自我完善，对这种状态的欲望都是不足的，而他也难以把它创造出来。他可以看到，如果想生存，他就必须完完全全从戈珍那儿解脱出来，如果她要离开的话，那就离她而去好了，不要她的任何东西，对她什么要求都不要有。

不过要是对她什么都不要求的话，他就必须全都靠他自己，处于一种彻底的空白之中。一想到这儿，他又没了主意。而另一方面，他也可以屈服，并去讨好她，要不然的话，最后他还可以把她杀死。或者，他也可以变得无所谓，也没有什么目的，闲游浪荡，无所事事。但是他的天性就特别的严肃，不够放荡，不能够干出放荡不羁的事来。

一种很奇怪的东西在心中被撕开了，就跟一个被撕开并贡献给上天的牺牲品一样。就这样，他被撕开了，献给了戈珍。他如何才可以重新闭合上呢？这个伤口，这个他心灵上的奇怪、非常敏感的缺口，就跟一朵盛开的鲜花似的，他就在那儿暴露给了这整个世界。

在那里面，他被给予了他的补偿，那些其他的未知的东西，这个伤口，这种暴露，将他自己的掩饰都给显现了出来，使得他不完善、被限制了，而且不能完成生命，就跟一朵在天空下面盛开的鲜花一样，这是他最为残酷的快乐。那么他为何要将它放弃掉？他为何像一件不完整的东西藏到一个外壳里面去那样，要闭合起来，不受影响，不受干扰呢？他曾经跟一粒种子发出新芽一样，奋发向上，尽力的成长，并拥抱着那未知的天空。

尽管她给他造成了很大的折磨，他还是要保持住他自己的那些没有完成的幸福。一种固执使他着了迷。无论她说什么，或是干什么，他都不会从她身边离开。一种奇特、跟死一样的向往使得他去与她同行。她对他的生命有着决定性的影响，虽然她很看不起他，还一而再再而三地将他回绝了，但是他仍然永远都不愿离开。甚至离她更近一点都行，如此一来他就感觉到了复生，他心中向前的奋进，对他自己的局限性与那诺言的魔力，还有他那自我破坏和灭绝的神秘感。

虽然他去讨好她，但她依然折磨着他那颗没有防备的心。而且，她也折磨着她自己。也可能她的意志更坚强一些。她惊骇地觉察到，他似乎正在撕扯她心灵中的蓓蕾，把它撕开了，似乎一点都不尊敬她。就跟一个撕下了一只苍蝇的翅膀的男孩子一样，或是撕开一朵蓓蕾去看一下花朵到底是什么，他撕扯了她的秘密与她本人的生命，他要把她像一朵尚未成熟的蓓蕾那样，撕开，并毁坏掉。

经过很长的一段时间之后，在她的梦里面，当她成为一个单纯的精灵的时候，她可能会朝着他开放的。不过眼下她不能被侵犯，不能被毁灭。她就狠狠地对他关上了心窗。

在傍晚的时候，他们一块儿爬到山坡上去看日落。在那细微得跟呼吸一样的，温温的轻风里，他们站在那儿，望着那太阳由鹅黄变成猩红，然后就不见了。后来，在东边的那些山顶和山脊上被一片鲜艳的玫瑰红给笼罩住了，就跟那不朽的花朵一样，在那紫色的天空下闪闪发光，真是个奇异的景观。与此同时，下面的世界是一片蓝色的影子，而在上方，就跟天使降临一样，在半空中盘旋着的一股玫瑰色的气流。

对她来说，这是那样的美丽，那是一种极度的兴奋。她想把那些闪闪发光、不朽的山峰抱在怀中，就那样死掉。他也看到它们，认为它们是美丽的。不过，在他的心中并未激起什么共鸣，仅仅觉得有一种虚无的痛楚。他希望那些山峰都是灰暗的，而且很难看，那样一来她便不会从山峰之中得到她的支柱。她为何那样可怕地将他背叛了，却又去拥抱这傍晚的光芒？她为何将他固定到那儿，让冰冷的寒风就跟死亡一样从他的心中穿过，她自己却又在这玫瑰色的冰雪山顶中得到满足？

"那些微弱的光芒能有什么好?"他说道,"你为何要在它面前五体投地?它对你而言就如此的重要吗?"

她受到了伤害,并恼怒地退开了。

"到一边去,"她叫了起来,"把我自己留在这儿。它是美丽的,是美丽的,"她用一种奇异而又狂妄的语气跟唱歌一样说着。"它是我这一辈子之中曾经看到过的最漂亮的东西。不要企图分散它与我。你自己离开好了,你跟这儿毫无关系——"

他往后站了一点,并让她自己站在那儿,就跟一尊塑像一样,怔怔地看着那神秘的闪着光的东方。那玫瑰色早就褪去了,巨大的白亮的星星正在闪烁。除了向往之外,他可以放弃所有的东西。

"那是我曾经看到过的最为完美的东西,"最后,当她转过身对着他的时候,就用冷淡而残忍的声音说道,"你要把它毁掉,这使我很震惊。要是你自己不能欣赏它的话,那你为何还要阻拦我呢?"不过,实际上,对她来说,他早已把它毁灭了,而她在受到了很糟糕的影响之后,正尽力挣扎着。

"总有那么一天,"他抬起头看着她,轻轻地说道,"当你站着看日落的时候,我会把你毁掉,因为你是一个大骗子。"

在这些话里面,稍微有点对他自己的放荡的允诺。她心都凉了,不过依然很傲慢。

"哈!"她说道,"我并不怕你的恐吓!"

她跟他断绝了关系,她独自死守着自己的房间。不过,他还在以一种很出奇的耐心继续等待着,那是他对她的向往。

"到最后,"他淫荡地对他自己说道,"当到了那一刻的时候,我就会把她毁掉。"于是他的每一部分肢体就都微微地颤动起来,这在预料之中,就跟他怀着最强烈的激情想去接近她的时候,他就会因为那过分的渴望而发抖。

与此同时,她跟洛克产生了一种很奇怪的忠贞的感情,这是一种阴险而又不忠的事情。杰拉德很了解这事。不过他却处于那种很有耐性的状态之中,不愿意让自己对她太冷酷,这之中他看到了他自己,他没有太在意,尽管她对那另一个人,也就是那个他对害虫一样憎恨的人温柔地亲密,让他气得又发起了抖,那是一种很奇怪的颤抖,一而再再而三地浸袭他的全身。

只有当他去滑雪的时候,他才把她单独留下来。那是一项他很热爱的运动,但是她没有练习过。他好象是从生活里面冲了出来,冲到了远方。而通常都是,当他走开的时候,她就跟那瘦小的德国雕塑家谈话,在他们的艺术上他们有着一个不变的话题。

他们差不多是持同一种观点。他憎恨麦斯特洛维克，对未来主义感到不满。他喜欢西非的木头雕塑，阿兹台克和墨西哥与中美洲的艺术品。他欣赏那些奇形怪状的东西，而一种古怪的机械运动，一种不符合自然规律的东西使他陶醉其中。戈珍与洛克，他们在互相玩着一种古怪的游戏，非常的猥亵，很怪异，而且还送着秋波，就好象他们对生活有什么深奥的理解一样，好像只有他们两个人开始进入到那可怕的重要的秘密之中，而那是世人所不敢去了解的。

他们整个的交流都是以一种很奇怪的，很难理解的暗示来完成的，埃及或是墨西哥艺术中微妙的情欲之火把他们自己给点亮了。整个游戏都是一种很微弱的情欲的交流，而且他们还试图将它保持在暗示的水平上。从他们口头上与身体上的细微变化之中，他们在精神上得到了最大的满足，还通过一个心理的暗示、神色，表情和手势的相互交流。虽然对杰拉德说这是不能理解的，但这太让人不能忍受了。他没有办法去考虑他们交往的方式，他的办法太粗鲁了。

那原始的艺术暗示是他们的避难所，而那内在的感觉上的神秘是他们崇拜的对象。艺术和生活对他们而言，就是真实与虚无。

"那当然，"戈珍说道，"生活就不是真正的物质——一个人的艺术才是重要的。一个人在生活里面所干的那些事无足轻重，没什么重要意义。"

"就是，就是那样的，非常正确，"雕塑家回答道，"一个人在艺术上所做出的事，那就是他人生的呼吸。一个人在生活中所做的事，是俗人们那些微不足道的琐事，并为之大惊小怪。"

戈珍在这样的交流中发觉了莫大的快乐和自由，真是很奇怪。她感到已经永远地稳固下来了。当然了，杰拉德是微不足道的。在她的生活之中，爱只不过是一种暂时的东西，除了当她作为一位艺术家的时候。

她想到了克利奥帕特拉，克利奥帕特拉绝对是一位艺术家，她从一个男人那儿获取了精华，她得到了最高级的感觉，接着又将没用的东西扔到了一边。还有玛丽·斯图亚特与伟大的伊丽欧诺拉·塔斯，在演完戏之后就跟她的情人们在一块儿做爱，气喘吁吁之景可想而知，这些都是对爱的可以理解的说明。毕竟，这情人只是这种微妙的学问、一种女性的艺术——感觉上的理解的完美知识——的燃料。

一天晚上，杰拉德跟洛克争论有关意大利与特利波利的问题。这个英国人正处于一种奇怪的，很容易激动的状态之中，而那个德国人则很兴奋。那是一场语言上的争辩，不过，这意味着一场两个男人之间精神上的冲突。而戈珍可以看出，在整个过程之中，杰拉德是以一种英国式的对外国人的轻视进行的。

虽然杰拉德正在发着抖，他的眼睛闪着光，他的脸色通红，而在他的举止当中却有一种粗暴，一种野蛮的轻视，那使得戈珍心中燃起了怒火，而让洛克非常的恼火和烦躁。因为杰拉德的主张就跟一根雪橇的滑杆一样落了下来，而那瘦小的德国人说的任何话都只不过是可鄙的垃圾。

最终，洛克无可奈何举着他的手转向了戈珍，带着讽刺的意味耸了一下肩，有点恳求的意思，就跟一个孩子似的。

"夫人，您瞧瞧——"他开口道。

"请你不要喊我夫人。"戈珍叫了起来，她眼睛里面闪着光，她的两颊烧得通红。她看上去就跟一个美杜莎一样。她的声音又大又吵，房间里其他的人都非常的吃惊。

"请不要管我叫克里奇夫人。"她大声地叫了起来。

在这些天，这个名字很特别地从洛克的嘴里出来，就使她觉得是一种无法忍受的污辱，使她觉得局促。

那两个男人吃惊地望着她。杰拉德的面孔变得发白。

"那么我该怎么称呼呢？"洛克带着温柔的暗示问道。

"反正不要喊那个，"她咕哝道，她的面颊变得通红。"最起码不是那个。"

她从洛克的神色上知道，他弄懂了。她并非克里奇太太，这样的话——就说明了很多东西。

"那喊您小姐好不好？"他恶作剧般地问道。

"我尚未嫁人呢。"她有点傲慢地说道。

现在，她的心正在狂乱地跳动着，就跟一只受惊的小鸟一样。她很清楚她造成了一个很残忍的伤口，而她有点不忍心。

杰拉德直直地坐在那儿，特别的安静，他的脸色苍白而平静，就跟一尊雕塑一样。他没有察觉到她，也没有察觉到洛克或是任何人。他只是非常安静地坐着，处于一种无法改变的平静之中。与此同时，洛克就在那儿蜷缩着，低着他的脑袋往上扫视着。

戈珍则费劲地想找些什么话来说，来减轻这份不安。她微笑着歪了一下脸，心照不宣地扫了杰拉德一眼，差不多都是在嘲笑他。

"事实是最好的，"她做了一个鬼脸对他说道。

但是现在她再一次处于他的控制之下，现在，因为她给他造成了这种打击，因为她把他毁掉了，而她不清楚他如何能承受得了。她注视着他，对她来说，他很有意思。她失去了对洛克的兴趣。

最终，杰拉德站了起来，以一种从容不迫而平静的动作走到了教授面前，这两位就开始了有关哥德的谈话。

杰拉德今天晚上那直率的举止使得她相当的不满。他好象并没有发火，也没有厌恶，他只不过显得出奇地天真而单纯，真的很英俊。有的时候，这种很明显的淡漠的样子就浮现在他的脸上，并总是让她着迷。

整整那一夜，她一直心烦意乱地等待着。她认为他会避开她，或是露出一点迹象来。但他只是和她不带感情地说了话，就像同房间里的任何一个其他的人说话那样。他的灵魂中非常宁静，非常超脱。

她到他的房间去了，对他爱得狂热而强烈。他是那么英俊而又难以接近。他吻了吻她，他是爱她的。这令她非常的愉快。但是他并没有清醒过来，他依旧是那样的遥远而又率直，没有什么感知。她想跟他说点话，但是在他身上显现出来的这种没有意识的天真、英俊的状态制止了她。她觉得痛苦而又沉闷。

然而，在早上的时候，他就以一种有点厌恶的眼神来看她，他眼睛里面显现出某种惊骇和某种仇恨的暗淡的神情。她又恢复了她以前的样子。但是他依旧没法下定决心去跟她抗衡。

眼下洛克正等待着她。这位瘦小的艺术家，他躲避到他自己那完全封闭的空间之中，最终还是觉得有一个女人，他能够从她那里获得点东西。他一直心神不宁地等待着与她谈话，想着法子去接近她。她的出现让他的心中充满了敏锐与激动，他很巧妙地朝她接近，就好象她有一些看不到的吸引人的力量一样。

他觉得自己一点也不比杰拉德差，对这他一点也不怀疑。杰拉德是一个没有希望取胜的人。洛克憎恨他的只是因为他很富有，很骄傲，还有好看的长相。然而，所有的这些东西——财富、社会地位的尊贵与英俊的长相，都是些表面的东西。如果说到想跟像戈珍这样的女人接近，他洛克就有着杰拉德做梦也不能想到的一种方法与力量。

杰拉德如何有希望去满足像戈珍这样的一个女人呢？他是不是觉得骄傲或是专横的意志与强健的体魄会帮上他的忙？在这些东西之外，洛克还知道一种秘密。最大的力量就是要细腻、会随机应变，而并非盲目地攻击。他洛克非常的清楚，但杰拉德对这却很不懂。洛克能够深深地刺入到深处，而杰拉德却什么也不知道。

在女人这座神秘的庙宇之中，杰拉德就跟一个傻瓜一样被甩在了后面。但他洛克可以深入到那黑暗的地方，在这个女人内心的角落里找到她的精神，并和它在那儿进行格斗。他就是那条在生命的中心蜷缩着的大毒蛇。

女人需要的究竟是什么东西呢？仅仅是对社会的影响，是在社交的世界中,在人类的社会里面满足自己的野心吗?甚至是一个爱情和善良的结合物?她是不是需要"善良"呢?除了一个傻瓜,就戈珍而言,谁会接受这一点?这只不过是她所需要的表面的现象。

跨过门槛,你就知道,她对这个社交的世界和它有利的方面所持的那种彻彻底底的愤世嫉俗的态度。一旦到了她灵魂之中,那儿就有一种辛辣的腐蚀的气味,一股黑暗的感情上的火焰,和一种鲜明的、微妙的、批判的个人思想,她觉得这个世界扭曲了,很恐怖。

那么,接下来的是什么呢?现在,是不是那纯粹盲目的激情才能满足她?不是这个,而是在变形了的极端的感觉里面那微妙的颤抖。那是在一种无数的微妙的颤抖之中,一种完整的意志跟她那完整的意志的相互对抗,这是最后的解体和分裂的那种微妙的变化,是在她心中的黑暗中发生的。与此同时,她个人外部形体却一点变化都没有,在它的形体之中,甚至没有那些感性的东西。

但是在两个很特殊的人之间,在任何两个世上的人之间,纯粹的感觉上的体验的范围都是有限的。情欲反应的高潮要是到达了一个方向,那它就会最终到达,就再没有任何进展了。只有循环还有可能,要么是两个主角分手,要么是一种意志屈服于另一种,要么就是死亡。

杰拉德早就看穿了戈珍灵魂的全部外层。对戈珍而言,杰拉德是这现有的世界上的最为至关重要的人物,他就是那个为她而存在的男人世界的极端。在他身上,她认识到了这个世界,并早已跟它了结了关系。最终了解了他之后;她就像亚历山大大帝那样去寻找新的世界了。

但是,并不存在什么新世界,也没有更多的男人,只存在小人物,就像洛克那样的最终的生物。对她而言,这个世界结束了,只剩下了个人内心的黑暗,自我内心感知,最后变了形的淫秽的宗教的神秘。这跟魔鬼一样残忍的神秘的摩擦的活动正在减少着、分裂着重要的生命有机体。

对所有的这些,戈珍都是有意识的,而并非在她的思想里面。她很清楚她的下一个步骤——她很清楚,当她离开杰拉德的时候,她会走到什么地方去。她怕杰拉德,他可能会把她杀死。但是她并没有打算被人杀死。依然有一丝细线把她同他连到了一块儿。她不会用她的死亡去把它弄断。在她的生命完结之前,她还有更远的路要走,还有更远的美妙的体验去慢慢地获取,还有难以想像的微妙感觉去体会。

对那最后的微妙的感觉,杰拉德没有能力去体会。他不能触摸到她敏感的地方。不过,他那比较粗鲁的打击不能够穿透的地方,却让洛克那昆虫似的理解力、那美妙的曲意奉迎的刀片穿透了。最起码,现在是她投进另一个人的怀抱之中的时候了,就是那个人,那位最终的艺术家。

她很清楚，在洛克的心底，他跟所有的东西都是分开的，对他而言，既没有天，也没有地或是地狱。他承认没有忠诚之心，他对任何地方都不留恋。他单独一个人，而且从其他的人那儿脱离出来，完全是依照他自己的意愿。

然而，杰拉德的灵魂却仍旧存在着对其他的东西，对整个世界的留恋。而这正是他的局限性。他被限制了，承受着负担，在最后一点上，屈从于他的需要，他需要善良，需要正义，需要跟那最终的目标相统一。而那个最终的目标可能便是在死亡的过程中那完美而微妙的体验，还有那保持着没有受到损害的意志，那是他心中所不允许的。而这正是他的局限性。

自从戈珍否认了她跟杰拉德的婚姻关系时起，洛克的心中就盘旋着一种胜利感。这位艺术家就跟一个长着翅膀的动物一样盘旋着，等待着出击。不过他并未轻率地逼近戈珍，他决不会选择一个错误的时机。佢是，在他的灵魂那完全的黑暗之中，有一种本能的把握，他跟她神秘地相互感应，非常的细微，但是可以察觉得到。

有两天的时间，他都在跟她聊天，不断地讨论艺术与生活，在这上面，他们俩都找到了欢乐。他们赞扬那些过去的东西，他们对过去取得的成就表现出一种非常感伤的、跟孩子一样的喜悦。他们尤其喜欢十八世纪后期，那是哥德与雪莱以及莫扎特的时代。

他们把玩着往昔，赞赏着以往的伟人，就像玩一种国际象棋或是牵线木偶的小游戏一样，所有的一切都让他们很高兴。他们将伟人全部都变成他们的牵线木偶，而他们俩就是这出戏的上帝，操纵着一切。

关于未来的事，他们从来没有说到过，除了有时候因为一个梦而大笑起来，梦见这世界被一场由人类创造出来的荒谬的灾难毁掉了：一个人发明了那样一种完美的炸药，以至于它将地球炸成了两半，而那两半就从空中往不同的方向飞去，使得居民们非常的惊慌。或是这世界上其他的人们分成了两半，每一半都觉得它自己是完美而又正当的，而另一半是错误的，而且一定要被毁掉，因此就有了世界的另一个尽头。或者是，洛克的一个吓人的梦：这世界变冷了，而且到处都在下雪，只剩下了白色的生物，像北极熊、白狐，而人们就跟可怕的白色的雪鸟一样，在残酷的冰雪之中坚持着。

除了这些故事之外，他们从来都没有说到未来。他们最喜欢嘲弄般地想像着世界的毁灭，或者是非常伤感地玩弄往昔那个美妙的牵线木偶。重新建立那个世界：魏玛的哥德，或是贫穷而又忠诚于爱情的席勒，或是又一次看到哆嗦着的让·雅克·卢梭，或是芬尼的伏尔泰，或是正在朗读他自己诗歌的腓烈特大帝,这些都是一种很伤感的快乐。

他们在一块儿能谈论几个钟头,谈文艺与雕塑以及绘画,很亲切地谈论米莱克斯曼和布莱克,还有弗赛利,还谈论费尔巴哈和伯克林,这让他们自己觉得非常有趣。他们认为那些伟大艺术家的生命会占用他们一生的时间,他们觉得还需要再活一辈子。但是他们更愿意呆在十八与十九世纪。

他们是用一种混合的语言进行交谈的,在每一种情况下,最主要的是法语。不过他总是用一句结结巴巴的英语来结束他大部分的句子,还有一个用德语说出的结论。

而她则是不管想到什么词,就熟练地用它来结束。她对这样的交谈非常的喜欢。这里面全是古怪而荒谬的表达,还有双层的含义,还有很多的借口,以及暗示性的朦胧感。对她来说,这种用三种不同色彩的语言的丝线织成的谈话是一种真正的肉体上的欢乐。

在整个过程之中,他们俩都在一种无形的火焰周围盘旋着。他想得到它,但是却又因为某种无法避免的勉强而退缩不前。她也想要它,但是她又想把它扑灭,永远地将它扑灭,她对杰拉德依然有一丝怜悯之情,还同他有些联系。而在这一切之中,最为重要的是,回忆往事的时候,想到同他的关系,她对她自己就产生很伤感的同情。就因为曾经发生的那些事,她感到她自己被一种永恒的、看不见的线拴在他身上——就因为曾经发生过的事,就因为那个夜晚他第一次来找她,疯狂地闯到她自己的房间里面,因为——

杰拉德慢慢地对洛克产生了一种嫌恶的感觉,非常的恨他。除了在他发觉戈珍受到这个瘦小的人的影响的时候,他从未很认真地对待过这个男人,只不过很轻视他而已。一想到洛克的存在、洛克的生命对戈珍的影响,想到那些竟然完全将她统治了,就将杰拉德气得发疯。

"是什么让你对那个小歹徒如此的着迷?"他真的很迷惑不解地问道。因为他这个有男子汉气概的人,而在洛克身上,没法看出任何吸引人或是重要一点的地方。杰拉德希望能发现一些能够征服一个女人的英俊或是高贵的地方,但是他什么也没看到,只有一种像对小虫子一样的反感。

戈珍的脸变得通红。这是一种她无论什么时候也难以原谅的攻击。

"你的意思是什么?"她回答道,"我的上帝,我没有嫁给你是一件多么仁慈的事!"

她那带着轻视和嘲笑的声音使他受了伤害,使得他没话可说了。不过他又重新恢复了自我。

"跟我说,只要跟我说就可以了,"他用一种低哑的声音阴险地重申道,"跟我说,他身上的什么地方让你着迷。"

"我并没有被迷住。"她冷淡、简单地反驳说道。

"是的,你就是。你被那条瘦小的干巴蛇迷住了,就跟一只鸟儿一样随时准备跳到它的喉咙里面。"

她非常恼怒地望着他。

"我不喜欢跟你争论。"她说道。

"你是不是喜欢没有什么关系。"他回答道,"那并没有改变你要跪下去,并去吻那只小虫子的脚的这个事实。而我并不想去阻止你,做吧,跪倒在那儿,并亲吻他的脚。但我想搞清楚,把你迷住的是什么,是什么呀?"

她一言不发,心中充满了怒火。

"你怎么敢冲着我大发脾气?"她大叫了起来,"你怎么敢这样,你这个小白脸,你还想欺负我。你觉得你有什么权利来管我?"

他的脸色苍白,还发着光。从他的目光中,她看得出,她就在他这条狼的控制之中。而正因为她在他的控制之中,她带着一种力量去恨他,她都不知道为什么没有杀了他。在她的想象中,当他站在那儿的时候,她就杀死了他,除掉了他。

"这并非有关权利的问题,"杰拉德一边说,一边在椅子里面坐了下来。她望着他身体的变化,她看到了他那紧张而机械的身体正在动着,就跟被困扰住了一样。她对他的恨意里面又夹杂了相当成份的轻视。

"这并非一个我对你的权利的问题——尽管我有一些,别忘了。我想搞清楚,我只是想搞清楚,是什么东西使你屈从于楼下的一个小小的卑鄙的雕塑家,是什么使你像一个卑下的蛆虫一样去崇拜他。我想搞清楚你追求的是什么。"

她倚着窗户站着,聆听着。后来,她转过身来。

"是吗?"她用她那最为轻松、最为果断的声音说道,"你想搞清楚他身上有什么吗?因为他对一个女人有几分理解,因为他不愚蠢。那就是原因。"

一丝奇怪、险恶、牲口似的微笑浮现在杰拉德的脸上。

"但那是什么样的理解呢?"他说道,"那是一个跳蚤的理解,一个长着长鼻子的蹦蹦跳跳的跳蚤。你为何要可怜地屈从于一个跳蚤的理解呢?"

布莱克对一只跳蚤的灵魂的描述从戈珍头脑里面掠过。她把它用到洛克身上。布莱克也是一个粗鲁愚蠢的人。但是很有必要去回答杰拉德。

"难道你不觉得一个跳蚤的理解比一个白痴的理解更为有意思吗?"她问道。

"一个白痴!"他重复道。

"一个白痴,一个自以为是的白痴,一个傻瓜。"她加了一个德语单词,回答道。

"你是不是把我叫做一个白痴啊?"他回答道,"行啊,我宁愿当一个白痴,那岂不比当楼下的跳蚤更好一点?"

她看了他一眼。他身上的一种迟钝而盲目的愚蠢使得她心中生厌。

"你最后那句话把你自己暴露了出来。"她说道。

他坐在那儿,很是吃惊。

"我马上就离开。"他说道。

她对他发起了反攻。

"要记好,"她说道,"我是完全独立的——完全。你做你的安排,我做我的。"

他考虑着这句话。

"你指的是从这一刻起我们是陌路之人了?"他问道。

她顿了一下,红了脸。他把她置于一个圈套之中,并强迫着她。

她转过身对着他,

"陌路之人,"她说道,"我们永远也成不了。不过要是你想撇开我做什么事的话,那我希望你要知道,你是完全自由的,可以那样做,一点都不用考虑我。"

她还需要他,她依然依赖他,尽管就这一点轻微的暗示,就足以激起他的激情了。当他坐在那儿的时候,一种变化袭遍了他的身体,那炽热而又熔化了的血液不知不觉中流过了他的血管。在它的作用下,他暗中呻吟了起来,不过,他喜爱这个。他用清澈的眼睛望着她,等待着她。

她马上就理解了,于是就厌恶地打起了寒战。都到现在了,他怎么还用那种清澈、热切地期待的目光看着她,期待着她?他们之间曾经说过的话难道还不足以彻底地分开他们,永远把他们的心冻结吗?而他依然全身心地注入热情,振奋了起来,期待着她。

这让她有点慌乱,她就把头偏到一边,说道:

"当我准备做出什么变化的时候,我会跟你说的——"

说着这些话,她就走出了房间。

他茫然地坐在那儿,有一种非常失望的感觉,而那好像慢慢地把他的理解力给毁掉了。不过他心中的那种潜意识仍在耐心地等待着。他一直都没有动,而且毫无思想或是感知,一直呆了好长时间。后来,他站了起来,并去了楼下,去跟一位学生下国际象棋。他的脸色开朗了起来,而且很清澈,带着一副天真烂漫的样子。而这让戈珍非常的烦乱,让她对他感到特别的害怕,同时,她也非常的讨厌他这一点。

在这之后,洛克就开始问起她的情况来,他以前从未曾说起过她私人的问题。

"你压根就没有嫁人,是不是?"他问道。

她直直地看着他。

"压根就没有,"她很有分寸地回答道。洛克大笑起来,面部奇怪地皱着。有一缕细细的头发在他的额头上面飘着。她注意到他的皮肤、他的手与他的手腕都是一种闪亮的棕褐色。而他的手好像攥得非常紧。他就跟一块黄玉一样,那样奇怪地闪着棕色光泽,还很透明。

"很好。"他说道。

对他来说,仍然需要一点勇气才能继续下去。

"伯金夫人是不是你的姐姐啊?"他问道。

"是的。"

"那她结婚了没有?"

"她结婚了。"

"那你还有父母吗?"

"有的。"戈珍说道,"我们有父母。"

后来她简明扼要地跟他说了她目前的状况。他一直紧紧地盯着她,非常的好奇。

"这个样子!"他有点惊讶地大叫了起来,"那么克里奇先生呢,他是不是很富有啊?"

"是的,他很有钱,是个煤矿老板。"

"你跟他的朋友关系持续多长时间了?"

"有几个月了。"

出现了一阵停顿。

"是的,我觉得很惊讶,"最后,他说道,"英国人,我以前想着他们是那样的——冷漠。你从这里离开之后,你想干什么?"

"我想干什么?"她重复道。

"是的。你没法回去教学了。不可以的——"他耸了一下肩,"那是不可能的。把那事留给那些没法做其他事的贱民吧。你,就你而言,你也清楚,你是一个不平常的女人,伟大的女性。为何要将它否认?为何对它产生疑问?你是一个不平常的女人,你为何沿着那平常的路线走,去过那平常人的生活?"

戈珍坐在那儿，盯着她的手，脸色通红。她非常高兴，他那么坦率地说她是一个不平常的女人。他不会说这话来奉承她——他非常有主见，而且天生非常的客观。他说那些话，就像他说一尊雕塑是不平常的那样，因为他知道那本来就是如此。

而从他那儿听到这话，让她很满足。其他的人总爱以一种尺度与一种模式来衡量每一件事物。在英国，十足的平凡是很别致的。让人认为不同寻常，对她来说是一种轻松的事。那么，她就不再需要为那些普通的标准而苦恼了。

"你也清楚，"她说道，"我可是一文不名。"

"噢，钱！"他耸着他的肩膀叫了起来，"当一个人长大了的时候，钱是用来为那个人服务的。只有当一个人年轻的时候才缺钱花。不要去想钱的事，钱总会自动到手的。"

"是吗？"她大笑着说道。

"总是如此。如果你向他要的话，杰拉德家将会给你一笔钱——"

她的脸涨得通红。

"我会朝别的任何一个人要，"她有点费力地说道，"不过不是他。"

洛克紧紧地盯着她。

"不错，"他说道。"那么就算是其他的什么人吧。只不过不要回到那个英国去，不要回到那所学校。不要，那是很傻的事。"

再一次出现了一阵停顿。他没敢直接让她跟他走，他甚至不能肯定他是不是需要她。而且她也害怕被问到这样的事。他舍不得他自己的孤立，非常害怕其他人分享他的生活，哪怕是一天也不可以。

"我唯一知道的其他地方就是巴黎，"她说道，"而我又不能忍受那个。"

她用她那大大的眼睛使劲地盯着洛克。而他就低下了脑袋，并把脸转到一边。

"巴黎，不可以的！"他说道，"一个人处在恋情的信仰，和最新式的主义，还有新的崇拜基督热之中，还不如一天到晚骑在一个旋转的大马上。但是，到德累斯顿去吧。在那个地方我有一间画室，我能够给你点活干——噢，那将会非常的容易。虽然我未曾见到过你的作品，不过我对你很相信。来德累斯顿吧——那是一个住着很不错的城市，还能过上那种你所期望一座城市所能有的生活。在那个地方，你将得到所有的东西，没有巴黎的愚昧或是慕尼黑的啤酒。"

他坐在那里，冷静地望着她。她所喜欢他的就是他跟她说的时候那种直率而又平淡的样子,就像是在跟他自己说话一样。他是一位艺术家,可对她来说,首先是一个人。

"不——巴黎,"他继续道,"它让我很不舒服。呸,恋情,我憎恨它。恋情,恋情,僵死的感情,用任何一种语言把它说出来我都厌恶。女人与爱情,再没有比这更沉闷的东西了。"他大叫了起来。

她有点不太高兴,不过,这也正是她所感觉到的,男人和爱情——再没有比这更沉闷的东西了。

"我想的跟这一样。"她说道。

"一件令人厌恶的事,"他重复着说,"我戴这顶帽子或另一个帽子有什么大不了的。爱情就是如此。我压根就不需要一顶帽子,只是想方便一点。要不是为了方便,我是不需要爱情的。我告诉你吧,夫人,"他朝她探过身去,然后,他飞快地做了一个很古怪的手势,好像将什么东西打到一边去了,

"小姐,不要介意,我跟你说吧,为了能获得一份明智的友谊,我会付出每一件东西,每一件东西,包括你所有的爱。"他的眼睛阴沉沉地闪着光,邪恶地盯着她。"你理不理解?"他带着一丝微笑问道。"无论她是一百岁了,还是一千岁了,都没有什么关系——对我而言都是相同的,只要她可以弄懂就可以了。"他猛地闭上了眼睛。

戈珍又一次觉得很不高兴。那么,莫非他并不觉得她长得很美丽吗?

她突然大笑了起来。

"在那一点上,我大约要等上八十年才适合你,"她说道,"我长得特别的难看,是不是?"

他突然用一个艺术家那审慎而挑剔的眼光打量起她来。

"你非常的漂亮,"他说道,"我对此感到很高兴。但是并不是那样的,不是那样的,"他叫了起来,带着那种奉承她的强调语气。"你漂亮,是由于你有一定的才智,有很好的理解力。而我,我很渺小,而且无足轻重。好吧!那么,就别要求我变得强壮而又英俊,不过,我——"他古里古怪地将他的手指放到他的嘴上,"我正在寻找一个情妇,我是等着你来做情妇,因为你跟我那精明的智慧很匹配。你懂了没有?"

"对,"她说道,"我懂了。"

"至于说另外一点,爱情——"他做个手势,把他的手甩到了一边,好象要把什么麻烦事扔到一边,"这是不重要的,并不重要。今天夜里我喝白葡萄酒或是什么都不喝,这有什么防碍?没什么关系,

并没有关系的。因此,爱情与偷情,是或者不是,今天和明天或者是永远,这些全都是一样的,这没什么防碍,就像白葡萄酒那样。"

他很绝望地低下了头,结束了谈话,而戈珍目不转睛地盯着他。她的脸已经变白了。

突然她伸出手,把他的手抓到自己的手里。

"那是正确的,"她用一种很高的声音热烈地说道,"对我来说,那也是正确的。起关键作用的是理解。"

他偷偷地抬起头望了望她,差不多都有点害怕了。后来他就有点阴郁地点起了头。她把他的手放开了:他连一点反应都没有。于是,他们一言不发地坐着。

"你知不知道,"他突然用那黑色的眼睛看着她,很自大,而且跟预言一样说道:

"你的命运与我的,它们将跑到一块儿去,一直到——"他做个鬼脸停了下来。

"到什么时候?"她无力地问道,她的嘴唇变白了。她对这些邪恶的预言总是特别的敏感,但是他只是在那儿摇着头。

"我不大清楚,"他说道,"我不大清楚。"

杰拉德去滑雪了,一直到傍晚他才回来,他错过了她在下午四点钟的时候做的咖啡与蛋糕。积雪条件非常的不错,他滑了很长的一段距离,就他独自一人,在他的雪橇上,穿行于积雪的山脊上面,他爬到非常高的地方,那么高,以至于他都能看见五英里远的山口的顶端了,可以看见山口顶部那一半埋在雪里面的玛丽安乎特旅馆,还有远远的深深的山谷,和黄昏下的松树林。

一条可以通到家里的路,但是一想到家,他就觉得恶心得发抖——一个人可以坐着雪橇滑到那儿,来到山口下面那古老的大路上。但是为何要到什么路上去呀?一想到他自己又一次置身于这个世界上他就心烦。他一定要在这积雪里面永远地呆下去。他自己一个人曾经非常的幸福,独自一个人爬到高处,坐在雪橇上快速地滑着,远远地飞行着,并从那覆盖着灿烂的积雪的黑色石头上掠过。

但是他觉得有什么冰凉的东西正聚集在他的胸口。他心中这坚持了好多天的奇怪的耐心与单纯,正在慢慢地逝去,他将再一次陷入那可怕的激情与磨难的折磨之中。

因此他非常不情愿地带着一身雪下来了,就跟个怪雪人一样,到了山谷中的房子那儿。他发现那儿的灯正闪着桔黄色的光,于是他就踌躇起来,他真希望不用进去,不用去面对那些人,不用去听那乱糟糟的声音,也不用去感受其他人在场的那种混乱。他很孤立的,就好像在他心灵的周围有一圈真空,或是一层纯粹的冰雪外罩。

从看见戈珍的那一刻,他的心中就有什么东西颤抖起来。在德国人面前,她显得非常的高雅而端庄,缓缓而又优雅地微笑着。他的心里突然跳出一种想法:把她杀死。他心想,要是杀死她,那将是一种多么彻底的淫荡的满足。整整一夜他都心不在焉的,被那雪与他的激情弄得迷迷糊糊的。

不过,他心中一直都有那种坚决的想法,要把她掐死,那将会是一种多么彻底的淫荡的成功,从她身上挤出每一点生命的火花,一直到她彻底僵死地躺到那儿,软软的,永远地放松下来,永远像一堆软团躺在他的两手之间,彻底地死去。那样一来,他就可以最终占有她,并且是永远的占有,那将会是一种完美的情欲的结局。

戈珍尚未意识到他正感触着的东西,他显得安静而又亲切,就跟平常一样。他这样亲切的态度使她认为对他真是有点太残忍了。

当他正在宽衣的时候,她进入了他的房间。她并没有注意到,当他看她时,眼里闪出了那仇恨的奇怪快乐的光芒。她在门边站住了,她的手放在了她身后。

"我正在考虑着,杰拉德,"她以一种羞辱人的冷淡说道,"我不会回到英国去了。"

"噢,"他说道,"那么你要到什么地方去呢?"

不过,她没有理睬他的问题。她就按照她自己的逻辑说了下去,而那跟她考虑好的一定是一样的。

"我没法看出回去有什么好处,"她接着道,"我跟你之间也就结束了——"

她停了下来,等着他来说。但是他并没有说话。他只是在跟自己说话,说道,"结束了,是不是?我相信是结束了。不过,并没有完结。要记好,并没有完结。我们一定要把它完结了。一定要有一个结论,一定要有个结局。"

就这样,自言自语着,不过不管怎样他都没有大声说出来。

"已经发生的事就让它过去好了,"她继续道,"我没有任何感到遗憾的事,我希望你也能什么事都不遗憾——"她等着他来说。

"噢,我对任何事都不感到遗憾。"他温和地说道。

"那就好了,"她回答道,"那就好了。那样一来,咱们谁都没有任何遗憾了,那些事就该那样子。"

"就该那个样子。"他茫然地说道。

她顿了一下，又整理了一下她的思路。

"我们的尝试是一个失败，"她说道，"但是，我们还能在其他方面再试一下。"

他心中闪起了一丝怒火。好像她正在挑逗他，刺激他。她为何非得这样做呢？

"在哪方面尽力？"他问道。

"在成为情人上呀，"她有点为难地说道，不过她依然把这事说得那样的微不足道。

"咱们在成为情人上的努力是一个失败吗？"他大声地重复了起来。他心里却正在说，"我应该在这个地方把她杀死。对我来说，只能把她杀死。"

一种阴沉的强烈的要把她致死的欲望使他发了狂。而她却没有察觉出来。

"莫非不是吗？"她问道，"你觉得它是一个成功吗？"

这个轻率问题的侮辱燃遍了他的血管，就跟一团火一样。

"还是有一些成功的地方的，像我们的友谊，"他回答道，"那——可能也有成功的地方。"

不过，在结束最后一句话之前，他顿了一下。甚至当他开始说这句话的时候，他都不太清楚他准备说什么。他很清楚绝对不可能是一个成功。

"不是的，"她回答道，"你不能够去爱。"

"那你呢？"他问道。

她那大大的黑色的眼睛就跟两盘黑色的月亮一样在凝视着他。

"我不能去爱你，"她说道，冷酷地把事实暴露了出来。

一阵眩晕猛地袭上他的脑子，他的身体就摇晃了起来，他的心已经燃着了。他的意识流到了他的手腕里面，流到了他的手里面。他有一个盲目的、抑制不住的愿望，就是要把她杀死。他的手腕正在燃烧，除非他的手紧紧地掐住了她，才会有满足感。

但是，就在他朝她转过身去以前，一种恍然大悟的神情闪现在她的脸上，接着，就在这一瞬间，她跑出了房门。她冲到她的房间里面，并将她自己锁到了里面。她很害怕，不过也非常自信。她很清楚，她的生命是在一个深渊的边缘上发抖。但是她对她的立足点很有把握，这很奇怪。她很清楚她的机智能够把他打败。

当她站在她的房间里的时候，她颤抖了起来，很兴奋，而且非常的愉快。她知道她能够把他打败。她能够依靠她那沉着的头脑，还可以靠她的才智。不过,这是一次殊死的争斗,眼下她也很清楚这一点。只要跌一跤,那她就失败了。她体内有一种很奇怪的紧张感,越来越强的恶心,就跟一个人处在要从一个很高的地方掉下去的危险之中一样,但是她并没有朝下面看,不承认那种恐惧感。

"我将在后天离开。"她说道。

她只不过不想让杰拉德觉得她很怕他,说她要跑走是因为她害怕他。她根本就不怕他。她很清楚那便是避开他那身体上的暴行的安全措施。不过,即使是在身体上她也并不怕他。她想把这一点证明给他看。当她证明了那一点,也就是无论他是什么样子,她都不怕他;当她证明了那一点的时候,她就能够永远地离他而去。

不过与此同时,她也很清楚,他们之间的这次搏斗非常的可怕,就跟她所了解的一样,是难以决定的。而她则需要相信她自己。无论她可能有多少的恐惧,她都不会害怕,不会被他威吓住,也不能去控制她,或者是拥有任何支配她的权力。这些她要坚持着,一直到她把它证明了。一旦这几点被证实了,她就永远从他那儿解脱出来了。

不过,如今她还依然没有证明,既没有向他,也没有向她自己证明。而这依旧把她限制在他的身边。她被束缚在他这儿,她不能离开他而去生活。她坐在床上紧紧地裹住自己,坐了好几个钟头,不断地暗中考虑着,她好象永远也没法把她的那一大堆思想理出个头绪来。

"他好象并非真正喜欢我,"她对她自己说道。"他不喜欢我。他碰到的每一个女人他都想让她爱上他。他甚至都没意识到他正在做这事。不过,他在那儿,在每一个女人的面前,他就显示出他的男性的吸引力,显示出他那远大的理想,他尽力使每一个女人都认为,把他当作一个情人会是多么美妙。他对女人的不加理睬,正是他的伎俩的一部分。他从来没有对她们注意过。他应该去当一只公鸡,那样的话,他就能够在五十个女人的面前炫耀他所有的本事了。不过,他那种唐·璜式的模样真的引不起我的兴趣。我演女唐·璜可以比他演唐·璜强一百万倍。他使我厌烦,你也知道。他的男人味使我厌烦。没有什么东西比他更令人厌烦,那样天生的愚蠢,而且还愚蠢地自以为是。真的,这些男人们那些不可理解的想法非常的荒谬——这些小小的高视阔步的人啊。

"他们所有的人都是相同的,看一下伯金好了。他们只是突破了狂妄的限制,其他就没什么了。真的没有什么,只是他们那荒谬的局限性与那本质上的卑微性使得他们这样自以为是。

"要说洛克,他就要比杰拉德要强上一千倍。杰拉德是那样的狭隘,留给他的只有一条死胡同。他将永远都在那个破旧的磨房中推磨。而磨盘下面实际上再也没有玉米了。当没有什么可磨的时候,他们还在那儿不断地磨——说着相同的话,信仰着相同的东西,做着相同的事情。噢,我的上帝,那会将一块石头的耐性给磨光。

"我不崇拜洛克,不过,无论如何,他是一个自由的个体。他不因为他自己的男人的思想而刻板。他没有忠诚地推着那个破旧的磨。噢,上帝,当我想到杰拉德与他的工作的时候——那些在贝多弗的业务与煤矿——我心里面觉得很不舒服。我与它有何关系——还有他认为他可以成为一个女人的情人的思想。他还不如将一根自鸣得意的电线杆当情人。这些男人,他们那没完没了的工作——以及上帝赐给他们,让他们永不停息地转动着的磨盘,却不去磨任何东西!那也太令人厌烦了,真是令人厌烦。不管怎么样,我哪会认真地对待他呀!

"最起码,在德累斯顿你就会从所有的这一切之中解脱出去。会有些有趣的事情让你做。去看那些和谐的表演,听德国歌剧,到德国戏院去,那将会很有趣!加入到德国放荡的生活之中,也将会非常的有趣。而洛克是一位艺术家,他是一个自由的个体。一个人将从那样多的东西之中解脱出来,这才是最主要的事情,从那么多的复而往返的丑恶的令人厌恶的粗俗行为、粗俗话语以及粗俗的体态之中解脱出来。我不会欺骗我自己,说我将会在德累斯顿发现一种长生不老的仙药,我很清楚我不会的。不过,我将会从那些有着他们自己的家、他们自己的孩子、他们自己的朋友、他们自己的这个、他们自己的那个的人们之中解脱出来。有些人没有财物,还有的没有家、没有家仆,我就将置身于这些人的中间。他们没有什么名望、地位与身份,同样也没有一个朋友圈子。噢,上帝,那些一环套一环的人们,使得一个人的脑子跟一只钟表似的,非常疯狂而又很机械,单调而又没有什么意义。我是多么的憎恨生活啊,我是多么的恨它。我是多么的憎恨那些杰拉德们,他们什么也不能给予。

"肖特兰兹!——天哪!想一下在那里的生活吧!一个星期,接着是第二个星期,然后是第三个——

"不,我不会去考虑它的——它太令人难以承受了。"

于是她就停住了,真的很恐惧,真的再也忍受不住了。

那一天接一天的机械呆板的运动,就那样一天接着一天继续下去。思考是一件让她的心脏跳动得都快要接近疯狂了的事。那在这嘀嗒而过的时间上面可怕的束缚,钟表的指针在猛地移动,一小时又一小时,一天又一天,就这样没完没了循环着——噢,上帝,那真是太可怕，都不敢去思考。而从它那儿又无处可逃，没法逃掉。

她几乎希望杰拉德跟她在一块儿，将她从这些胡思乱想中解救出来。噢，她一个人在那里躺着，倾听着钟表那可怕的没完没了的滴答声，她是多么的害怕啊。所有的生活，生活的一切都一下子变成了这嘀嘀嗒嗒，嘀嘀嗒嗒的声音，后来敲响了整时的声音，接着又是嘀嘀嗒嗒，嘀嘀嗒嗒的声音，表针在猛然地抖动着。

杰拉德无法拯救她。他，他的身体、他的举动、他的生命——就是这同样的嘀嘀嗒嗒的声音，也是同样地从表盘上滑过，那是一种骇人的滑动，直朝着一小时一小时而去。他的亲吻，他的拥抱就是这样的。她能够听到它们那嘀嘀嗒嗒、嘀嘀嗒嗒的声音。

哈——哈——她冲着她自己大笑了起来，她觉得太恐怖了，她正试图用大笑把它赶走——哈——哈，那是那样的疯狂，是真的，是真的啊。

后来，随着一个下意识的动作，她忽然想到，在某天早上，当她醒来，意识到她的头发已经变白了，她会不会非常的吃惊呢？她觉得它正在那样不断地变成白色，因为她想的太多，情感太凝重。不过它仍然是棕色的，就跟以前一样，而她依旧还是她自己，显得非常健康。

或许她很健康。也或许就是因为她并未衰退的健康状况才使她可以那样直接地面对现实。要是她体弱多病的话，她就会陷入梦幻中不能自拔。她没法逃避现实。她一定得一直看着，并去加以理解，而且决不能逃开。

她永远也不能逃开。而她就被放到了跟钟表面一样的生活前面。要是她扭过去的话，就跟在火车站一样，去看一下书报摊，那她也依然可以看见，就在她的心中，她可以看到那个时钟，那巨大的钟面总是白色的。她翻动书或者是用粘泥做小雕像也没有用。她很清楚她并非真的是在看书，她并非真的是在干活。

她正在看着那些手指头拨弄着时钟，而它就那样没完没了、机械呆板而又毫无变化地运作着。她从未真正地生活过，她只不过是在观察。确实，她就跟一只小小的十二个小时的钟表一样，面对着那巨大的不朽的钟表，她就是那样，既高贵又轻浮，或者是既轻浮又高贵。

这幅图画让她很满意。难道她的面孔不正像一座钟吗？——非常的圆，而且经常都很白，还很冷漠，她本来想站起来在镜子里面看一下，不过一想到她自己的面孔就跟一个十二小时的钟表一样，她心中就充满了那样深深的恐惧，以至于她急忙就去想一些其他的东西。

噢，为何没有什么人对她友爱一点？为何没有什么人将她抱在怀里，把她搂到胸前，使她能休息一下，只是深深地、平静地疗养一下？噢，为何没有什么人将她抱到他们的怀里，并安稳而又彻底地抱住她，让她睡觉？她是那样的想让人这样完全地抱着睡一觉。她躺下睡觉的时候总是那样的不踏实，她将一直那样不踏实地睡觉，不能轻松，没法安宁。噢，她如何能够忍受这些，这样的无止无休的紧张，这样的没完没了的紧张？

杰拉德！他能不能把她搂在怀里，抱着去她睡觉呢？哈！他自己还需要人安排他睡觉呢——可怜的杰拉德。那就是他需要的所有的一切。他所做的事情就是给她增加负担，当他在那儿的时候，她睡觉的负担就更重了，他在她的难以入睡的夜晚，在她那毫无用处的睡眠上，又加上一份疲倦。也可能他从她那儿得到了休息吧。也可能他就是那样的。也可能这便是他整天向她乞讨的东西，就跟一个非常饥饿的小孩子哭着要奶吃一样。也可能这便是他激情的秘密，就是他对她永远都冷却不了的欲望——他需要她来哄他睡觉，给他以休息。

那又算什么！莫非她就是他的母亲？她并未曾要一个小孩子来做她的情人，那她就得整夜整夜地来照顾他。她很轻视他，她瞧不起他，她的心肠变硬了。这个唐·璜就是一个在晚上的时候哭叫的婴儿。

噢，但是，她是多么的憎恨在晚上哭闹的婴儿啊，她真是很乐意把它杀死。她将会闷死他，接着再埋了他，就像海蒂·索莱尔那样做。毫无疑问，海蒂·索莱尔的婴儿在夜里哭叫过——毫无疑问，亚瑟·唐尼桑恩的婴儿也是。哈——这世界上的亚瑟·唐尼桑恩们，杰拉德们。白天他们是如此的有男子汉气概，然而在整个晚上，就成了那样一个哭闹的婴儿。让他们都变为机器好了，让他们变吧。

让他们变成器械，纯粹的机器，让他们那纯粹的意志就跟钟表似的永不停息地循环往复。让他们变成这个吧，让他们全都投入到他们的工作中去吧，让他们成为一架巨大的机器的一个完美的部分，永不停息地循环往复吧。让杰拉德去处理他的公司好了，在那儿他会觉得满意的，就跟一辆前前后后地往返的单轮手推车一样满意——她曾经看到过这个。

单轮手推车——一个卑微的车轮——那个公司的缩影。接着就是装了两个轮子的大车，然后是装了四个轮子的卡车，接着装了八个轮子的辅助机车，再接下来是装了十六个轮子的卷扬机，等等这些，直到发展成管理一千个轮子的矿工，接着是管理三千个轮子的电工，还有管理两万个轮子的井下管理人员，以及总经理，他管理着十万个小小的轮子运行来完成他的工作，再接下来就是杰拉德了，他管理了一百万个轮子和齿轮以及车轴。

可怜的杰拉德啊，有如此多的小小的轮子需要他管理！他比一座精密计时计更为错综复杂。但是，噢，上帝，那是多么的令人疲倦！多么的令人厌烦，上帝！一座精密计时计——一只甲虫——一想这些，她的灵魂就会因为倦怠而变得很虚弱。有如此多的轮子要去统计，去考虑，去计算！够了，够了，一个人对复杂因素的接受能力是有一个限度的。也可能并没有限度。

与此同时，杰拉德就坐在他的房间里面，看着书。当戈珍离开的时候，欲望就丧失了，他也就变得麻木了。他在床边上麻木地坐了一个钟头，一丝想法一而再再而三地出现了。但是他并没有动，有好长一段时间，他都没有动，他的脑袋也一直垂在胸前。

后来，他抬头看了看，意识到他要去睡觉了。他觉得很冷。时间不长，他就已经在黑暗之中躺着了。

但是他没法忍受的就是黑暗。这压迫着他的凝固的黑暗把他弄得都发疯了。因此他就站了起来，并点亮了一盏灯。他一直在那儿坐了好一会，目不转睛地望着前方。他没有去想戈珍，他没有想任何事。

后来，他突然去了楼下，去拿一本书。他这一辈子都很害怕黑夜的来临，在这个时候，他就不能睡着觉。他很清楚，对他来说，面对着失眠的夜晚和惊骇地观望着时间流逝，这些都是难以忍受的。

因此，他就在床上坐了好几个钟头，就跟一尊雕塑似的，看着书。他的头脑坚定而又敏锐，迅速地读着，他的身体什么都感觉不到了。就在这种意识不清的状态下，他读了整整一个晚上，直到早上，那个时候，他心里觉得疲倦而又厌烦，差不多对他自己都觉得厌恶了，他就去睡了两个钟头。

等他起床以后，振奋而且充满了精力。戈珍很少同他讲话，只有在喝咖啡的时候，她说道：

"我准备明天就离开。"

"为了面子上的问题，我们是不是先一块儿到因斯布鲁克那儿再分手？"

他问道。

"也可能吧。"她说道。

她是在喝着咖啡的时候，说"可能"的。对他来说，她说话的时候那吸气的声音令人作呕。他立即就从她身边离开了。

他离开了,并为明天出发的事做了安排。后来他就带着一些吃的东西,动身去滑一天雪。他跟维特说,他或许会到玛丽安乎特旅馆去,也或许会到下面的村庄去。

对戈珍而言,这一天就跟春天似的,充满了一种希冀。她感到一种正在靠近的轻松,一股崭新的生命的源泉在她的心中涌了上来。她很悠闲地收拾着包裹,这让她很高兴,把那些稍加浏览一下,往她身上试穿着不同的衣服,从镜子里面看着她自己,这都让她很高兴。她觉得新的生命降临到了她的身上,而她就像孩子似的,非常高兴。对所有的人来说,她那柔软而又丰满的体形,还有她那份幸福感,都非常的迷人而且很美丽。然而,在这下面却是死亡本身。

下午的时候,她不得不与洛克一块儿出去。在她面前,她的明天还非常的茫然。这让她觉得很高兴。她可能会与杰拉德一块儿到英国去,她可能会与洛克一块儿到德累斯顿去,她可能会到慕尼黑去,去找她在那里的一位女朋友。

明天任何事情都可能发生。而今天就是所有的可能性那白白的、覆盖着雪的、闪着光的开始。一切的可能性——那就是对她的吸引,可爱的、光闪闪的、模糊不定的吸引——都是纯粹的幻想。所有的可能性——因为死亡是没法避免的,而除了死之外,没有任何东西是可能的。

她并不想让那些东西得以实现,或是获得明确的外形。猛然间,她想明天就去旅行,想被一些完全无法预料的事件,或是运动,送到一个完全崭新的路线上。如此一来,虽然她想跟洛克一块儿出去最后一回,到雪地里面去,可是她不想很严肃认真地对待这件事。

洛克也并非一个很严肃的人。他戴着那褐色的天鹅绒帽子,使得他的脑袋圆圆的就跟一个栗子似的。那褐色的天鹅绒帽沿很宽松,松松地盖到了他的耳朵上,而一缕跟淘气鬼一样的稀薄的黑色的头发在他那大大的顽皮的黑眼睛上飘拂着,在他那小小的脸上,那发亮的、透明的褐色皮肤挤在一块儿,挤成了一副很古怪的鬼脸。他看上去就像个没长大的人,一个蝙蝠。不过,他这样的外形,又穿上那绿色的防水布衣服,他看上去单薄而弱小,甚至跟其他的人不相同,有点古怪。

他带着一副小小的平底雪橇,于是他们就跋涉于那覆盖着积雪的山坡之间。现在,风雪正烘烤着他们那逐渐僵硬的面孔,没完没了地因为那些妙语和俏皮话以及用几种语言表达出来的幻想而大笑着。对他们两个人来说,幻想就是真实的东西了,他们两个人都是那样的愉快，互相扔着用幽默和怪诞故事做成的彩球。在充分的相互影响中，他们的天性似乎迸出了火花，他们正在高兴地玩着一种纯粹的游戏。他们想把他们的关系保持在一场游戏的水准上：这样一场美好的游戏。

洛克并未将滑雪看得非常严肃。他不像杰拉德那样，对它并没有投入什么激情和热切。这让戈珍很高兴。她很厌烦，噢，对杰拉德的动作中那种紧张的强度是那样的厌烦。洛克让雪橇自由而又欢快地前进，就跟一片飘舞的树叶一样，而到了一个拐弯地方的时候，她跟他两个人都甩出去，掉到雪地里面。

等他们两个都从那刺人的雪白的地上毫无损伤地爬起来的时候，就大笑起来，而且活泼得跟一个小精灵一样。她很清楚，当他在地狱之中徘徊的时候，他也将做出嘲弄的、有趣的评论——如果他情绪不错的话。而那就让她非常的高兴。那好像是在这沉寂的现状和单调的生活之上的一种超脱。

他们玩着，纯粹是在消遣，什么也不想，也不去管时间，一直到太阳都落了下去。后来，小雪橇惊险万分地旋转了一下，在山坡底部停住了。

"等一下！"他突然开口道，不知从什么地方弄到一个很大的热水瓶，一包饼干与一瓶荷兰杜松子酒。

"噢，洛克，"她叫了起来。"多美妙的灵感啊！真是太让人激动了！这是什么杜松子酒？"

他看了看酒，就大笑了起来，"覆盆子。"他说道。

"不是的！是用雪底下的越桔酿成的。看上去就跟是从雪里面蒸馏出来的一样。你可以——"她闻了一下，又闻了一下瓶子——"你可不可以闻到越桔的气味？难道那不是很美妙吗？一个人可以透过积雪闻到它们的味道，那是真的。"

她在地上轻轻地跺着脚。而他就跪到那儿吹起了口哨，并将他的耳朵贴到积雪上，在他这样做的时候，他那黑色的眼睛闪着光。

"哈！哈！"她大笑起来。他用这种古怪的方式来嘲弄她说话的过度夸大，使得她觉得暖洋洋的。他总是逗她，嘲笑着她。但是，他在嘲笑的时候比她在夸张地说话的时候还要可笑，她只能大笑，而且觉得心里轻松了好多。

她可以感觉到她和他，他们的声音，就跟银铃似的在傍晚的时候那冰冷而寂静的空气里回响。这银色的隔绝的地方，还有相互之间的影响，那是多么美好，多么的美好啊。

她吸吮起那烫热的咖啡来，在那冰雪的空气中，那咖啡的香气在他们的周围缭绕，就跟蜜蜂们绕着鲜花嗡嗡地叫着一样。她小口地喝着越桔酒，她去吃那冰冷的香甜的奶油饼干。每一件东西都是多么的美好啊！就在这儿，在这特别安静的雪地里和正在降临的黄昏中，每一件东西尝起来、闻起来、听起来都是多么的美好啊。

"你准备明天就走？"最后，传来了他的声音。

"是的。"

出现了一阵停顿。这时候，夜好象无声地上升了，在那有限的高度，越来越苍白，一直升到了近在咫尺的苍穹。

"到什么地方去呢？"

就是那个问题——到什么地方去？什么地方，什么地方，那是一个那样可爱的字眼儿！她永远不想回答，就让它永远回响好了。

"我不大清楚。"她冲他微笑着说道。

他明白她的微笑的意思。

"谁也无法知道。"他说道。

"谁也无法知道。"她重复道。

出现了一片安静。而他迅速地吃着饼干，就跟一只兔子吃树叶一样。

"但是，"他笑了起来，"你要买到什么地方去的票？"

"噢，上帝！"她叫了起来，"一个人必须得有一张车票。"

这是一个突然的打击。她仿佛看见她自己在火车站售票处的窗口那儿。后来，她产生一种轻松的想法。她呼吸也就轻松了起来。

"不过一个人也用不着走啊。"她叫了起来。

"当然用不着。"他说道。

"我指的是一个人也可以不按他的车票上标明的地方走。"

那让他很受震动。一个人可以买到一张车票，而并不到那上面指明的地方去。可以半路上停下来，避开目的地。这一点就定了下来，那是一个办法。

"那么买一张到伦敦去的票吧，"他说道，"一个人绝对不会到那儿去。"

"就是。"她回答道。

他把一点咖啡倒进了一个锡杯里面。

"难道你不跟我说你将到什么地方去吗？"他问道。

"真的，实际上，"她说道，"我也不清楚。这依赖于风怎么吹。"

他审慎地看了看她，接着他鼓起嘴唇，就跟温柔的西风神一样，往雪里面吹着。

"它是朝德国去的。"他说道。

"我相信是这样。"她大笑了起来。

突然，他们看到一个隐隐约约的白色人影走近了他们。是杰拉德。因为这突如其来的惊慌，戈珍的心就狂乱地跳动起来。她站了起来。

"他们跟我说你在这儿。"传来了杰拉德的声音，就跟傍晚那苍白的空中的一声宣判一样。

"圣母啊！你就跟幽灵似的跑过来了。"洛克惊叫道。

杰拉德并未回答。对他们而言，他的存在很不自然，而且很可怕。

洛克摇了一下热水瓶，口朝下倒了几下，只有一些棕色的液体滴了出来。

"都没了！"他说道。

对杰拉德来说，这个矮小、古怪的德国人非常的清晰，就跟是从望远镜里面看的一样。而他极为讨厌这个小小的身影，他想让他离远点儿。

后来，洛克又摇了一下那盛有饼干的盒子。

"饼干还有。"他说道。

于是他就在雪橇里面伸出手来，将它们递给了戈珍。她摸摸索索的，就拿了一片。他本来要把它们递给杰拉德的，但是杰拉德明确地表示不想接受一块儿饼干，洛克很含糊地将那个盒子放在了边上。后来他把那个酒瓶拿了起来，把它举到了光线中。

"杜松子酒也还有点儿，"他对自己说道。

后来，他突然殷勤地将那瓶子在空中举了起来，以一种奇特而怪异的样子朝戈珍探过身去，并说道：

"小姐，"他说道，"为了健康——"

一声爆裂的声音，那酒瓶飞出去了。洛克吓得往后一跳。三个人都哆嗦着站在那里，情绪非常的激动。

洛克朝杰拉德转过身去，用恶魔一样的目光瞪着他的光润的脸。

"做得不错！"他狂怒地挖苦道，"毫无疑问，这也算是体育运动。"

接着他一下子就很可笑地坐到了雪地里面，杰拉德的拳头打到他的脑袋上。但是洛克振作了精神，又站了起来，打着哆嗦，死死地瞪着杰拉德。虽然他的身体很虚弱，而且又瘦小，但是他的眼睛却闪着魔鬼般的讽刺的光芒。

"英雄万岁，万岁——"

但是他缩了回去，杰拉德的拳头划过一道黑光又冲过去，打到他的脑袋上，把他像一根断掉了的稻草一样打到了一边。

但是戈珍跑了上去。她把她那握紧的手高高地举起来，打了下去。使劲地打到杰拉德的脸上与胸口上。

他非常的吃惊，就好像天空裂开了一样。他的灵魂很宽很宽地裂开了，感到很惊愕，感觉到了痛苦。后来他就笑了起来，转了过去，那强壮的手伸了出来，最终就要去摘取他那欲望的苹果了。

终于，他要完成他的欲望了。他把戈珍的脖子握在他的两手之间。手很坚硬，还有着无法征服的力量。而她的脖子非常的漂亮，那样的美丽而柔软，在那里面，他能够感觉到她的生命那光滑的弦线。而这是他要粉碎的，这也是他能够粉碎的。这是多么幸福的事啊！噢，这是多么幸福的事！到最后，这是多大的满足啊！

那彻底的、满足的快感充斥了他的灵魂。他在观望着她肿胀的脸上出现意识不清的样子，看着那双眼睛翻了过去。她是多么的难看啊！这是怎样的一种满足，一种怎样的满意啊！这是多么的美妙啊，噢，它是多么的美妙啊，最终，上帝赐予这样的满足！

他意识不到她在反抗，在挣扎。在这种拥抱中，这是对她的淫荡的激情的报应，它变得越强烈，暴怒的快感就越强烈，一直到顶点的到来，这个危急的时刻，这种挣扎过去了，她的动作就变得轻柔了，变得缓和了。

洛克在雪地里醒过神来。头太晕了，而且伤得也太重，都站不起来了。只有他的眼睛还有知觉。

"先生！"他用他那细弱而又警醒的声音说道，"当你将她杀死的时候——"

杰拉德的灵魂之中出现了一阵轻视而厌恶的感觉。这种厌恶直冲他的心底，真想吐出来。啊，他正在做什么啊？他让他自己走了多么远啊！好像他是由于太在意她了，所以才要把她杀死，去把她的生命捏在他的手中！

一种虚脱感袭遍了他的全身，那是一种很可怕的放松，一种溶化，一种力量上的衰退。在不知不觉之间，他松开了手，于是戈珍就跪到了下去。他非得要看明白，非得要搞清楚吗？

一种惊骇的虚弱感支配了他，他的关节好像都变成水了。他轻飘飘地去了，就跟乘着一阵风一样，轻飘飘地远去了。

"我本不想干这事,真的,"这是他灵魂中令人厌恶地一丝坦白。他浑身虚弱而又巧妙地往山坡上滑去的时候,只是从前面的障碍那儿无意识地避开。

"我受够了——我想去睡觉。我真是受够了。"他不由自主地产生了一种恶心的感觉。

他非常虚弱,但是他不想去歇一下,他想接着往前,再往前,一直到达尽头。也不再歇一下,直到他到达尽头,那是他所保留下来的所有的愿望。因此,他就一直滑啊,滑啊,毫无知觉,而且很虚弱,没有想任何东西,只是不停地运动着。

傍晚的微光像神光似的,不同寻常地在上空亮着,色彩是蓝紫色的,那寒冷的蓝色的夜降临到了雪地里。在后面的山谷下面,在广阔的雪地里有两个很小的身影:戈珍跪在那儿,就跟一个被处死的人一样,而洛克则挺直着身子坐在她的旁边。

那就是全部。

杰拉德磕磕绊绊地滑上雪坡,在那泛着蓝光的夜色下,不停地爬着,虽然他已经很疲倦了,但还是一直无意识地爬着。在他的左边是一面陡峭的山坡,全是黑色的石头,还有滚落下来的大堆的石头,风雪在那黑色的岩石堆里和四周隐隐约约地吹打着,然而却没有什么声音,所有的这一切都没有发出声音。

为了增加他的困难,一轮小小的月亮就在前面灿烂地闪起了光芒,就在右边,那是一种令人痛苦的灿烂的东西,一直不停地都在那儿,都没法从它那儿避开。他真想就那样一直走到尽头——他受够了。然而他并未睡着。

他痛苦地往上滑去,有的时候被迫从一片有黑色石头的山坡上穿过去,那地方积雪都被吹走了。在这种地方,他总害怕摔跤,非常害怕摔跤。而他就来到这高高的地方,就在这山顶之上,他都快要沉睡过去了,一阵冰冷的寒风吹来,差一点把他给吹倒。只不过,尽头并不在这儿,而他仍然一定要接着前进。他那种隐隐约约的恶心的感觉使得他不能停住脚。

到达一条山脊上之后,他发现有一座更高的山峰影影绰绰出现在前面。总是更高的山峰,更高的山峰,他很清楚他正顺那条路往山坡的顶端滑去,玛丽安乎特旅馆就在那个地方,然后就从另一边滑下去。但是他并不是真的很清醒。他只不过是想接着往前走,在他还有能力的时候,就一直不停地动,一直前进,那就是全部,一直不停地滑,一直到这些都结束。他已经失去了方位感。只是靠着残存的生命的不能,他的脚踩着雪橇曾经滑的轨迹往前走。

他在沿着一面雪坡走的时候滑了一下。那把他吓坏了。他没有拿蹬山杖,没有任何东西。但是在平安地停住了之后,他就开始在那闪着光的黑夜里继续滑着。那儿很冷,而他又很困,他正处于两条山脊之间,就在一条山谷的里面。因此他突然转了向,他是该爬到另一道山脊上呢,还是在山谷里面徘徊呢?他的生命之线伸展得是多么的细弱啊?他可能会爬到山脊上面。积雪很结实,也很单纯。他朝前走着。有什么东西在积雪里面凸起。他非常好奇地走近了。

那是一个被埋住了一半的十字架,在柱子的顶端,是一尊顶了一条小头巾的小耶稣塑像。他就避到一边去了,好象有什么人正准备把他杀死一样。他特别害怕被人杀害。但是这种恐惧就站在他的旁边,就跟他自己的灵魂一样。

但是为何会害怕呢?这事肯定要发生的——被杀害!他心怀恐惧地在雪地里朝周围看了看,看了看那些晃动着的、暗淡的、上面的世界那带着暗影的斜坡。他很清楚这一点,他肯定会被杀害的。而这就是死亡来到的时候了,而且没法逃避。

上帝,那么这是必然的了?上帝!他能够感觉到那种打击正在降下来,他很清楚他早已被杀害了。他迷迷糊糊地往前漫游着,他的手举了起来,好像要去感触将要发生的事情。他正在等待那一刻,那个时候他就会停下来,那个时候这事就会终了。这事还尚未终了。

他来到了山谷中那雪野的盆地里面,被陡峭的山坡与悬崖环绕着。从那儿伸出一条路,可以沿着它到达山峰的顶部。但是,他毫无意识地漫游着,直到他滑了一下,摔倒在地上,于是他就觉得他的灵魂里面有什么东西摔碎了,接着他立即就睡着了。

第三十一章　剧终

当第二天早上，他们将那具尸体搬回家的时候，戈珍还呆在她的房间里面。从窗户那儿，她看一些男人抬了一个担架从雪地上走了过来。她静悄悄地坐在那儿，任时间流过。

有人敲了一下她的门。她开了门，一个女人站在那儿，很轻柔，噢，非常虔诚地说着：

"夫人，他们找到了他！"

"他是不是死了？"

"对，在几个钟头以前。"

戈珍不知道该说些什么。她应该说些什么话？她应该有什么样的感觉呢？她应该干什么？他们对她的期望是什么？她不知道怎么办，显得很冷漠。

"谢谢你，"她说道，接着她就把她房间的门关上了。那位女人很恼火地离开了。没说一个字，没掉一滴眼泪——啊哈！戈珍非常的冷酷，是一个冷酷的女人。

戈珍仍旧在她的房间里面坐着，她的脸色很苍白，而且很冷漠。她要做些什么事？她没法哭出来，也没法大闹一通。她改变不了她自己。她一动不动地坐在那儿，躲避着人们。她的一个目的就是避免跟这些事沾上关系。她只是给厄秀拉与伯金发了一封很长的电报。

然而，在下午的时候，她突然站起来去找洛克了。她心怀恐惧地朝杰拉德住过的那个房间的房门扫了一眼。她无论如何也不会再到那里面去了。

她发现洛克独自一个人在客厅里坐着。她就径直走向了他。

"是不是真的？"她说道。

他抬头看她了一眼，一丝苦笑扭曲了他的脸，他耸了耸肩膀。

"真的？"他应声重复着。

"我们并没有把他杀死吧？"她问道。

他很讨厌她这副德性。他疲倦地耸起了肩膀。

"事情已经发生了。"他说道。

她看了他一眼。他沮丧地坐在那儿,而且显得很失落。没有感情,而且很无聊,跟她自己非常相像。我的上帝!这是一幕无聊的悲剧,无聊,非常的无聊。

她回到她的房间里去等厄秀拉与伯金。她想远远地走开,只是想远走高飞。她不能够去思考,或是去感觉,直到她离开这里,直到在这种环境下解脱出来。

一天过去了。第二天来到了。她听见一阵雪橇的动静,发现厄秀拉与伯金从高坡上滑了下来,而她也想从他们那儿避开。

厄秀拉径直朝她走来。

"戈珍!"她叫了起来,眼泪沿着她的两颊流了下来。接着她就把她的妹妹抱在了怀中。戈珍将她的脸埋到厄秀拉的肩膀上,但是她依旧不能摆脱那冷酷而嘲弄的魔鬼,那已经把她的灵魂都给冻结了。

"哈,哈!"她心想,"这是恰当的举止。"

但是她没法哭出来。一看到她那冷酷,苍白而又毫无表情的面孔,一下子就阻塞了厄秀拉的泪泉。有那么一会儿,两个姐妹都没有什么话跟对方说。

"将你们再一次拖到这个地方是不是太可恶了?"最后,戈珍问道。

厄秀拉有点迷惑地抬头看了看。

"我从来没想过这事。"她说道。

"我认为将你们喊来,会让你们非常的为难,"戈珍说道,"但我简直没法见人了。对我来说,这真是太难以忍受了。"

"对,"厄秀拉说道,心都冷了。

伯金敲了一下门,就进来了。他的脸色苍白,毫无表情。她很清楚他已经什么都知道了。他一边把手伸给她,一边说:

"不管怎么样,这是这次旅行的终点。"

戈珍很担心地扫了他一眼。

在他们三个人之间出现一阵沉默,没有可以说的话了。最终,厄秀拉以一种很小的声音问道:

"你有没有看到过他?"

伯金看了厄秀拉一眼,眼神很生硬很冷酷。并未回答。

"你有没有看到过他?"她重复了一遍。

"我看到了。"他冷冰冰地说道。

接着他看了戈珍一眼。

"你都干过些什么事?"他说道。

"没有,"她回答道,"什么也没有。"

她觉得非常的厌恶,从而不想作出任何回答。

"洛克说,当你们在路德巴亨谷底坐在雪橇上的时候,杰拉德来找你了,你们还发生了争吵,然后杰拉德就离开了。是为何而争吵?我最好能搞清楚,这样的话,要是有必要的话,我也能让当局满意。"

戈珍抬头看着他,脸色苍白,就跟个孩子一样,烦乱不已,一言不发。

"我们根本就没吵,"她说道,"他打倒了洛克,还把他打昏了过去,他几乎把我给掐死,后来他便离开了。"

她暗中却跟她自己说道:

"这是一个三角恋爱的很不错的小例子!"她嘲讽道,因为她很清楚,这次争斗是发生在杰拉德和她自己之间的事,而第三者的出现仅仅是一个意外——也可能是难以避免的意外,不过依然还只是个意外。但是,就让他们将它看作一个三角恋的例子好了,这是三个人的仇恨。对他们而言,这更容易理解。

伯金离开了,他的态度很冷淡,而且有点心不在焉。不过她很清楚,不管怎么样他都会为她做点事情的,他会帮她渡过难关的。她轻蔑地暗中微笑了起来。让他做这事好了,因为他是最爱关心别人的人。

伯金又到杰拉德那儿去了。他曾经喜欢过他。然而一看见那具一动不动的尸体他就觉得非常的厌恶。它是那样的僵硬,那样的冰冷而迟钝,伯金内脏好像都要结成冰了。

他只得在那里站着,望着那曾经是杰拉德的僵死的躯体。

这是一个冻死的男性。伯金想到了他曾经见过的一只兔子,就跟一块木板似的在雪地里冻僵了。当他把它捡起来的时候,它已经硬的跟一块干木头差不多了。而眼下,这就是杰拉德,僵硬得像一块木板,蜷缩着,好像是要睡觉,然而很显然,他不知怎么回事,僵硬得吓人,这使得他心中充满了恐惧。这房子一定要弄得温暖一点,那尸体一定要解解冻,如果那些肢体一定要被拉直的话,那它们就会跟玻璃或是木头似的破碎。

他伸出手,摸到了那张死者的面孔,那些让冰雪划出的深深的伤口让他那活生生的内脏都碎了。他怀疑他自己是不是也正在上冻,正在从心里上冻。在那短短的金色胡子下面,就在那静默的鼻孔下面,那生命的气息已经结成了一块冰。而这便是杰拉德!

他又触摸了一下那冻结的尸体上的那刺人的,冻得闪闪发亮的金黄的头发。它是冰凉的,冰凉的头发,几乎跟毒药差不多了。伯金的心开始结冰。他曾经喜欢过杰拉德。而如今他望着这张匀称的、色泽奇异的面孔，上面有那小小的好看的皱着的鼻子，还有那颇具男人味的两颊。看上去就跟一块冰冻的石头一样。然而，他曾经喜欢过他。一个人该会想到什么，感觉到什么？他的大脑也开始结起冰来了，他的血液正在变成冰水。是那样的冷，那样的冷，一种沉重的，刺痛的冰冷的压力从外边压到了他的胳膊上，而一股沉重的寒冷正在他的心中冻结，就在他的心中，和他的内脏之中。

他到有积雪的山坡去了，去看了出事地点。最后，他来到了悬崖与斜坡之间的那巨大的盆地那儿，就在山口顶端的附近。这是灰蒙蒙的一天，一直都是灰蒙蒙的，而且这儿很寂静，这都是第三天了。所有的一切都是苍白的、冰冷的、没有生气，只有那连绵不绝的黑色的石头像树根似的，时不时地凸出来，有的时候就跟裸露着的脸一样。在很远的地方，一面斜坡从一个山顶上伸展了下来，上面有很多滚下来的黑色的石头。

这里就像一只处于上面的世界中那些石头与积雪之间的浅浅的山谷一样。就是在这里，杰拉德睡了过去。远处，导游们早就将铁桩子深深地砸到了雪墙的里面，如此一来，他们就能够拉着系在那上面的粗大的绳子攀到那厚重的雪墙上面，上到裸露在天空下面的那起伏的山顶上，就在那儿，玛丽安乎特旅馆就处于那裸露着的石头之间。而在四周，那高高的陡峭的雪峰直刺天空。

杰拉德原本能够找到这根绳索，他可以攀到山顶上面。他可以听见玛丽安乎特旅馆里面的狗叫声，还可以找到栖身的地方。他原本可以沿着南边那非常非常陡峭的悬崖下去，落到下面那全是松柏的黝黑的山谷里面，来到向南通往意大利的大路上。

他可以的！可那又如何呢？大路！南方？意大利？接下来又如何？那就是出路了吗？那只不过又是一条死路。伯金高高地站在那冰冷刺骨的空气中，望着山顶与通往南方的大路。到南边去，到意大利去，有什么好处呢？走上那条非常非常古老的大路吗？

他转过身。或者是心破碎，或者是不再忧虑。最好的就是不再忧虑，无论创造了人与宇宙的是什么神秘的东西，它都是一个非人类的神秘的东西，它有它自己的伟大目标，人类并非它的评判标准。那是把所有的一切都留给那巨大的、具有创造性的非人的神秘的东西。最好自己一个人单独奋斗，不跟这宇宙在一块儿。

"没有人类就没有上帝"。这是某位法国宗教大师的一句话。但是这话绝对是假的。没有了人类，上帝依旧能行的，没有了鱼龙与蛙牙象，上帝也还依旧存在。这些妖怪不能去创造而取得进展了，因此上帝这个神秘的造物主就把它们扔掉了。同样的，要是人也一样不能创造、改变并发展的话，那么造物主也将把他们扔掉。这个具有创造性的永恒的神秘的造物主能够把人类除掉，并以一种比较优秀的生命来代替他，这跟马取代了哐牙象的位置是一样的。

对伯金来说，一想到这些，就非常的令人安慰。要是人类发展到了一个尽头，并把自身全都消耗光了，那永恒的有创造性的神秘的事物就将创造出其他的一些生命，更加的出色、更加的奇妙、还有新鲜、更加可爱的种族，接着把造物主的意愿具体化。这场游戏什么时候都不会结束。创造的神秘是永远都没法了解、没有错误，无穷无尽的。

种族来了又走，物种也一掠而过，可是不断地都有新的种类出现，更加可爱或是一样的可爱，总会有超越的奇迹。那个源泉是不会干涸的，而且非常的神秘。它没有什么界限。它能够创造奇迹，以它自己的时间，来创造完全崭新的种族和崭新的物种，崭新的意识形体，崭新的身体形态，崭新的生命组合。

与创造的神秘相比较，人类就什么也算不上了。让一个人的脉搏直接从那神秘的地方跳动，这就是尽善尽美而又用语言没法表达出来的满足。人类或是非人类的就没什么关系了。那完美的脉搏跟那没法描述的生命，以及不可思议的未来的物种一起跳动。

伯金再一次走回来。来到杰拉德那儿。他走到那个房间里面，在床上坐了下来。死亡，死亡和冷酷！

"凯撒大帝去世了，化为了泥土，

将会挡住一个洞口，把风拦到一边。"

那曾经是杰拉德的躯体没有传来任何反应。奇怪、冰冷——没有更多的了。没有更多的了！

伯金非常的疲倦，就离开去处理一天的事情去了。他一声不响地做了所有的事，没有一点烦恼。去哀嚎，去咆哮，去悲伤，去大吵大闹——所有的一切都太迟了。最好的就是安安静静地、耐心地去承受痛苦。

但是到了夜里，他又一次进去看置身于蜡烛之间的杰拉德，因为他心中的那种欲望使然，就在那个时候，他的心猛地一下子收缩了，蜡烛从他的手里掉了出来，他很奇怪地呜咽着，眼泪夺眶而出。他在一把椅子里面坐了下来，猛然间爆发的感情使得他打起了哆嗦。厄秀拉一直跟着他，当他低着头坐在那儿，而且全身都痉挛地发抖，掉着眼泪，发出了一种很奇怪而又很可怕的声音时，把她惊得往后一缩。

"我原本不想这个样子——我原本并不想这个样子，"他哭泣着自语道。厄秀拉禁不住就想到了德国皇帝的话："我原本不想这样干的。"她差不多是带着恐惧感朝伯金看着。

突然,他一下子安静了。但是他坐着的时候,他的头还低着,将他的脸埋在胸前。后来他暗中用他的手指抹去了泪水。接着他就猛地抬起头,直盯盯地望着厄秀拉,眼睛里面充满了黑色,几乎是复仇的目光。

"他原本应该喜欢我的,"他说道,"我曾经喜欢过他。"

她非常害怕,面色惨白,抿紧了嘴唇回答道:

"那又会有什么区别!"

"会有区别的!"他说道,"它会的!"

他把她晾在一边,又扭过脸去望着杰拉德。他奇怪地抬着头,就像一个傲岸对待辱没他的人那样,望着那张冰冷、默然无声的没有生气的面孔。它闪着一丝蓝色的光,它就像一根冷箭刺透了活着的人的心脏。冰冷、默然而又毫无生气!伯金回想起杰拉德曾经如何抓起他的手,热切而又紧紧地握住它表达出了那最深的爱意,只有一秒钟——然后就又一次放开了,永远地放开了。

如果他依旧衷心于那一次握手,死亡并不能改变一切。那些死掉了的与快要死掉的依旧能够去爱,依旧互相信任,而不会死去的,他们依旧存活于所爱的人的心中。杰拉德依然可以跟伯金在精神上生活在一块儿,哪怕在死过以后也一样。他可以跟他的朋友生活在一块儿,拥有一个更长久的生命。

但是如今他死掉了,就跟泥土一样,跟一块蓝色的、能够溶化的冰一样。伯金看了一下那些苍白的手指,都不能动了。他想到了他曾经看到过的一匹死去的马:一大堆雄性的东西,让人反胃。他还回忆起了他所喜欢的那个人的那张英俊的面孔,他已经死去了,可依旧信仰那些神秘的东西。那张僵死的面孔很好看,谁也不能说它冷酷、僵死、了无生气。想到它的时候,没有人能够不去相信造物主,心中就会因为生活有了新的、深刻的信念而温暖。

而杰拉德呢!他就是个否认者!把那颗冰冷、僵死的心留了下来,差不多就是不能跳动的了。杰拉德的父亲死时曾经充满了希望的表情,让人们的心都碎了,但却不是最后的这种骇人的冷漠、僵死的样子。伯金在那儿看了一遍又一遍。

厄秀拉站在一边,望着这个活着的人那样盯着死了的人那僵死的面孔。二者的面孔都是无动于衷的,表情全无的。烛光在这冰冷的空气里面,在这紧张的沉默之中跳动着。

"难道你还没有看够吗?"她说道。

他站了起来。

"对我来说,这是一件很痛苦的事,"他说道。

"什么——他的死亡吗?"她说道。

他的目光正好碰上她的目光。他并未回答。

"你已经得到了我。"她说道。

他微微笑了一下,亲吻了她。

"要是我死了,"他说道,"你就会明白我未曾离开过你。"

"那我呢?"她叫了起来。

"而你也不会离我而去。"他说道,"我们没有必要因为死亡而产生任何绝望。"

她抓住了他的手。

"但是你有必要对杰拉德的死绝望吗?"她说道。

"是的。"他回答道。

他们离开了。杰拉德被运到英国去埋葬了,伯金、厄秀拉陪着这个躯体,是跟杰拉德的一个弟弟一块儿去的。克里奇家的兄弟和姐妹们一定要将他葬在英国。伯金想把这死去的人留在阿尔卑斯山上,就在积雪的附近。可是克里奇家反对,很坚决地坚持要那样。

戈珍到德累斯顿去了。她未曾写过一封有关她自己详情的信。厄秀拉跟伯金一块儿在磨坊那儿呆了一两周。他们两个人都非常的平静。

"你需要杰拉德吗?"一天晚上她问道。

"是的。"他说道。

"对你来说,有我还不够吗?"她问道。

"不,"他说道,"作为一个女人,你对我来说是足够的了。对我来说,你便是一切女人。但是我想要一位男性朋友,就像你和我那样,作为永恒的朋友。"

"我为何不能让你满足呢?"她说道,"对我而言,你已经足够了。除了你之外,我不再需要其他任何人了。为何你不是这样的呢?"

"拥有你,我能够不要其他任何人而过完我的一生,不要其他任何亲密关系。但是为了使它完整,真正幸福,我就还想要跟一个男人结成永恒的同盟,拥有另一种爱。"他说道。

"我不信这一点,"她说道,"这是一种固执,一种理论,一种反常。"

"好吧——"他说道。

"你不可以拥有两种爱。你为何会那样!"

"看样子我不可以,"他说道,"不过我需要它。"

"你不能够拥有它,因为那是虚假的,不可能的。"她说道。

"我可不相信。"他回答道。